LA DAME DE CHEZ MAXIM

ON PURGE BÉBÉ

MAIS N'TE PROMÈNE DONC
PAS TOUTE NUE !

GEORGES FEYDEAU

La Dame de chez Maxim

On purge bébé

*Mais n'te promène donc
pas toute nue !*

GEORGES FEYDEAU
(1862-1921)

Georges-Léon-Jules-Marie Feydeau naît le 8 décembre 1862 à Paris, dans une famille littéraire : son père, Ernest, est un romancier ami de Théophile Gautier (qui lui dédie *le Roman de la momie*) et de Flaubert (l'un de ses romans, *Fanny*, fait scandale, pour immoralité, en même temps que *Madame Bovary*), dont les pièces de théâtre ont été jouées sans aucun succès; sa mère est la nièce du directeur d'une importante revue de l'époque.

Georges n'a que 7 ans quand il compose sa première pièce. Élève au lycée Saint-Louis, il continue à écrire des pièces et fonde, à 14 ans, avec un condisciple, le Cercle des Castagnettes qui donne, devant les élèves, représentations théâtrales et concerts. Feydeau s'exerce ainsi au métier d'acteur, interprétant notamment des personnages de Molière.

A 20 ans, il obtient son premier succès d'auteur avec *Par la fenêtre*, une pièce en un acte, et récidive l'année suivante avec *Amour et Piano*. *Tailleur pour dames* (1886) fait un petit triomphe, tant auprès du public que de la critique. Ensuite, pendant six ans, toutes ses comédies — parmi lesquelles *Un bain de ménage*

(1888), *Chat en poche* (1888)... — vont être des échecs. Il a épousé, en 1889, Marianne, la fille du peintre Carolus-Duran.

Il renoue avec le succès en 1892, avec *Monsieur chasse*, comédie en trois actes dans laquelle joue son ami Marcel Simon. Succès qui ne se démentira plus. La recette Feydeau (il écrit certaines de ses pièces en collaboration avec Maurice Desvallières, jusqu'en 1896), qu'il va appliquer à la vingtaine de vaudevilles et comédies qui vont suivre, ne va cesser de séduire : les intrigues ne sont pas des modèles de rigueur classique, mais le rythme de l'action est si rapide, avec rebondissements, quiproquos, coups de théâtre, et répliques pleines de mots d'esprit, que l'on en oublie la complexité et l'invraisemblance.

Feydeau s'affirme comme un maître de la situation cocasse, du dialogue comique. *Champignol malgré lui* (1892), *Un fil à la patte* (1894), *l'Hôtel du Libre-échange* (1895), *le Dindon* (1896), *la Dame de chez Maxim* (1899), *La main passe* (1904), *la Puce à l'oreille* (1907), *Occupe-toi d'Amélie* (1908), *Feu la mère de Madame* (1908), *On purge bébé* (1910), *Mais n'te promène donc pas toute nue* (1911)... font accourir les amateurs de théâtre boulevardier.

Les titres de ses pièces, à eux seuls, n'incitent pas à la mélancolie : *Hortense a dit « je m'en fous »* (1916), *Léonie est en avance* (1911), *la Duchesse des Folies Bergère* (1902), *On va faire la cocotte* (cette pièce, dont le premier acte est répété en 1913, restera inachevée, comme *Cent millions qui tombent*, répétée en 1911 pour ses deux premiers actes : Feydeau, qui improvise volontiers, ne parviendra pas à leur trouver une chute!).

Depuis 1909, il a quitté son épouse et vit dans un hôtel, près de la gare Saint-Lazare. En 1919, il assiste à la projection de *Charlot soldat* et, conquis par le septième art, envisage d'écrire un scénario pour Chaplin. Mais, souffrant de troubles psychiques dus à la syphilis, il est interné à la fin de cette même année dans une maison de santé. Il meurt en 1921, à l'âge de 59 ans.

Consécration pour cet admirateur de Molière, plusieurs de ses pièces seront, plus tard, mises au répertoire de la Comédie-Française. Et les cinéastes ne manqueront pas d'exploiter la verve de ce scénariste de génie en adaptant ses succès à l'écran.

La Dame de chez Maxim, On purge bébé, Mais n'te promène donc pas toute nue : les comédies ou vaudevilles de Feydeau ne se racontent pas : ils s'écoutent ou se lisent. Ce sont des feux d'artifices de drôlerie, de mots d'auteur, de réflexions satiriques, de situations aussi amusantes qu'extravagantes, avec pour héros des mégères et des époux sans caractère, des célibataires hâbleurs et des cocottes au grand cœur. On y retrouve ces « mouvements d'horlogerie » sur lesquels Feydeau a bâti son comique, où rebondissements et reparties se succèdent à un rythme époustouflant.

LA DAME DE CHEZ MAXIM

PERSONNAGES

PETYPON.	MM. Germain
GÉNÉRAL PETYPON DU GRÊLÉ.	Tarride
MONGICOURT	Colombey
LE DUC	Torin
MAROLLIER.	Mangin
CORIGNON.	M. Simon
ÉTIENNE.	Landrin
LE BALAYEUR.	Lauret
L'ABBÉ	Véret
CHAMEROT	Royer
SAUVAREL.	Milo
GUÉRISSAC	Draquin
VARLIN	Guerchet
ÉMILE.	Miah

3ᵉ OFFICIER...............	Féret
VIDAUBAN................	Ségus
TOURNOY	Prosper
LA MÔME CREVETTE	Mmes Cassive
MADAME PETYPON..........	R. Maurel
MADAME VIDAUBAN.........	De Miramont
MADAME SAUVAREL.........	J. Marsan
CLÉMENTINE..............	Dalvig
LA DUCHESSE DE VALMONTÉ .	Chandora
MADAME PONANT..........	Lamart
MADAME CLAUX...........	Templey
MADAME VIRETTE	Mylda
MADAME HAUTIGNOL........	Burkel
LA BARONNE	Fleury
MADAME TOURNOY	Daguin

ACTE PREMIER

LE CABINET DU DOCTEUR PETYPON

Grande pièce confortablement mais sévèrement meublée. A droite premier plan, une fenêtre avec brise-bise et rideaux. Au deuxième plan, en pan coupé (ou ad libitum, fond droit, face au public), porte donnant sur le vestibule. A gauche deuxième plan (plan droit ou pan coupé ad libitum), porte donnant chez madame Petypon. Au fond, légèrement en sifflet, grande baie fermée par une double tapisserie glissant sur tringle et actionnée par des cordons de tirage manœuvrant de la coulisse, côté jardin. Cette baie ouvre sur la chambre à coucher de Petypon. Le mur de droite de cette chambre, contre lequel s'adosse un lit de milieu, forme avec le mur du côté droit de la baie un angle légèrement aigu, de telle sorte que le pied du lit affleure le ras des rideaux, alors que la tête s'en éloigne suffisamment pour laisser la place d'une chaise entre le lit et la baie. Celle-ci doit être assez grande pour que le lit soit en vue du public et qu'il y ait encore un espace de 75 centimètres entre le pied du lit et le côté gauche de la baie. De l'autre côté de la tête du lit, une table de nuit surmontée d'une lampe électrique avec son abat-jour. Reste des meubles de la chambre ad libitum. En scène, milieu gauche, un vaste et profond canapé anglais, en cuir capitonné,

au dossier droit et ne formant qu'un avec les bras ;
à droite du canapé, une chaise volante. A droite de
la scène, une table-bureau placée perpendiculairement à la rampe. A droite de la table et face à elle,
un fauteuil de bureau. A gauche de la table un
pouf rendu « en blanc » et recouvert provisoire-
ment d'un tapis de table ; au-dessous de la table,
une chaise volante. Au fond, contre le mur, entre
la baie et la porte donnant sur le vestibule, une
chaise. Au-dessus de cette chaise, un cordon de
sonnette. Sur la table-bureau, un buvard, encrier,
deux gros livres de médecine. Un fil électrique, partant de la coulisse en passant sous la fenêtre, longe
le tapis, grimpe le long du pied droit (du lointain)
de la table-bureau et vient aboutir sur ladite table.
Au bout du fil qui est en scène, une fiche destinée à
être introduite, au courant de l'acte, dans la
mâchoire pratiquée dans la pile qui accompagne le
« fauteuil extatique » afin d'actionner celle-ci. A
l'autre bout, en coulisse, un cadran à courant
intermittent posé sur un tabouret. (Placer, en
scène, les deux gros livres de médecine sur le fil
afin d'empêcher qu'il ne tombe, en attendant
l'apparition du fauteuil extatique.)

SCÈNE PREMIÈRE

Mongicourt, Étienne, puis Petypon

Au lever du rideau, la scène est plongée dans
l'obscurité : les rideaux de la fenêtre ainsi que ceux
de la baie sont fermés. Le plus grand désordre
règne dans la pièce ; le canapé est renversé, la tête
en bas, les pieds en l'air ; renversée de même à côté,
la chaise volante, à un des pieds de laquelle est

accroché le reste de ce qui fut un chapeau haut de forme. Sur la table-bureau, un parapluie ouvert; par terre le pouf a roulé; un peu plus loin gît le tapis de table destiné à le recouvrir. La scène est vide, on entend sonner midi; puis, à la cantonade, venant du vestibule, un bruit de voix se rapprochant à mesure jusqu'au moment où on distingue ce qui suit :

Voix de Mongicourt. — Comment! Comment! Qu'est-ce que vous chantez!

Voix d'Étienne. — C'est comme je vous le dis, monsieur le docteur!

Mongicourt, pénétrant en scène et à pleine voix à Étienne qui le suit. — C'est pas possible! Il dort encore!

Étienne. — Chut! Plus bas, monsieur!

Mongicourt, répétant sa phrase à voix basse. — Il dort encore!

Étienne. — Oui, monsieur, je n'y comprends rien! Monsieur le docteur qui est toujours debout à huit heures; voici qu'il est midi...!

Mongicourt. — Eh bien! en voilà un noceur de carton!

   Il remonte légèrement vers le fond.

Étienne. — Monsieur a dit?

Mongicourt. — Rien, rien! C'est une réflexion que je me fais.

Étienne. — Ah! c'est que j'avais entendu : « noceur »!

Mongicourt, redescendant même place. — Pardon! j'ai ajouté : « de carton ».

Étienne. — Mais, ni de carton, ni autrement!

Ah! ben, on voit que monsieur ne connaît pas monsieur! Mais je lui confierais ma femme, monsieur!

Mongicourt. — Aha! Vous êtes marié!

Étienne. — Moi? Ah! non alors!... Mais c'est une façon de parler!... pour dire que s'il n'y a pas plus noceur que monsieur!...

Mongicourt, coupant court. — Oui, eh bien! en attendant, si vous donniez un peu de jour ici? Il fait noir comme dans une taupe.

Étienne. — Oui, monsieur.

Il va à la fenêtre de droite dont il tire les rideaux : il fait grand jour.

Étienne et Mongicourt, ne pouvant réprimer un cri de stupéfaction en voyant le désordre qui règne dans la pièce. — Ah!

Étienne, entre la fenêtre et la table-bureau. — Mais, qu'est-ce qu'il y a eu donc?

Mongicourt, au milieu de la scène. — Eh bien! pour du désordre!...

Étienne, gagnant le milieu de la scène en passant devant la table. — Mais, qu'est-ce que monsieur a bien pu faire pour mettre tout ça dans cet état!

Mongicourt (1). — Le fait est!...

Étienne (2). — A moins d'être saoul comme trente-six bourriques!

Mongicourt, sur un ton de remontrance blagueuse. — Eh! ben, dites donc, Étienne!

Étienne, vivement. — Oh! ce n'est pas le cas de monsieur! Un homme qui ne boit que de l'eau de Vichy!... et encore il l'allonge!... avec du lait!

Mongicourt, indiquant le pouf en blanc renversé par terre. — Ah! là là! Qu'est-ce que c'est que ce pouf! Pas élégant!

Étienne, relevant le pouf et le couvrant du tapis de table qui gît près de là. — Oh! c'est provisoire! Madame est en train de faire une tapisserie pour. Alors, en attendant, on met ce tapis dessus. *(D'un geste circulaire, indiquant tous les meubles en désordre.)* Non, mais, regardez-moi tout ça!

Mongicourt, retirant le restant de chapeau du pied de la chaise. — Ah!... et ça!

Étienne, prenant le chapeau des mains de Mongicourt. — Oh!... Un chapeau neuf, monsieur!

Mongicourt. — On ne le dirait pas!

Étienne, remettant la chaise sur ses pieds. — Vraiment, moi qui ai la mise-bas de monsieur! si c'est comme ça qu'il arrange mes futures affaires!...

    Tout en parlant, il est allé déposer le chapeau sur la table-bureau.

Mongicourt. — C'est pas tout ça! Je voudrais bien voir votre maître; il me semble que ce ne serait pas du luxe de le réveiller à cette heure-ci.

Étienne, tout en refermant le parapluie qui est grand ouvert sur la table. — Dame, si monsieur en prend la responsabilité!

Mongicourt, il remonte dans la direction de la baie. — Je la prends.

Étienne, remontant rejoindre Mongicourt à la baie. — Soit!... Mais alors, avec des bruits normaux.

Mongicourt, blagueur (1). — Qu'est-ce que vous entendez par des bruits normaux?

Étienne (2). — C'est monsieur qui les appelle comme ça. C'est, par exemple, de ne pas aller lui tirer un coup de canon dans les oreilles.

Mongicourt, même jeu. — Je vous assure que je n'ai pas l'intention !...

Étienne. — Mais, au contraire, de le réveiller petit à petit ; par des bruits doux et progressifs, en chantonnant, par exemple !... Nous pourrions chantonner, monsieur ?

Mongicourt, bon enfant. — Si vous voulez.

Étienne. — D'abord doucement ; et puis en augmentant.

Mongicourt, blagueur. — Il n'y a pas un air spécial ?

Étienne. — Non ! par exemple, tra la la la la la.

　Il chantonne l'air de Faust *: « Paresseuse fille. »*

Mongicourt, souriant. — Tiens, vous connaissez ça ?

Étienne, avec indulgence. — C'est le seul air que joue madame au piano, alors, à force de l'entendre !...

Mongicourt, remontant (2) jusqu'à la tapisserie qui ferme la baie. — Eh bien ! allons-y !... Justement, c'est un air matinal !...

Étienne (1), qui a suivi Mongicourt. — Doucement pour commencer, hein !

Mongicourt. — Entendu ! Entendu !

Mongicourt et Étienne, entonnant à l'unisson.

Paresseuse fille	Tralala lalalaire
Qui sommeille encor,	Tralala lala
Déjà le jour brille	*(Chanté à Mongicourt.)*

Sous son manteau d'or. Moi, j'sais pas les paroles
Alors je chant' l'air !
Tralala lalalaire
Tralala lala
Tralala lala...

Mongicourt, imposant silence à Étienne qui continue à chanter. — Chut !

Étienne. — ... laire... Quoi ?

Mongicourt. — J'ai entendu comme un grognement d'animal.

Étienne, en homme renseigné. — C'est monsieur qui se réveille.

Mongicourt. — Ah ? bon !...

Voix de Petypon, toujours invisible du public, — grognement. — Hoon !

Mongicourt, appelant à mi-voix et dans la direction de la chambre du docteur. — Petypon !

Étienne, appelant de même. — Monsieur !

Mongicourt. — Hé ! Petypon !

Voix de Petypon, nouveau grognement. — Hoon ?

Mongicourt, dos au public. — Eh ! ben, mon vieux !

Voix de Petypon. — Hoon ?

Mongicourt. — Tu ne te lèves pas ?...

Voix de Petypon, ensommeillée. — Quelle heure est-il ?

Mongicourt, se retournant. — Ah çà ! mais !... on dirait que la voix ne vient pas de la chambre...

Étienne, avec un geste du pouce par-dessus l'épaule. — C'est vrai ! ça sort comme qui dirait de notre dos.

Il se retourne.

Mongicourt, cherchant des yeux autour de lui. — Où es-tu donc?

Voix de Petypon, endormi et bougon. — Hein? Quoi? Dans mon lit!

Mongicourt, indiquant le canapé. — Mais c'est de là-dessous que ça sort!

Étienne. — Mais oui!

> *Ils se précipitent tous deux, Étienne à gauche, Mongicourt à droite, derrière le canapé dont ils soulèvent le dossier de façon qu'il soit parallèle au sol. On aperçoit Petypon en manches de chemise, la cravate défaite, dormant paisiblement, étendu sur le côté droit (la tête côté jardin, les pieds côté cour).*

Étienne et Mongicourt, ahuris. — Ah!

Mongicourt. — Eh bien! qu'est-ce que tu fais là? (*Petypon ouvre les yeux, tourne la tête de leur côté et les regarde d'un air abruti. Mongicourt, pouffant, ainsi qu'Étienne.*) Ah! ah! ah! Elle est bien bonne!

Petypon, se retournant, d'un geste brusque, complètement sur le côté gauche. — Ah! tu m'embêtes!

Mongicourt. — Eh! Petypon?

> *Il lui frappe sur les pieds.*

Petypon, se retournant sur le dos. — Eh! bien, quoi? (*Il se remet sur son séant et va donner de la tête contre le dossier du canapé.*) Oh!... mon ciel de lit qui est tombé!

> *Il se réétend sur le dos.*

Mongicourt, riant, ainsi qu'Étienne. — Son ciel de lit! Ah! ah! ah!

*Il relève presque entièrement le canapé en atti-
rant le dossier à lui de façon à découvrir Petypon.*

*Petypon, sur le dos, regardant Mongicourt debout
à ses pieds.* — Qu'est-ce que tu fais sur mon lit,
toi?

Mongicourt, gouailleur. — C'est ça que tu
appelles ton lit? Tu es sous le canapé.

Petypon, sur le dos. — Quoi! je suis sous le
canapé! Qu'est-ce que ça veut dire : « Je suis sous
le canapé »? Où ça, le canapé?

*Mongicourt, il fait redescendre le dossier du
canapé de façon à recouvrir complètement Petypon.* — Tiens, si tu ne le crois pas!

Petypon, rageur, se débattant sous le canapé. —
Qu'est-ce que c'est que cette plaisanterie? Qui
est-ce qui m'a mis ce canapé sur moi?

Mongicourt, relevant à moitié le canapé. — Tu
ferais mieux de demander qui t'a mis dessous.

Petypon. — Allons, retire-moi ça! *(On relève
complètement le canapé, contre lequel Petypon,
qui s'est remis sur son séant, reste adossé, l'air
épuisé.)* Oh! que j'ai mal à la tête!

*Mongicourt, qui a fait le tour du canapé, redescen-
dant extrême gauche et allant s'asseoir (1) sur le
canapé.* — Aha! C'est bien ça!

*Petypon, tout en se frottant les yeux, d'une voix
lamentable.* — Est-ce qu'il fait jour?

Mongicourt, blagueur. — Oui! *(Un temps.)*
encore un peu! *(Un temps.)* Mais, dépêche-toi, si
tu veux en profiter.

Petypon (2), se prenant la tête lourde de

migraine. — Oh! là! là!, là! là! *(A Mongicourt.)* Ah! mon ami!

Mongicourt. — Ah! oui! il n'y a pas d'autre mot.

Étienne, descendant (3) à droite du canapé. — Monsieur veut-il que je l'aide à se lever?

Petypon, à part, sur un ton vexé. — Étienne!...

Étienne. — Monsieur n'a pas l'intention de rester toute la journée par terre?

Petypon. — Quoi, « par terre »? Si ça me plaît d'y être? je m'y suis mis exprès tout à l'heure!... parce que j'avais trop chaud dans mon lit! Ça me regarde!

Étienne, bien placide. — Ah! oui, monsieur... *(A part.)* seulement, c'est une drôle d'idée.

   Il ramasse la redingote de Petypon qui traînait par terre.

Petypon, se levant péniblement, aidé par Mongicourt. — Et maintenant, je me lève parce que ça me plaît de me lever! Je suppose que je n'ai pas besoin de vous demander la permission?

Étienne, tout en secouant la redingote. — Oh! non, monsieur... *(A part.)* Ce qu'il est grincheux quand il couche sous les canapés!

   Il met la redingote sur le bras du canapé.

Petypon, maugréant, à Mongicourt. — C'est assommant d'être vu par son domestique dans une position ridicule! *(Sans transition.)* Oh! que j'ai mal à la tête!

   Il se prend la tête.

Étienne (3), d'un ton affectueux. — Monsieur ne veut pas déjeuner?

Petypon (2), comme mû par un ressort. — Ah! non. *(Avec dégoût.)* Ah! Manger! Huah!... Je ne comprends pas qu'on mange.

Étienne, dégageant vers la droite. — Bien, monsieur.

Petypon. — Ah!... Où est madame?

Étienne, qui a débarrassé la table du parapluie et du chapeau, revenant avec ces objets dans les mains. — Madame est sortie! Elle est allée jusque chez monsieur le vicaire de Saint-Sulpice.

Mongicourt. — Toujours imbue de religion, ta femme?

Petypon, à Mongicourt. — Ah! oui!... et de surnaturel. Ne s'imagine-t-elle pas maintenant qu'elle est voyante? Enfin! *(A Étienne qui, près de lui et tout souriant, approuve de la tête ce qu'il dit.)* Eh! ben, c'est bien, allez!

Étienne. — Oui, monsieur! *(A part, tout en remontant.)* Oh! il est bien bas!

Il sort deuxième plan droit, en emportant chapeau et parapluie.

SCÈNE II

Petypon, Mongicourt

Mongicourt, considérant Petypon qui se tient la tête à deux mains, la droite sur le front, la gauche sur le cervelet. — lui frappant amicalement sur l'épaule. — Ça ne va pas, alors?

Petypon, sans changer de position, les yeux au ciel, sur un ton lamentable. — Ah!

Il se traîne jusqu'à la chaise du milieu sur laquelle il s'assied.

Mongicourt, debout (1) et bien gaillard. — Ah! ah! Monsieur veut se lancer dans ce qu'il ne connaît pas!... Monsieur se mêle de faire la noce...!

Petypon (2), effondré sur sa chaise. — Mais, serpent! c'est toi qui m'as entraîné dans ces endroits d'orgie!

Mongicourt. — Ah! elle est forte!

Petypon. — Est-ce qu'il me serait jamais venu en tête, moi tout seul!... Seulement, tu t'es dit: « Voilà un homme sérieux! un savant! abusons de son ignorance! »

Mongicourt. — Ah! non, mais, tu en as de bonnes! Je t'ai dit tout simplement: « Petypon! avant de rentrer, je crève de soif; nous venons de passer deux heures à faire une opération des plus compliquées!... Quand on vient d'ouvrir un ventre... ça vaut bien un bock! »

Il remonte en arpentant vers le fond.

Petypon, qui a fait effort pour se lever, tout en se traînant vers le canapé. — Et tu m'as mené où? Chez Maxim!

Épuisé, il s'assied sur le canapé.

Mongicourt, redescendant (2), toujours en arpentant de long en large. — Un soir de Grand Prix, c'était un coup d'œil curieux! Je t'ai proposé un « cinq minutes ». Ce n'est pas de ma faute si ce « cinq minutes » s'est prolongé jusqu'à... *(Se retournant vers Petypon.)* jusqu'à quelle heure, au fait?

Petypon, levant les yeux au ciel. — Dieu seul le sait!

Mongicourt. — Ah! tu vas bien, toi!... C'est pas pour dire, mais quand l'ermite se fait diable!... il n'y avait plus moyen de te faire déguerpir.

Petypon. — Et alors, lâche, tu m'as abandonné!

Tout en parlant, il renoue sa cravate.

Mongicourt, gagnant la droite de son même pas de badaud. — Tiens! moi, je suis un noceur réglé! Je coordonne ma noce! tout est là!... Savoir concilier ses plaisirs avec son travail!... *(S'asseyant sur le pouf à gauche de la table droite de la scène.)* Tel que tu me vois, et pendant que tu dormais, toi... sous ton canapé...

Petypon, la tête douloureusement renversée contre le dossier du canapé. — Quel fichu lit!

Mongicourt. — Je m'en doute!... *(Alerte et éveillé.)* Eh! bien, moi, à huit heures, j'étais à mes malades... *(Se levant et allant à Petypon.)* A onze heures, j'avais vu tout mon monde; y compris notre opéré d'hier.

Petypon, subitement intéressé. — Ah?... Eh! bien? comment va-t-il?

Mongicourt, debout, à gauche de la chaise du milieu, sur un ton dégagé. — C'est fini!

Il sort un étui à cigarettes de sa poche.

Petypon, vivement. — Il est sauvé?

Mongicourt. — Non! Il est mort!

Il tire une cigarette de l'étui.

Petypon. — Aïe!

Mongicourt. — Oui. *(Moment de silence.)* Oh! il était condamné.

Petypon. — Je te disais bien que l'opération était inutile.

Mongicourt, dogmatique. — Une opération n'est jamais inutile. *(Remettant l'étui dans sa poche.)* Elle peut ne pas profiter à l'opéré... *(Tirant une boîte d'allumettes de son gousset.)* elle profite toujours à l'opérateur.

Petypon. — Tu es cynique!

Mongicourt, avec une moue d'indifférence professionnelle, tout en frottant son allumette. — Je suis chirurgien.

Petypon, bondissant en le voyant approcher son allumette enflammée de sa cigarette. — Hein! Ah! non! ffue!

   Il souffle l'allumette.

Mongicourt, ahuri. — Quoi?

Petypon. — Oh! ne fume pas, mon ami, je t'en prie! Ne fume pas!

Mongicourt, avec une tape amicale sur l'épaule. — A ce point? Oh! là! là!, mais tu es flappi, mon pauvre vieux!

Petypon. — A qui le dis-tu! Oh! ces lendemains de noce!... ce réveil!... Ah! la tête, là!... et puis la bouche... mniam... mniam... mniam...

Mongicourt, d'un air renseigné. — Je connais ça!

Petypon. — Ce que nous pourrions appeler en terme médical...

Mongicourt. — La gueule de bois.

Petypon, d'une voix éteinte, en passant devant Mongicourt. — Oui.

Mongicourt. — En latin « gueula lignea ».

Petypon, se retournant à demi. — Oui; ou en grec...

Mongicourt. — Je ne sais pas!

Petypon, minable. — Moi non plus!

Il s'affale sur le pouf, le dos à la table.

Mongicourt. — Ah! faut-il que tu en aies avalé pour te mettre dans un état pareil.

Petypon (2), levant les yeux au ciel. — Ah! mon ami!

Mongicourt, prenant la chaise du milieu, la retournant (dossier face à Petypon) et se mettant à califourchon dessus. — Mais tu as donc le vice de la boisson?

Petypon, l'air malheureux. — Non! J'ai celui de l'Encyclopédie!... Je me suis dit : « Un savant doit tout connaître. »

Mongicourt, avec un petit salut comiquement respectueux. — Ah! si c'est pour la science!

Petypon. — Et alors... *(Avec un hochement de tête.)* tu vois d'ici la suite!

Mongicourt, gouailleur. — Tu appelles ça la suite?... Tu es bien bon de mettre une cédille!

En ce disant, il se lève et, du même mouvement, replace la chaise à droite du canapé.

Petypon. — En attendant, me voilà fourbu, éreinté; les bras et les jambes cassés!... Un véritable invalide!

Mongicourt, descendant à gauche, devant le canapé. — L'invalide à la gueule de bois.

Petypon, se levant et gagnant le milieu de la scène. — Oh! c'est malin!

A ce moment on entend la voix de madame Petypon à la cantonade : « Ah! monsieur est enfin debout? Ah bien! ce n'est pas trop tôt! Tenez, Étienne, débarrassez-moi de ces paquets! là! prenez garde, c'est fragile! » *etc.*, ad libitum.

Petypon, bondissant aussitôt qu'il a entendu la voix de sa femme et parlant sur elle, tout en se précipitant sur sa redingote qui est sur le canapé. — Mon Dieu, ma femme!... Dis-moi : est-ce qu'on voit sur ma figure que j'ai passé la nuit?

Mongicourt (1), avec un grand sérieux. — Oh! pas du tout!

Petypon (2), rassuré. — Ah!

Mongicourt, tout en l'aidant à passer sa redingote. — Tu as l'air de sortir d'une veillée mortuaire.

Petypon. — Quoi?

Mongicourt. — Côté du veillé! A part ça!...

Petypon. — Ah! que tu es agaçant avec tes plaisanteries!... Attends! si je...? *(Se redressant et se passant la main dans les cheveux tout en s'efforçant de prendre l'air guilleret.)* Est-ce que?... hein?

Mongicourt, gouaillant. — Non, écoute, mon vieux, n'essaie pas! Tu chantes faux!

SCÈNE III

Les mêmes, Madame Petypon

Madame Petypon, son chapeau encore sur la tête, surgissant de droite, pan coupé, et les bras tendus vers son mari. — Ah! te voilà; tu es levé! Eh!

bien, tu en as fait une grasse matinée! Bonjour, mon chéri.

Elle l'attire à elle pour l'embrasser.

Petypon (2), auquel l'étreinte de sa femme donne une secousse dans la tête endolorie. — Bonjour, Gab... Oh!... rielle!

Madame Petypon (3). — Bonjour, monsieur Mongicourt.

Mongicourt (1), très aimable. — Madame, votre serviteur!

Madame Petypon, retournant son mari face à elle. — Oh! mais, regarde-moi donc!... Oh! bien, tu en as une mine!

Petypon. — Ah?... Tu trouves?... Oui! oui! Je ne sais pas ce que j'ai, ce matin; je me sens tout chose.

Madame Petypon, inquiète. — Mais tu es vert! *(A Mongicourt.)* Qu'est-ce qu'il a, docteur?

Mongicourt (1), affectant la gravité du médecin consultant. — Ce qu'il a?... Il a de la gueula lignea, madame!

Petypon, à part. — Hein?

Madame Petypon, sursautant, sans comprendre. — Ah! mon Dieu, que me dites-vous là!

Mongicourt, d'une voix caverneuse. — Oui, madame!

Madame Petypon, affolée. — C'est grave?

Mongicourt, avec importance, la rassurant du geste. — Je réponds de lui!...

Madame Petypon, sur un ton profondément

reconnaissant. — Ah! merci!... *(A Petypon, avec une affectueuse commisération.)* Mon pauvre ami!... Alors, tu as de la « gueula lignea » !

Petypon, embarrassé. — Ben... je ne sais pas!... C'est Mongicourt qui...

Madame Petypon, vivement. — Oh! mais, il faut se soigner. *(A Mongicourt.)* Qu'est-ce qu'on pourrait lui faire prendre?... peut-être qu'un réconfortant?... *(Brusquement.)* un peu d'alcool?...

    Ravie de cette inspiration, elle fait mine d'aller chercher de ce qu'elle propose.

Petypon, comme une vocifération. — Oh! non!... *(Avec écœurement.)* Non, pas d'alcool!

Madame Petypon, redescendant, toujours au 3. — Mais alors, docteur, quel remède?

Mongicourt, avec une importance jouée. — Mon Dieu, madame, en général, pour cette sorte d'indisposition, on préconise l'ammoniaque.

Gabrielle, n'en demandant pas davantage et remontant. — L'ammoniaque, bon!

Petypon, vivement. — Hein? Ah! non! *(Bas à Mongicourt, pendant que sa femme, arrêtée par son cri, revient vers lui.)* Tu veux me faire prendre de l'ammoniaque!

Mongicourt, ayant pitié de l'affolement de Petypon. — Mais, actuellement, votre mari est dans la période décroissante...

Gabrielle. — Ah! tant mieux!

Mongicourt. — Des tisanes, du thé avec du citron; voilà ce qu'il lui faut!

Madame Petypon, remontant, empressée. — Je vais tout de suite en commander.

Mongicourt, blagueur, à Petypon. — N'est-ce pas?

Petypon, à mi-voix, sur un ton de rancune comique, à Mongicourt. — Oui, oh! toi, tu sais!...

Madame Petypon, qui s'est arrêtée en chemin, se tournant vers Petypon. — Ah! qui m'aurait dit que tu te réveillerais dans cet état, quand ce matin tu dormais d'un sommeil si paisible! *(Petypon, stupéfait, tourne un regard ahuri vers Mongicourt.)* Tu n'as même pas senti quand je t'ai embrassé.

Petypon, de plus en plus stupéfait, se retournant vers sa femme. — Hein?... Tu... tu...?

Madame Petypon. — Quoi, « tutu »?

Petypon. — Tu m'as embrassé?...

Madame Petypon, très simplement. — Oui.

Petypon, insistant. — Dans... dans mon lit?

Madame Petypon. — Eh? bien oui! quoi?... Tu dormais, enfoui sous les couvertures; je t'ai embrassé sur le peu de front qui émergeait de tes draps. Qu'est-ce qu'il y a d'étonnant?

Petypon, abruti. — Oh! Rien! rien!

Madame Petypon, remontant pour sortir. — Je vais chercher le thé.

Mongicourt, accompagnant la sortie de madame Petypon. — C'est ça! c'est ça!

Aussitôt madame Petypon sortie, pan coupé droit, il redescend au 2.

SCÈNE IV

Petypon, Mongicourt, puis la Môme

Petypon, qui est resté médusé sur place, les yeux fixés sur le canapé et récapitulant. — Elle m'a embrassé dans mon lit!... et je dormais sous le canapé!...

Mongicourt, dans le même sentiment que Petypon. — Oui!

L'air concentré, il prend de la main droite la chaise qui est près du canapé et l'amène devant lui.

Petypon (1), avec un hochement de la tête. — Comment expliques-tu ça, toi?

Mongicourt (2), écartant de grands bras. — Je cherche!

Il enfourche la chaise et, à califourchon dessus se met à méditer en se tenant le menton.

Petypon, brusquement, se laissant tomber sur le canapé. — Mon Dieu! Est-ce que je serais somnambule?

Ils restent un moment dans cette pose méditative, le dos tourné l'un à l'autre, Petypon face à l'avant-scène gauche, Mongicourt à l'avant-scène droite. Tout à coup un long et bruyant bâillement se fait entendre venant de la pièce du fond.

La voix. — Ahouahouahahah!

Petypon, tournant la tête vers Mongicourt. — Qu'est-ce que tu dis?

Mongicourt, tournant la tête vers Petypon. — Moi? j'ai rien dit!

Petypon. — Tu as fait « ahouahouhahouhah » !

Mongicourt. — C'est pas moi !

Petypon. — Comment, c'est pas toi !

La voix, nouveau bâillement. — Ahouhahah ! aah !

Petypon, se levant et se tournant dans la direction d'où vient le bruit. — Eh ! tiens !

Mongicourt, se levant également en enjambant sa chaise. — Eh ! Oui !

La voix. — Aouh ! ah ! ouhah !

Petypon. — Mais ça vient de ma chambre !

Mongicourt. — Absolument !

Petypon, tout en se dirigeant, suivi de Mongicourt, vers la tapisserie du fond. — Je ne rêve pas !... il y a quelqu'un par là !...

> *Simultanément ils écartent les deux tapisseries. Petypon en tirant celle de gauche, côté jardin, Mongicourt celle de droite, côté cour. Chacun d'eux fait un bond en arrière en apercevant, couchée dans le lit, en simple chemise de jour, une jeune femme au minois éveillé, aux cheveux blonds et coupés court.*

Petypon et Mongicourt. — Ah !

La Môme, se dressant sur son séant et sur un ton gamin. — Bonjour, les enfants !

Petypon, ahuri. — Qu'est-ce que c'est que celle-là ?

Mongicourt, tombant assis, en se tordant de rire, sur la chaise à droite et contre le chambranle de la baie. — Eh ! ben, mon vieux !... tu vas bien !

Petypon, les cheveux dressés et affolé, au pied du

lit. — Hein! Mais pas du tout!... Qu'est-ce que ça veut dire?... *(A la Môme.)* Madame! Qu'est-ce que ça signifie?... D'où sortez-vous?...

La Môme, d'une voix amusée. — Comment, d'où que je sors? Eh bien! tu le sais bien!

Petypon (1), indigné. — Mais je ne vous connais pas!... mais en voilà une idée!... Pourquoi êtes-vous dans mon lit?

La Môme (2). — Comment, pourquoi que j'y suis?... Non mais, t'en as une santé!... *(A Mongicourt.)* Dis donc, eh!... l'inconnu! Il me demande pourquoi que j'y suis, dans son lit!

Mongicourt, se tordant. — Oui!... Oui!

Petypon. — Mais, absolument! Quoi? J'ai le droit de savoir... *(Furieux, à Mongicourt.)* Mais ne ris donc pas comme ça, toi! c'est pas drôle! *(A la Môme.)* Qui êtes-vous? Comment êtes-vous ici?

La Môme. — Non, mais on se croirait chez le juge d'instruction!... Qui que je suis?... Eh! ben, la Môme Crevette, parbleu!

Mongicourt. — La danseuse du Moulin-Rouge?

La Môme, de son lit, donnant une tape du plat de la main sur la joue de Mongicourt. — Tu l'as dit, bouffi!

Mongicourt, se levant et descendant en s'esclaffant à gauche, près de la table. — C'est mourant!

La Môme, désignant Petypon du doigt. — Avec ça qu'il ne le savait pas, le vieux bébé! puisqu'on s'est pochardé tous deux! et qu'il m'a ramenée à son domicile!

Petypon, ahuri. — Moi, je?... c'est moi qui?...

La Môme, sans transition, regardant à droite et à gauche. — Dis donc, c'est bien, chez toi!

Petypon, brusquement. — Ah! mon Dieu!

Mongicourt et La Môme, qui précisément vient de sauter hors du lit, côté lointain. — Quoi?

Petypon, gagnant (2) jusqu'à Mongicourt (3). — Mais alors!... le baiser!... sur le front!... dans mon lit!... C'était la Môme Crevette!

Mongicourt, d'une voix caverneuse. — C'était la Môme!

Petypon, d'une même voix caverneuse. — Gabrielle a embrassé le front de la Môme Crevette!

Mongicourt, de même. — La vie est pleine de surprises!

   Ils restent comme figés, côte à côte, épaule contre épaule, les jambes fléchissantes, les yeux ahuris fixés sur la Môme Crevette.

La Môme, qui pendant ce qui précède a enfilé un jupon, une combinaison, un pantalon (suivant ce qu'on porte), descend en scène en les regardant d'un air moqueur. — Eh ben quoi? Non! mais en v'là des poires!... (D'un mouvement de danseuse de bal public, passant vivement la jambe par-dessus le dossier de la chaise qui est au milieu de la scène.) Eh! allez donc! c'est pas mon père!

   Elle se laisse tomber sur le canapé et s'y étend tout de son long, la tête côté gauche.

Petypon, bondissant, hors de lui, vers la Môme, tandis que Mongicourt a remonté la chaise du milieu et la pose contre le chambranle gauche de la baie. — Mais, allez-vous-en, madame! On peut venir... : Je suis un homme sérieux!... vous ne pouvez pas rester ici!...

La Môme (1), le toisant avec des petits yeux gouailleurs. — J' t'adore!

Petypon. — Quoi?

La Môme, le narguant en chantonnant. — Adieu, Grenade la charman-te!

Petypon (2), lui tirant les jambes pour les ramener à terre. — Mais il n'y a pas de « Grenade! » Voulez-vous vous rhabiller!...

Voix de madame Petypon, à la cantonade. — Eh! bien, quoi? N'importe! chez l'épicier ou chez le fruitier... Vous avez de l'argent? Attendez!

Petypon, bondissant à la voix de sa femme et parlant sur elle. — Ah! mon Dieu! Gabrielle!...

Mongicourt. — Ta femme!

Petypon, entraînant la Môme vers le fond. — Cachez-vous!... ne vous montrez pas!...

Mongicourt, l'entraînant également. — Venez là! là!

La Môme, ahurie. — Mais quoi? quoi!

Petypon, la poussant dans la chambre. — Mais cachez-vous donc!

Mongicourt et lui referment vivement les tapisseries. Au moment où paraît Gabrielle, ils n'ont que le temps de se retourner et restent sur place, Mongicourt (1), Petypon (2), en se dandinant bêtement pour avoir l'air d'être à l'aise.

SCÈNE V

Les mêmes, la Môme, cachée, Madame Petypon

Madame Petypon, surgissant de droite, pan coupé. Elle porte un plateau avec la théière, le sucrier et la tasse sur sa soucoupe. Sans regarder les deux hommes, elle descend jusqu'à la table déposer son plateau. — Voilà le thé! J'ai envoyé Étienne acheter un citron.

Petypon, affolé et l'œil toujours sur sa femme, profitant de ce qu'elle ne regarde pas pour dire très haut par l'interstice des deux tapisseries, afin de prévenir la Môme. — Ma femme! hum! hum!... Madame Petypon, ma femme!

Mongicourt, même jeu. — Sa femme! Madame Petypon!

Madame Petypon, étonnée, se retourne vers son mari, puis, traversant la scène en riant de façon à passer au 1. — Eh bien quoi? Tu me présentes au docteur, maintenant?

Mongicourt, inconsidérément. — Madame, enchanté!

Il descend, tout en parlant, derrière le canapé.

Petypon, à Gabrielle assise sur le canapé. — Mais non, je dis : — tu ne me laisses pas achever — « Madame Petypon, ma femme... tu ne trouves pas qu'on étouffe ici? »

Madame Petypon (2). — Ici? non!

Petypon (3). — Si! si! *(Brusquement, de la main droite, lui saisissant le poignet gauche.)* Allons prendre l'air, viens! Allons prendre l'air!

Madame Petypon, résistant, bien qu'entraînée par Petypon. — Mais non! Mais non!

Petypon, l'entraînant vers la droite, pan coupé. — Mais si! mais si!

Il imprime une secousse de poignet au bras de sa femme qui se trouve ainsi lancée au 3, juste pour aller virevolter autour de la chaise sur laquelle sont les vêtements de la Môme.

Madame Petypon, à droite de la chaise, avisant les vêtements. — Ah! Qu'est-ce que c'est que ça, qui est sur cette chaise?

Petypon, à gauche de la chaise. — Quoi?

Madame Petypon, prenant les vêtements et descendant au 2. — Cette étoffe?... on dirait une robe!

Petypon, médusé, à part. — Nom d'un chien! la robe de la Môme!

Mongicourt, entre ses dents, en se laissant tomber sur le canapé. — Boum!

Madame Petypon. — Mais oui!... En voilà une idée d'apporter ça dans ton cabinet... Depuis quand c'est-il là?

Petypon, descendant vivement entre Mongicourt et madame Petypon. — Je ne sais pas! je n'ai pas remarqué! Ça n'y était pas cette nuit!... Il me semble que c'est ce matin, hein?... n'est-ce pas, Mongicourt? On a apporté ça ce... *(Agacé par le silence et le regard moqueur de Mongicourt qui semble s'amuser à le laisser patauger.)* Mais dis donc quelque chose, toi!

Mongicourt, sans conviction. — Hein? oui!... oui!

Petypon, à sa femme. — Ça doit être une erreur!... c'est pas pour ici!... Je vais la renvoyer!

En ce disant, il empoigne la robe et, passant devant Gabrielle, pique vers la porte de sortie.

Madame Petypon, qui n'a pas lâché l'autre bout de la robe, en tirant à soi, fait virevolter son mari et le ramène à elle. — Mais, pas du tout, ce n'est pas une erreur.

Petypon (3). — Hein ?

Madame Petypon (2). — Seulement, c'est une drôle d'idée d'apporter ça chez toi !

Petypon. — Comment ?

Madame Petypon. — Moi, pendant ce temps-là, j'écris une lettre à cheval à ma couturière.

Petypon. — A ta ?...

Madame Petypon. — Mais oui, elle devait déjà me livrer cette robe hier ; alors, moi, ne voyant rien venir...

Petypon. — Hein ?

Mongicourt, à part. — Ah bien ! ça, c'est le bouquet !

Petypon, qui n'a qu'une idée, c'est de reprendre la robe. — Mais non !... Ce n'est pas possible !... D'abord, je te connais, tu n'aurais pas choisi une robe si claire !... Allez ! donne ça ! donne ça !

Il a saisi la robe et fait mine de l'emporter.

Madame Petypon, défendant son bien. — Ah ! que tu es brutal ! Tu sais bien que je ne choisis jamais !... Je dis à ma couturière : « Faites-moi une robe ! » et elle me fait ce qu'elle veut ; je m'en rapporte à elle. C'est un peu clair, c'est vrai !...

Petypon. — Oui, oui ! (*Saisissant la robe et essayant de l'arracher à sa femme.*) On va la faire teindre !...

Madame Petypon, tirant de son côté et d'un coup sec faisant lâcher prise à Petypon. — Oh ! mais, voyons, à la fin !... C'est un peu clair, mais une fois n'est pas coutume !... Ah ! tu as une façon de manipuler les toilettes ! Ah ! si on les laissait entre tes mains !... vrai !...

Elle sort par le deuxième plan gauche en emportant la robe.

SCÈNE VI

Les mêmes, moins Madame Petypon

Petypon, qui est resté comme cloué sur place — entre canapé et baie — en voyant disparaître sa robe. — Eh bien! c'est du joli!

Mongicourt (1), riant. — Ffutt! Confisquée, la robe!

Petypon (2). — Non, mais tu ris, toi! Qu'est-ce que nous allons faire?

En ce disant il est remonté jusqu'à proximité du point de jonction des deux tapisseries de la baie.

La Môme (3), passant brusquement la tête entre les deux tapisseries. — Eh ben? Elle est partie?...

Petypon, qui a eu un soubresaut en voyant surgir la tête de la Môme à proximité de son nez, redescendant sans changer de numéro. — Ah! L'autre, à présent!

La Môme, descendant (3) à la suite de Petypon. — Dis donc! tu m'avais pas dit que t'étais marié, toi!... En voilà un petit vicieux!...

Elle lui pince le nez.

Petypon, avec humeur, tout en dégageant son nez d'un geste brusque de la tête. — Oui! Oh! mais je ne suis pas ici pour écouter vos appréciations!... Il s'agit de filer! et un peu vite!

La Môme, sans se déconcerter et sur un ton un

peu traînard, mais gentil. — Ah! c'est pas pour dire! t'étais plus amoureux hier soir!

Elle gagne légèrement à droite.

Petypon, sec. — Oui! Eh bien! je suis comme ça, le matin!... Allons, allons!... dépêchez-vous!

La Môme, revenant à lui et, gracieusement, sur le même ton que précédemment. — Oh! tu peux me dire « tu ».

Petypon, de même. — Vous êtes bien bonne! dépêchez-vous!

La Môme. — Mais dis-moi donc « tu »; je te dis « tu »... T'as l'air d'être mon domestique!

Elle gagne la droite.

Petypon, avec rage. — Oh!... Eh bien! dépêche-toi, là!... Cré nom d'un chien!

La Môme, s'asseyant sur le pouf, les jambes étendues l'une sur l'autre et le dos à table. — A la bonne heure!

Petypon, bondissant en la voyant installée. — Hein! (*Un peu au-dessus d'elle, et lui indiquant la sortie.*) Et file!

La Môme, s'étalant bien, dos à la table, les deux bras étendus sur les rebords. — « Et file!... » Vois-tu ça!... Oh! mais, tu m'as pas regardée, mon petit père!... Je suis habituée à ce qu'on ait des égards avec les femmes!

Petypon, croyant comprendre. — Ah! (*Changeant de ton.*) C'est bien, on va t'en donner!... Combien?

Il tire son porte-monnaie.

La Môme, le sourcil froncé, avançant la tête. — Quoi?

Petypon, qui est redescendu plus en scène. — Eh!
bien, oui, quoi?... Il n'y a pas à mâcher les mots,
ça perd du temps!... Tu es une femme d'argent;
je te dois une indemnité pour ton... dérange-
ment... Combien?

*La Môme, le genou gauche entre ses mains jointes,
sur un ton persifleur, à Petypon.* — Oh! vrai, t'es
un peu mufle, tu sais!... t'as une façon!... (Se
levant et passant au 2.) Si j'avais seulement pour
deux sous d'idéal!...

Petypon, descendant au 3. — Oui, mais comme
tu n'en a pas!...

La Môme. — Je ne me vends pas, moi, tu sauras!

*Petypon, remettant son porte-monnaie dans sa
poche.* — Ah?... Non?... Bon!... Alors, ça va
bien!... (Lui serrant la main.) Je te remercie bien!
(Voulant la faire passer (3) dans la direction de la
sortie.) et à une autre fois!

*La Môme, résistant de façon à garder le même
numéro, bien gentiment.* — J'accepte un petit
cadeau; ce qui n'est pas la même chose!

Petypon (3), édifié. — Ah!... tu acceptes!...

La Môme, indiquant Mongicourt. — Ah! ben,
merci! Qu'est-ce que doit penser monsieur?

Mongicourt (1). — Oh! moi, tu sais!... je suis
bronzé.

*Petypon (3), décidé à en finir coûte que coûte, sor-
tant de nouveau son porte-monnaie.* — Enfin, il
s'agit de ma tranquillité!... Je n'y regarderai
pas!... (Tirant deux pièces de vingt francs en les
tendant à la Môme du bout des doigts.) Voilà...
quarante francs.

La Môme. — Quarante francs!... Oh!... *(Repoussant doucement la main de Petypon.)* C'est pour la bonne!

Petypon. — Hein?... je ne sais pas, moi; c'est... pour les deux.

La Môme. — Tu rigoles?

Petypon (3). — Quoi? Ça ne te suffit pas? Eh ben! vrai! C'est ce que je prends, moi : une visite, quarante francs!

La Môme (2), pendant que Petypon rengaine son porte-monnaie. — Ah! oui! Mais, Dieu merci, je ne suis pas médecin!... Non, mais, pour qui qu' c'est t'y q' tu me prends?

Mongicourt (1), riant. — Aha!... « ... Pour qui qu' c'est t'y que tu me prends?... » Oh! non! qui qu' c'est t'y qui t'a appris le français?

La Môme, allant à Mongicourt. — Quoi? quoi? qu'équ' t'as l'air de chiner, toi? eh!... bidon! tu sauras que si je veux, je parle aussi bien français que toi! *(Déclamant.)*
C'est en vain qu'au Parnasse un téméraire auteur
Pense de l'art des vers atteindre la hauteur,
Si le ciel en naissant ne l'a créé poète?...
Mon histoire, messieurs les juges, sera brève!...

Mongicourt, s'inclinant. — Mâtin, du classique!...

La Môme. — Mais oui, mon cher! et je pourrais t'en débiter comme ça à la file!... T'as l'air de croire parce que je parle rigolo!... c'est le milieu qui veut ça! mais tu sauras que j'ai fait des classes, moi! Je suis de bonne famille tout comme tu me vois! Je n'en parle pas parce que ça ne sert à rien, mais si je ne suis pas institutrice, c'est qu'au moment où j'allais passer mon brevet supérieur, je me suis laissé séduire par un gueux d'homme qui avait abusé de mon innocence pour m'entortiller de belles promesses!...

Mongicourt. — Non?

La Môme. — Il m'avait promis le collage.

Petypon, qui commence à en avoir assez, prenant la Môme et la faisant passer au 3. — Oui! eh! bien, c'est très intéressant, mais tu nous raconteras tes mémoires une autre fois!

La Môme, se retournant vers lui. — Tout ça pour dire qu'on n'offre pas quarante francs!...

Petypon, s'échauffant. — Eh ben! c'est bien! fais ton prix! et finissons-en!

La Môme. — Mais qui qu'c'est t'y qui te demande de l'argent... mon gros poulot? *(Lui pinçant le nez.)* Ouh! le gros poulot!

Petypon, dégageant son nez. — Allons, voyons!

La Môme. — Tu veux qu'on se trotte? on se trottera!

Petypon, respirant. — A la bonne heure!

La Môme. — Eh! Je comprends, parbleu! si ta légitime me trouvait là...

Petypon. — Évidemment!

La Môme. — ... é gueulerait.

Petypon, sans réfléchir, sur la même intonation que la Môme. — É gueu... (Changeant de ton.) Oh! non! entendre ces choses-là!

La Môme, remontant, suivie de Petypon. — Eh bien! on y va!... Et comme tu veux absolument me faire un petit cadeau... eh! ben, tiens! ma robe!... ma robe que j'avais hier! je la dois; tu la paieras... *(Un temps.)* v'là tout.

Elle redescend.

Petypon, hébété. — V'là tout?

Mongicourt, moqueur. — V'là tout. Ah bien! ça, c'est délicat!

Petypon, amer. — Ah! oui!... (Brusquement.) Enfin! Quand on est dans une impasse!... *(Tirant une pièce de cent sous de son porte-monnaie.)* Combien ta robe?

La Môme, comme elle dirait trois sous. — Vingt-cinq louis.

Petypon, ravalant sa salive. — Cinq... cinq cents francs?

La Môme, avec une admiration comique. — Oh! comme tu comptes bien!

Elle lui pince le nez.

Petypon, rageur, dégageant son nez. — Allons, voyons! (Il tire cinq billets de cent francs de son portefeuille et les donne un à un à la Môme.) Un... deux... trois... quatre... cinq!

La Môme, happant le dernier billet. — Merci.

Petypon, vivement, la rattrapant par le poignet. — Il n'y en a pas deux?

La Môme, se dégageant. — Mais non, quoi?

Petypon, remontant en lui indiquant la porte. — Bon! eh ben! maintenant, file!

La Môme, qui est remontée, au lieu de sortir, décrochant et allant à la chaise où était sa robe. — C'est ça! Ma robe! où est ma robe?

Petypon (3). — Comment ta robe?

La Môme (2), ne trouvant pas sa robe à la place où

elle pensait la trouver, allant voir sur l'autre chaise de l'autre côté de la baie. — Eh bien! oui, quoi? ma robe!

Petypon. — Non! Non! C'est inutile!... il n'y en a pas!... Tu es très bien comme ça!... va, file!

La Môme. — Hein? Non mais t'es marteau? Tu penses pas que je vais me balader dehors en liquette.

Petypon. — En quoi?

Mongicourt. — Euphémisme! veut dire en chemise.

Petypon. — Ah!... Oh! là là! qui est-ce qui y ferait attention! Tiens! mets ça!

Il a pris vivement le petit tapis qui recouvre le pouf et en revêt les épaules de la Môme.

La Môme, se dégageant des mains de Petypon, enlevant son tapis et le jetant à Mongicourt. — Mais jamais de la vie! En v'là un piqué. Je la veux, ma robe!

Petypon, hors de ses gonds. — Oui! eh ben! eh ben! je ne l'ai pas, ta robe, là! elle n'est plus là! Y en a plus!

La Môme, marchant sur Petypon. — Comment, elle n'est plus là!... Eh! ben, où c' t'y qu'elle est? *(Un temps.)* Qui c't'y qui l'a?

Petypon. — Quoi?

Mongicourt, gagnant la gauche. — Oh! non, non, ce français!

Petypon, presque crié. — C'est ma femme qui l'a prise, là!... Tu as bien entendu, tout à l'heure!

Du talon, il pousse le pouf sous la table et, maussade, s'assied sur le coin de celle-ci.

La Môme. — Comment, c'était de ma robe qu'é disait, ta femme ?... Eh ben ! mon salaud !... t'as pas peur ! Donner ma robe !... Si tu crois que je l'ai fait faire pour ta femme !... une robe de vingt-cinq louis !

Petypon, appuyé à la table. — Enfin, quoi ? après ?

La Môme. — J'espère bien que tu vas me la rembourser !

Petypon, aburi. — Comment ?... Mais je viens de te la payer !

La Môme. — Tu me l'as payée... *(Un temps.)* pour que je la garde ! (Un temps.) pas pour que je la donne !

Petypon. — Mais, alors... ça fait deux robes !

La Môme. — Eh ! bien, oui *(Un temps.)* celle que tu me donnes *(Un temps.)* et celle que tu me prends !

Mongicourt, ironiquement concluant. — Ça me paraît bien raisonné !

Voix de madame Petypon, à la cantonade. — Elle est folle, ma parole, cette couturière ! Elle est folle. Je ne sais pas sur quelles mesures elle m'a fait cette robe !...

Petypon, bondissant aux premiers mots de sa femme, saisissant la Môme par la main et la faisant vivement passer au 3. — Ciel ! ma femme ! Cache-toi ! Cache-toi !

La Môme, bousculée. — Oh ! ben, quoi donc !

Mongicourt, s'élançant à son tour. — Vite ! Vite !

La Môme, tournant dans l'affolement, à droite à gauche sans bouger de place. — Elle est donc tout le temps fourrée ici, ta femme ?

Petypon, qui tout de suite après avoir fait passer la Môme s'est précipité sur la porte derrière laquelle est sa femme pour empêcher celle-ci d'entrer, — à Mongicourt. — Mais cache-la, nom d'un tonnerre !

Mongicourt, affolé lui-même. — Oui, oui !

La Môme. — Où ? où ?

Mongicourt, la flanquant par terre pour la pousser sous la table. — Là ! Là-dessous !

La Môme, à quatre pattes. — Mais, j' peux pas ! y a le pouf !

Petypon. — Mais va donc, nom d'un chien ! va donc !

Mongicourt. — Attends ! bouge pas !

Il profite de ce qu'elle est à quatre pattes devant la table pour la couvrir du tapis, après quoi il s'assied sur son dos, comme il le ferait sur le pouf.

SCÈNE VII

Les mêmes, Madame Petypon

Madame Petypon, dont on n'a pas cessé d'entendre la voix à travers la porte, en même temps qu'elle secouait celle-ci, entrant sur une poussée plus violente. — Mais enfin, qu'est-ce qu'il y a donc ?

Petypon (2), se laissant tomber de dos sur l'estomac de madame Petypon, ce, en poussant des petits cris inarticulés comme un homme qui a une crise de nerfs. — Aha ! aha ! aha !

Il amène ainsi sa femme, par petits soubresauts,

par le milieu de la scène, presque devant le canapé.

Madame Petypon, *affolée, enserrant son mari sur son estomac.* — Ah! mon Dieu! qu'est-ce qu'il a?... Docteur, vite! « La gueula » qui le reprend!

Mongicourt, *sans bouger du dos de la Môme.* — La gueula!... tenez-le bien! ne le lâchez pas!

Madame Petypon (2). — Non!... (*A Petypon qui geint toujours et s'est placé de biais, face à l'avant-scène gauche, de façon à forcer sa femme à tourner le dos à Mongicourt.*) Lucien! mon ami!... Oh! mais, il est trop lourd!... Mongicourt, venez le prendre; je n'en puis plus!

Elle fait le mouvement de se tourner vers Mongicourt.

Petypon, *la ramenant d'un coup de reins dans la positive première.* — Non! toi! toi! pas lui!... aha! aha!

Madame Petypon, *les bras toujours passés sous les aisselles de Petypon.* — C'est que tu es un peu lourd!

Petypon, *face au public, ainsi que madame Petypon, derrière lui, d'une voix mourante.* — Ça ne fait rien!... Aha!... Tourne-moi au nord!... Tourne-moi au nord!

Madame Petypon, *abasourdie, tournant son mari face à Mongicourt.* — Au nord?... où ça le nord?

Petypon, *vivement, en même temps que d'un coup de rein, il la ramène face à l'avant-scène gauche.* — Non! ça c'est le midi!... Dans ces crises, il faut tourner au nord!... Aha!... Tourne-moi au nord!

Madame Petypon, s'énervant. — Mais, est-ce que je sais où il est, le nord!

Petypon. — En face du midi!

Madame Petypon. — Oh! Asseyons-nous! je n'en peux plus! *(Sans se retourner et par-dessus l'épaule.)* Monsieur Mongicourt! avancez-moi le pouf qui est derrière vous!

Petypon, criant. — Non, pas de pouf!

Madame Petypon. — Mais c'est pour nous asseoir.

Petypon, de même. — Je veux rester debout!... Aha!... Mongicourt, tu m'entends? Enlève le pouf! Je ne veux pas voir le pouf!

Mongicourt. — Que j'enlève le pouf?

Madame Petypon, criant comme Petypon. — Eh! bien oui, quoi? Enlevez donc le pouf puisqu'on vous le dit!

Petypon. — Oui!... oui!

Mongicourt. — Bon! Bon! Enlevons le pouf alors!... Enlevons le pouf!

Il passe ses deux mains jointes sous les genoux de la Môme et la transporte ainsi en chien de fusil, et toujours couverte de son tapis, jusque dans la chambre sur quoi donne la baie.

Petypon, sans sortir de sa pâmoison simulée. — Eh! bien ça y est-il?

Mongicourt, redescendant, après avoir déposé la Môme et jeté sur la chaise du fond droit le tapis qui la recouvrait. — Voilà! ça y est!

Petypon, semblant renaître aussitôt. — Ah? ça va mieux!

Madame Petypon, lâchant son mari. — Oui?...
Ah! que tu m'as fait peur!

*Elle gagne, par le fond, jusqu'à la droite de la
table et verse une tasse de thé.*

Petypon, très alerte. — Voilà c'est passé!... c'est
passé!... Ces crises, c'est comme ça : très violent!... et puis, tout d'un coup, plus rien!... (A
Mongicourt.) N'est-ce pas?... *(Bas.)* Mais dis
donc, quelque chose!

*Mongicourt, vivement, en dégageant un peu à
droite.* — Oui, oui... Tout d'un coup plus rien, et
puis, et puis...

Petypon. — Et puis c'est tout! quoi!

Mongicourt. — Et puis c'est tout, oui!

*Madame Petypon, par au-dessus de la table, des-
cendant (2) avec la tasse de thé à la
main.* — Pourvu que ça ne te reprenne pas, mon
Dieu! *(Tendant la tasse de thé à Petypon.)* Tiens!

Petypon. — Merci.

Madame Petypon. — Vois-tu, tout ça... je crains
bien que ce ne soit le ciel qui t'ait puni de ton
scepticisme!

*Petypon (1), tournant un visage ahuri vers sa
femme.* — Quoi?

Madame Petypon. — Quand tu te moquais de
moi, hier, à propos du miracle de Houilles, je t'ai
dit : « Tu as tort de ne pas avoir la foi! Ça te por-
tera malheur! »

Petypon, haussant les épaules en riant. — Ah!
ouat!

*Mongicourt, se rapprochant de madame Petypon
et affectant un grand intérêt.* — Le miracle de
Houilles? Qu'est-ce c'est que ça?

Madame Petypon. — Vous ne lisez donc pas les journaux? Sainte Catherine est apparue dernièrement, à Houilles, à une famille de charbonniers!

Mongicourt. — C'était de circonstance... à Houilles.

Il se tord.

Petypon. — Évidemment...

Il se tord également.

Madame Petypon. — Oh! ne faites donc pas les esprits forts!... Et depuis, tous les soirs, la sainte réapparaît. C'est un fait, ça!... Il n'y a pas à dire que cela n'est pas!... Et la preuve, c'est que je l'ai vue!

Mongicourt, bien appuyé. — Vous?

Madame Petypon. — Moi!... Elle m'a parlé!

Mongicourt. — Non?

Madame Petypon. — Elle m'a dit : « Ma fille! le Ciel vous a choisie pour de grandes choses! Bientôt vous recevrez la visite d'un séraphin qui vous éclairera sur la mission que vous aurez à accomplir!... *(D'un geste large, les deux mains, la paume en l'air.)* Allez! »

Petypon, profitant de la main en l'air de sa femme pour y déposer sa tasse. — C'est ça! va, ma grosse! et débarrasse-moi de ma tasse.

Mongicourt, à madame Petypon, qui se dirige vers la table pour y déposer la tasse. — Et il est venu, le séraphin?

Madame Petypon, simplement. — Je l'attends!

Petypon, gouailleur. — Eh bien! tu as le temps d'attendre!

Voix de la Môme, dans la pièce du fond, comme une personne qui en a assez. — Oh! là, là! là, là!

Petypon, bondissant, à part. — Nom d'un chien, la Môme!

   Il remonte vivement, à toute éventualité, près de la baie. Mongicourt prend le 1.

Voix de la Môme. — Oh! ben, zut, quoi?... Ça va durer longtemps?

Petypon, voyant sa femme qui prête l'oreille, donnant beaucoup de voix pour couvrir celle de la Môme. — Ah!... Ha-ha!... Alors, tu crois aux apparitions, toi?... Mongicourt! elle croit aux apparitions!... Aha! ah! *(Bas et vivement.)* Mais, dis donc quelque chose, toi!

Mongicourt, même jeu. — Ah!... Ha-ha! Madame croit aux apparitions!

Tous deux. — Aha! elle croit aux apparitions! Aha!

Madame Petypon, d'une voix impérative. — Taisez-vous donc! On a parlé par là!

Petypon, se démenant et faisant beaucoup de bruit. — Où donc? J'ai pas entendu!... Tu as entendu, Mongicourt?

Mongicourt, même jeu que Petypon. — Pas du tout; j'ai rien entendu! J'ai rien entendu!

Petypon, même jeu. — Nous n'avons rien entendu! Il n'a rien entendu!

Madame Petypon. — Mais je suis sûre, moi!... C'est dans ta chambre!

Petypon et Mongicourt. — Non! Non!

Voix de la Môme, d'une voix céleste et lointaine. — Gabrielle!... Gabrielle!

Petypon, bondissant en arrière. — Elle est folle
d'appeler ma femme!

Madame Petypon. — C'est moi qu'on appelle!
Nous allons bien voir.

Petypon, s'interposant en voyant sa femme remonter vers la baie. — Non! Non!

Madame Petypon, le repoussant. — Mais si,
quoi? (*Elle tire les rideaux de la baie et fait aussitôt un bond en arrière.*) Ah! mon Dieu!

Mongicourt, riant sous cape. — Nom d'un chien!

> *On aperçoit sur le pied du lit, dans la pénombre,
> une grande forme blanche, transparente et lumineuse. C'est la Môme, qui a fait la farce de se
> transformer en apparition. Pour cela, elle s'est
> couverte d'un drap de lit qui lui ceint le front et
> qu'elle ramène de ses deux mains sur la poitrine,
> de façon à laisser le visage visible. Sous le drap,
> elle tient un réflecteur électrique qui projette sa
> lumière sur sa figure. Toute la pièce du fond est
> dans l'obscurité, de façon à rendre plus intense
> la vision.*

Madame Petypon. — Qu'est-ce que c'est que ça?

*Petypon et Mongicourt, faisant ceux qui ne voient
pas.* — Quoi? Quoi?

Madame Petypon (4), indiquant la Môme (3). —
Là! Là! Vous ne voyez pas?

Petypon et Mongicourt. — Non! Non!

Madame Petypon. — Voyons, ce n'est pas possible! Je ne rêve pas! Attends, j'en aurai le cœur
net!

> *Elle fait mine de se diriger vers le fond..*

La Môme, voix céleste jusqu'à la fin de la

scène. — Arrête! (*Cet ordre coupe l'élan de madame Petypon, qui, le corps à demi prosterné, les bras tendus, décrit une conversion qui l'amène face au public, à gauche de la table. Arrivée là, elle reste dans son attitude à demi prosternée et écoute ainsi les paroles de la Môme.*) C'est pour toi que je viens, Gabrielle!

Madame Petypon, les bras tendus, la tête courbée. — Hein!

La Môme. — Ces profanes ne peuvent me voir! Pour toi seule je suis visible!

Madame Petypon. — Est-il possible!...

La Môme. — Ma fille, prosterne-toi!... Je suis le séraphin dont tu attends la venue.

Madame Petypon, d'une voix radieuse. — Le séraphin! (*Se mettant à genoux, — et à Petypon et à Mongicourt.*) A genoux! A genoux, vous autres!

Petypon et Mongicourt, ayant peine à retenir leur rire, et entrant dans le jeu de la Môme. — Pourquoi? Pourquoi ça?

Madame Petypon, comme illuminée. — Le séraphin est là! Vous ne pouvez le voir! Mais je l'entends! je le vois; il me parle!

La Môme, à part, sur le ton faubourien. — Eh! bien, elle en a une santé!

Madame Petypon. — A genoux!... A genoux!

Les deux hommes obéissent en riant sous cape. Mongicourt à genoux devant le canapé, Petypon entre le canapé et le pied du lit; madame Petypon à gauche de la table.

SCÈNE VIII

Les mêmes, Étienne

Étienne, avec un citron dans une soucoupe, surgissant porte pan coupé droit et descendant à droite de la table. — Voilà le citron!

Madame Petypon, sursautant. — Chut donc!

Petypon, à part. — Étienne, nom d'un chien!

Étienne, effaré, en apercevant l'apparition sur le lit. — Ah!... Eh! ben, quoi donc?

Madame Petypon, toujours, à genoux, impérative. — Taisez-vous! et à genoux!

Étienne, les yeux toujours fixés sur la Môme. — Oh! mais, qu'est-ce qu'il y a sur le lit?

Madame Petypon, gagnant sur les genoux jusqu'au coin de la table et avec une pieuse admiration. — Est-il possible! Quoi, vous aussi, vous voyez?

Étienne, descendant presque devant la table, sans quitter l'apparition des yeux. — Eh! ben, oui! Je vois là comme une espèce de loup-garou!...

Madame Petypon, scandalisée. — Malheureux! c'est un séraphin!... Rendez grâce au ciel, qui vous met au nombre de ses élus!... Ce que vous voyez et ce que je vois, aucun de ces messieurs ne le perçoit.

Étienne, ahuri. — C'est pas possible!

Madame Petypon. — A genoux! et écoutez la parole d'en haut!

Étienne. — C'est pas de refus! (*Il s'agenouille à droite de la table, tandis que madame Petypon, s'écartant d'un pas sur les genoux, reprend son attitude première, recueillie et prosternée, — brusquement.)* Je mets ce citron là !

 Il le dépose sur la table.

Madame Petypon, sursautant et sur un ton rageur. — Mais oui, quoi ? votre citron !... *(A la Môme, sur un tout autre ton.)* Je t'écoute, ô mon séraphin !

La Môme, d'une voix céleste. — Gabrielle ! je viens d'en haut exprès pour t'enseigner la haute mission qui t'est réservée !

Petypon, à part. — Quel aplomb !

La Môme. — Femme ! tu m'écoutes ?

Madame Petypon. — Je suis tout oreilles !

La Môme. — Tu vas te lever sans perdre un instant ! D'un pas rapide, tu iras jusqu'à la place de la Concorde dont tu feras cinq fois le tour !

Petypon, bas. — Je comprends !

Mongicourt, bas. — Pas bête !

La Môme. — Puis, tu attendras à côté de l'Obélisque jusqu'à ce qu'un homme te parle ! Recueille pieusement sa parole, car de cette parole te naîtra un fils !

Madame Petypon. — A moi !

Petypon, à part. — Qu'est-ce qu'elle raconte ?

 Il rit sous cape, ainsi que Mongicourt, tandis que la Môme, espiègle, leur fait des grimaces malicieuses.

La Môme, reprenant. — Ce fils sera l'homme que la France attend ! Il régnera sur elle et fera souche de rois.

Madame Petypon, d'une voix pâmée. — Est-il possible !

Mongicourt, à part, d'une voix rieuse. — Oh ! mais, elle parle comme un livre !

La Môme. — Va, ma fille !... Pour ton fils ! *(Un temps.)* pour ton Roi ! *(Un temps.)* pour la Patrie !

Madame Petypon, se levant et, sans se retourner, brandissant un étendard imaginaire. — Pour mon fils ! *(Un temps.)* pour mon Roi ! *(Un temps.)* pour la Patrie !

La Môme. — Va !... *(Un temps.)* et emmène el domestique !

Madame Petypon, tandis que Mongicourt et Petypon donnent des signes d'approbation de la tête. — Sur la place de la Concorde ?

La Môme. — Non ! de la chambre !... Sur ce, à la prochaine ! et que nul ne franchisse d'ici ce soir le seuil de cette pièce ! Moi, je m'évanouis dans l'espace et regagne les régions célestes ! Piouf !

Elle se laisse tomber à plat ventre, toujours recouverte de son drap, qui se confond dès lors avec celui du lit. En même temps, la lumière qu'elle tenait à la main s'est éteinte.

Madame Petypon, conserve une seconde son attitude, puis, n'entendant plus rien, se retourne vers le lit. — Parti ! il est parti !... Vous avez entendu ?

Petypon et Mongicourt, se relevant en même temps et faisant la bête. — Mais non ! Non ! Quoi donc !

Ils descendent un peu. Mongicourt (1) et Petypon (2).

Étienne, se levant également, mais sans quitter sa place. — Ah ! ça, c'est curieux !

Madame Petypon, avec exaltation, à Petypon. — Ah! que n'as-tu pu entendre!...

Petypon, à part, n'en revenant pas. — Oh! non! ça a pris!

Madame Petypon, brusquement et avec chaleur. — Écoute, Lucien! Les moments sont précieux! le séraphin est venu; il m'a parlé; je sais de lui ce que le ciel attend de moi!

Petypon, mélodramatique. — Mais, quoi? quoi?... tu me fais peur!

Madame Petypon, l'amenant en scène. — Place de la Concorde! là-bas! près de l'Obélisque! un homme doit me parler!

Petypon, avec une indignation comique. — Un homme!...

Madame Petypon. — De cette parole naîtra un fils!...

Petypon, même jeu. — Malheureuse!

Madame Petypon, vivement. — Il sera roi, Lucien! La France l'attend! Il le faut! Le Ciel le veut!

Petypon, avec des trémolos dans la voix. — Man Dieu! *man* Dieu!

Madame Petypon, les arguments les uns sur les autres, comme pour convaincre plus vite son mari. — Songe que c'est d'une parole! Tu ne peux être jaloux! Ta susceptibilité d'époux ne peut s'affecter d'un fils qu'engendre une parole!

Petypon, de même. — Mais, ce fils, ce ne sera pas de moi!

Madame Petypon, avec lyrisme, et du tac au tac. — Qu'importe, puisqu'il n'est pas d'un autre!

Petypon, de même. — Mon Dieu! qu'exigez-vous de moi!

Madame Petypon, de même. — Pense que tu seras père de roi!

Étienne, bien prosaïque. — Moi, je serais à la place de monsieur, je dirais oui.

Mongicourt, sur un ton comiquement persuasif. — C'est la Patrie qui attend ça de toi, Petypon!

Madame Petypon, à Mongicourt. — C'est ça! c'est ça!... Venez à mon aide... Persuadez-le!... *(Se précipitant aux genoux de Petypon.)* Lucien! mon Lucien!

Petypon, une main sur le crâne de sa femme et d'une voix mourante. — Oh! Dieu! ma volonté faiblit! *(Comme illuminé.)* Quelles sont ces voix qui me parlent? Ces visions lumineuses qui étendent vers moi leurs bras suppliants?

Madame Petypon, radieuse. — Ah! tu vois... tu vois! tu es touché de la grâce!

Petypon. — « Cède! cède! » implorent ces voix! « Pour ton fils, pour ton Roi, pour ta Patrie! »

Madame Petypon, se redressant. — Pour la Patrie!

Mongicourt et Étienne. — Pour la Patrie!

Voix de la Môme, sous son drap, d'une voix lointaine. — Pour la Patrie!...

Madame Petypon et Étienne, dévotieusement. — La voix du Séraphin!

Madame Petypon, à Petypon. — Tu l'as entendue?...

Petypon, comme touché de la grâce, passant (3)

devant sa femme. — Oui, oui!... J'entends! je vois! je crois! je suis désabusé! *(Prenant sa femme par la main et la refaisant passer au 3.)* Va, va! je ne résiste plus! je consens! je cède! Pour mon fils! pour mon Roi! pour la Patrie!

Madame Petypon. — Pour la Patrie!... *(Avec un geste théâtral.)* Allons!

Elle remonte vers la porte de sortie.

Petypon, avec le même lyrisme. — Va!... Et emmène *el* domestique!

Madame Petypon. — Ah! oui!... Venez, Étienne!

Étienne, avec lyrisme. — Pour la Patrie! *(Prenant le plateau et le citron.)* Et j'emmène *el* domestique!

Il sort à la suite de madame Petypon.

SCÈNE IX

Les mêmes, moins Madame Petypon et Étienne

Aussitôt les deux personnages partis, les deux hommes se regardent, bouche bée, en hochant la tête.

Mongicourt (1), devant le canapé. — Eh ben! mon vieux!...

Petypon (2), à droite au milieu de la scène. — C'est raide!

Mongicourt. — Plutôt!

Ils ne peuvent s'empêcher de rire.

La Môme, rejetant son drap, sous lequel elle s'est

tenue coite jusque-là, sautant hors du lit et enjambant la chaise à droite du canapé. — Eh! allez donc! c'est pas mon père!

Elle descend au 2.

Petypon (3), à la Môme. — Ah! non! tu sais, tu en as un toupet!

La Môme (2). — Plains-toi donc! Mon ingéniosité te tire une rude épine du pied!

Petypon. — C'est égal, le rôle que tu nous fais jouer! Le fils qui lui naîtra place de l'Obélisque!

La Môme. — Avoue que je suis bien dans les apparitions!

Mongicourt (1). — Ça, le fait est!... cette mise en scène! ce drap lumineux!... Qu'est-ce que tu t'étais donc fourré pour être lumineuse comme ça?

La Môme. — La lampe électrique qui est à côté du lit; alors, allumée sous le drap!...

Petypon. — Eh ben! et l'auréole?

La Môme. — La carcasse de l'abat-jour.

Petypon, descendant à droite. — C'est ça! elle a détraqué mon abat-jour!

La Môme. — Qu'est-ce que tu veux? on n'est pas outillé pour les apparitions!

Petypon, revenant à la Môme. — Oui, eh ben! maintenant, ma femme est partie, tu vas faire comme elle!

La Môme, d'un ton détaché. — Je ne dis pas non!... Vêts-moi!

Petypon. — Quoi?

La Môme, plus appuyé. — Vêts-moi! *(Voyant*

Petypon qui la regarde bouche bée.) Donne-moi
un vêtement, quoi!

Mongicourt, avec le plus grand sérieux. —
Vêts-la.

Petypon. — Ah! « vêts-moi »!... Eh! comment
veux-tu que je te vête?... ma femme a la manie de
tout enfermer!...

La Môme, remontant. — Ah ben! mon vieux...
arrange-toi!

Petypon, allant (2) à Mongicourt. — Ah! Mongicourt!

Mongicourt. — Mon ami?

Petypon. — Veux-tu? descends! cours jusqu'au
premier marchand de nouveautés et rapporte-
nous un manteau, un cache-poussière, n'importe
quoi!

Mongicourt. — Entendu! je vais et je reviens.

*Il prend en passant son chapeau sur la table et
sort.*

Petypon, remontant (1), à la Môme (2). — Moi,
je vais voir dans mon armoire si je ne trouve pas
une robe de chambre, quelque chose que tu
puisses mettre en attendant.

La Môme (2). — Bon.

*Petypon, au-dessus du canapé, tout en se dirigeant
vers la porte de gauche.* — Surtout, ne te fais pas
voir! Si ma femme... ou quelqu'un, venait, file
dans ma chambre et cache-toi!

Il sort.

La Môme. — Compris!... *(Enjambant la chaise à
droite du canapé.)* Eh! allez donc! c'est pas mon

père!... Ah! non, ce qu'ils sont rigolos tout de même!... C'est égal, ils ont une façon de pratiquer l'hospitalité!... ils finiraient par me faire croire que je suis de trop!... *(On entend un bruit de voix, cantonade droite.)* Qu'est-ce que c'est que ça? Mais on vient par ici... Allons! bon, du monde! Ah! bien! me voilà bien!... *(Elle se précipite vers la baie dont elle veut fermer les rideaux avant de pénétrer dans la chambre.)* Eh! bien, qu'est-ce qu'il y a? Ça ne ferme pas!... Oh! caletons!

> *Elle saute à plat ventre sur le lit, ramène vivement le drap sur sa tête, et ainsi couverte entièrement, reste dans l'immobilité complète.*

SCÈNE X

La Môme couchée, puis le Général et Étienne

Le Général, redingote et guêtres blanches, le chapeau haut de forme sur la tête, entrant, suivi d'Étienne. — Annoncez son oncle, le général Petypon du Grêlé!

Étienne, qui, aussitôt paru, s'arrête sur le pas de la porte. — Oui, monsieur.

Le Général (1), au milieu de la scène. — Eh! ben? Qu'est-ce que vous attendez dans la porte? Entrez!

Étienne, avec gravité. — Oh! non! monsieur!... non! j'peux pas!

Le Général. — Vous ne pouvez pas! Pourquoi ça, vous ne pouvez pas?

Étienne. — C'est l'archange qui l'a défendu.

Le Général. — La quoi?

Étienne. — L'archange!

Le Général. — L'archange? Qu'est-ce que c'est que cet animal-là?

Étienne, pénétré de son importance. — Mon général ne peut pas comprendre! c'est des choses supérieures!

Le Général. — Eh! ben, dis donc! t'es encore poli, toi!

Étienne. — Sauf votre respect, mon général, que mon général veuille bien chercher monsieur dans cette chambre... ou dans l'autre!

Le Général, regardant autour de lui. — Quoi, « dans cette chambre »? Où ça, « dans cette chambre », puisqu'il n'y est pas?

Étienne. — Monsieur est quelquefois sous les meubles.

Le Général. — Mais il est fou!... C'est un fou : « Quelquefois sous les meubles! » Allez, rompez!

Étienne. — Oui, mon général!

Il sort et referme la porte sur lui.

Le Général, ronchonnant. — A-t-on jamais vu?... « Quelquefois sous les meubles! » Allons! il n'est pas dans cette pièce... Allons voir dans l'autre! (*Il gagne la pièce du fond; arrivé au pied du lit, il jette un rapide coup d'œil circulaire.*) Personne?...

Il poursuit son inspection dans la chambre, disparaissant ainsi un instant aux yeux du public.

La Môme, la tête sur l'oreiller, soulevant légèrement la couverture pour passer son nez. — Je n'entends plus rien!

Elle se soulève sur les mains sans se découvrir et dans une position telle qu'on voit saillir sa croupe plus haut que le reste du corps sous le drap. A ce moment, le général, qui a reparu et se trouve au-dessus du lit près du pied, aperçoit ce mouvement. Persuadé qu'il a affaire à Petypon couché, d'un air farceur, il montre la croupe qu'il a devant lui, a un geste comme pour dire : « Ah! toi, attends un peu! », et, à toute volée, sur ladite croupe, il applique une claque retentissante.

La Môme, ne faisant qu'un saut qui la remet sur son séant. — Oh! chameau!

Le Général, interloqué et, instantanément, d'un geste coupant de haut en bas, enlevant son chapeau de sa tête. — Oh! pardon! *(Considérant la Môme, qui le regarde en hochant la tête d'un air maussade, tout en frottant la place endolorie.)* Mais, c'est ma nièce, Dieu me pardonne!

La Môme, ahurie, ne comprenant rien à ce qui lui arrive. — Quoi?

Le Général. — Faites pas attention! Un oncle, c'est pas un homme! *(A la bonne franquette, lui tendant la main.)* Bonjour, ma nièce!

La Môme, ahurie, serrant machinalement la main qu'on lui présente. — Bon... bonjour, monsieur!

Le Général. — Je suis le général baron Petypon du Grêlé! Vous ne me connaissez pas, parce qu'il y a neuf ans que je n'ai pas quitté l'Afrique!... Mais, mon neveu a dû vous parler de moi!

La Môme. — Votre neveu?...

Le Général. — Oui!

La Môme, à part, pendant que le général, contour-

nant le lit, va se placer contre le pied de celui-ci. — Comment, il me prend pour!...

Le Général. — Eh! ben, voilà! c'est moi! *(Considérant la Môme avec sympathie.)* Cré coquin! Je lui ferai mes compliments, à mon neveu, vous savez!... Je ne sais pas quels idiots m'avaient dit qu'il avait épousé une vieille toupie!... Des toupies comme ça, c'est dommage qu'on ne nous en fiche pas quelques escouades dans les régiments!

La Môme, avec des courbettes comiques jusqu'à toucher les genoux avec sa tête. — Ah! général!... Général!

Le Général, lui rendant en courbettes la monnaie de sa pièce. — J'dis comme je pense!... j'dis comme je pense!

La Môme, même jeu. — Ah! général! *(A part.)* Il est très galant, le militaire!

Le Général. — Mais, vous n'êtes pas malade, que vous êtes encore couchée?

La Môme. — Du tout, du tout!... J'ai fait la grasse matinée; et j'attendais pour me lever qu'on m'apportât (t) un vêtement.

Le Général, jovial. — Aha! « tatte un vêtement », oui! oui! « tatte un vêtement!... » *(Tout en allant s'asseoir sur la chaise qui est à la tête du lit.)* Et, maintenant, vous savez ce qui m'amène? Vous avez reçu ma lettre?

La Môme (1). — Non!...

Le Général (2). — Vous ne l'avez pas reçue?... Qu'est-ce qu'elle fiche donc, la poste?... Enfin, vous la recevrez! Elle sera inutile, puisque j'aurai plus vite fait de vous dire la chose tout de suite. Vous connaissez ma nièce Clémentine?

La Môme, assise sur le lit. — Non.

Le Général. — Si! Clémentine Bourré!

La Môme. — Bourré?

Le Général. — Que j'ai adoptée à la mort de ses parents... Mon neveu a dû vous parler d'elle!...

La Môme, vivement. — Ah! Bourré! Bourré! oui, oui!

Le Général. — Clémentine!

La Môme. — Clémentine! mais voyons : Clémentine! la petite Bourré!

Le Général. — Eh bien! voilà... J'ai besoin d'une mère pendant quelques jours pour cette enfant! une jeune mère! j'ai compté sur vous!

La Môme, tournant des yeux étonnés vers le général, avec un mouvement de tête qui rappelle celui du chien qui écoute le gramophone. — Sur moi?

Le Général. — Je crois que je ne pouvais pas trouver mieux!... Vous comprenez, moi, j'ai beau être général, *(Riant.)* je n'ai rien de ce qu'il faut pour être une mère!...

La Môme, riant. — Ah! non!... non!

Le Général, riant. — Je ne sais même pas si je saurais être père!

La Môme, tout en riant. — Oh!... Oh!

Le Général, vivement. — Au-delà... au-delà, veux-je dire, du temps qu'il est nécessaire pour le devenir. *(Tous deux s'esclaffent.)* Oui, oui! c'est un peu gaillard, ce que je viens de dire! C'est un peu gaillard!

Il se tord.

La Môme. — Oh! ça ne me gêne pas!

Le Général. — Non? bravo! Moi, j'aime les femmes honnêtes qui ne font pas leur mijaurée!... Bref — pour en revenir à Clémentine! — vous comprenez si seulement j'avais eu encore ma femme!... *(Se levant et gagnant jusqu'au pied du lit.)* Mais, ma pauvre générale, comme vous savez, n'est-ce pas, ffutt!... *(D'un geste de la main il envoie la générale au ciel.)* Ah! je ne l'ai jamais tant regrettée!... *(Changeant de ton.)* Alors, n'ayant pas de femme pour elle, je me suis dit : « Il n'y a qu'un moyen : c'est de lui trouver un homme! »

La Môme, se méprenant et affectant l'air scandalisé. — Oh! oh!... général!

Le Général, ne comprenant pas. — Quoi? il faut bien la marier!

La Môme, bien étalé. — Ah! c'est pour le mariage?

Le Général. — Ben, naturellement!... Pourquoi voulez-vous que ce soit?

La Môme. — Oui!... Oui, oui! *(Riant, et avec des courbettes de gavroche, comme précédemment.)* Évidemment!... Évidemment!

Le Général, rendant courbettes pour courbettes, par-dessus le pied du lit. — Ehehé!... ehehé!... *(Brusquement sérieux.)* Et voilà comment la petite épouse, dans huit jours, le lieutenant Corignon!

La Môme, son drap ramené sous les aisselles, bondissant sur les genoux jusqu'au pied du lit. — Corignon!... du 12e dragon?

Le Général, l'avant-bras gauche appuyé sur le pied du lit. — Oui!... Vous le connaissez?

La Môme, se dressant sur les genoux. — Si je connais Corignon!... Ah! ben!...

Le Général. — Comme c'est curieux!... Et vous le voyez souvent?

La Môme, sans réfléchir, tout en arrangeant son drap derrière elle. — Oh! je vous dirai que depuis que je l'ai lâché...

Le Général, étonné. — Que vous l'avez lâché?...

La Môme, vivement, se retournant vers le général. — Euh!... que je l'ai lâché... de vue! de vue, général!

Le Général. — Ah!... Perdu de vue, vous voulez dire!

La Môme. — C'est ça! C'est ça! Oh! ben, « lâché, perdu », c'est kif-kif!... Ce qu'on lâche, on le perd!

Le Général. — Oui, oui.

La Môme. — Et ce qu'on perd...

Le Général. — On le lâche! *(Courbettes et rires.)* C'est évident! C'est évident!

La Môme, rires et courbettes. — Ehehé!... ehehé!... Vous êtes un rigolo, vous!

Le Général. — Je suis un rigolo! oui, oui, j'suis un rigolo! *(Changeant de ton.)* Eh bien! ce Corignon, je l'ai eu longtemps sous mes ordres en Afrique, avant qu'il permute!... Bon soldat, vous savez! de l'avenir!...

La Môme, assise sur ses talons. — Aha!

Le Général. — Oh! oui!... Avec ça, du coup d'œil! de la décision... Ah!... c'est un garçon qui marche bien!...

La Môme, les yeux à demi fermés, sensuellement, les dents serrées, tout en se dressant sur les genoux. — Ah! oui!...

Le Général, la regarde, puis s'inclinant. — Je suis enchanté que vous soyez de mon avis !...

   Il descend un peu en scène.

La Môme, à part, pendant que le général a le dos tourné. — Ah ! ce coquin de Corignon ! Vrai ! Ça me redonne un béguin pour lui !

Le Général, remontant vers le lit. — Et, alors, voilà : le mariage a lieu dans huit jours. Demain, contrat dans mon château en Touraine. Et je viens vous demander sans façon, à vous et à mon neveu, de m'accompagner. Je vous le répète, comme je vous l'ai écrit : il me faut une mère pour cette enfant, et une maîtresse de maison pour faire les honneurs ! Me refuserez-vous votre assistance ?...

La Môme, riant sous cape, tout en remontant sur les genoux jusqu'au milieu du lit. — Moi ?... Ah ! ce que c'est rigolo !

Le Général. — Est-ce convenu ?

La Môme, hésitant. — Mais, je ne sais... le... le docteur !...

Le Général, tout en se dirigeant vers la table de droite pour y déposer sa canne et son chapeau. — Votre mari ?... Oh ! lui, j'en fais mon affaire !

La Môme, à part, tandis que le général a le dos tourné. — Ah ! ma foi, c'est trop farce !... La Môme Crevette faisant les honneurs au mariage de Corignon !... Non ! rien que pour voir sa tête !...

Le Général, se retournant, et de loin. — Eh ben ?

La Môme. — Eh ben ! J'accepte, général !

Le Général, remontant vers la Môme. — Ah ! dans mes bras, ma nièce !

*La Môme, toujours à genoux sur le lit, et par-
dessus l'épaule du général tandis que celui-ci
l'embrasse.* — Ah! c'est beau, la famille!

SCÈNE XI

Les mêmes, Petypon

*Petypon, arrivant de gauche et derrière le
canapé.* — Je ne sais pas où cet animal
d'Étienne a fourré ma robe de chambre?... *(Apercevant du monde au fond.)* Eh bien! qu'est-ce qui
est là, donc?

*Le Général, se retournant et descendant,
reconnaissant Petypon.* — Eh! te voilà, toi!

*Petypon, s'effondrant et roulant pour ainsi dire
contre le dossier du canapé, ce qui l'amène à
l'avant-scène gauche.* — Nom d'un chien! mon
oncle!

La Môme, à part. — V'là l'bouquet!

Petypon, ahuri, et ressassant sa surprise. — Mon
oncle! C'est mon oncle! C'est pas possible! Mon
oncle du Grêlé!... C'est mon oncle!

*Le Général, qui est descendu (2) milieu de la
scène.* — Eh! bien, oui, quoi? c'est moi!
Embrasse-moi, que diable! Qu'est-ce que tu
attends?

Petypon. — Hein? Mais, voilà! j'allais vous le
demander!... *(A part, tout en passant devant le
canapé pour aller au général.)* Mon Dieu! et la
Môme!... en chemise!... dans mon lit! *(Haut, au
général.)* Ah! mon oncle!

   Ils s'embrassent.

La Môme, sur son séant, dans le lit, et les jambes sous le drap. — Non! ce que je me marre!

Petypon, les deux mains du général dans les siennes. — Ah! bien, si je m'attendais!... depuis dix ans!

Le Général. — N'est-ce pas? C'est ce que je disais : « Il va avoir une de ces surprises! »

Le Général, dévisageant Petypon. — C'est qu'il n'a pas changé depuis dix ans, l'animal!... Toujours le même!... *(Même modulation.)* en plus vieux!

Petypon, un peu vexé. — Vous êtes bien aimable. *(Lui reprenant les mains.)* Ah! ben, vous savez!... si je m'attendais!...

Le Général, retirant ses mains et sur le ton grognard. — Oui! Tu l'as déjà dit!

Petypon, interloqué. — Hein? Ah! oui!... oui! en effet!

Le Général, descendant plus en scène. — Tel que tu me vois, j'arrive d'Afrique!... avec ta cousine Clémentine!

Petypon. — Oui?... Ah! ben, si je m'attendais!

Il descend à lui les mains tendues.

Le Général (2). — Eh! bien, oui! oui! c'est entendu! *(A part.)* Oh!... il se répète, mon neveu!

Petypon (1). — Et vous n'êtes pas pour longtemps à Paris? Non?... Non?

Le Général (2). — Non, je pars tout à l'heure.

Petypon. — Ah?... Ah?... Parfait! Parfait!

Le Général. — Comment, parfait?

Petypon. — Non! c'est une façon de parler!

Le Général. — Ah! bon! Je me suis accordé un congé de quinze jours que je passe en Touraine; le temps de la marier, cette enfant! Et, à ce propos, j'ai besoin de toi! Tu es libre pour deux ou trois jours?

Petypon, avec une amabilité exagérée. — Mais il n'est d'affaires que je ne remette pour vous être agréable!

Le Général, riant. — Allons, allons! n'p'lote pas! Tu n'as qu'à répondre oui ou non sans faire de phrase! Ce n'est pas parce que je suis l'oncle à héritage!... Je ne suis pas encore mort, tu sauras!

Petypon. — Oh! mais, ça n'est pas pour vous presser!

Le Général. — Tu es bien bon de me le dire! *(Sur le ton de commandement.)* Donc, je vais t'annoncer une nouvelle : tu pars avec nous ce soir!

Petypon. — Moi?

Le Général, même jeu. — Oui!... Ne dis pas non, c'est entendu.

Petypon. — Ah? Bon!

Le Général. — Et ta femme vient avec toi.

Petypon, gracieux. — Ma femme? Mais elle sera ravie.

Le Général. — Je le sais! Elle me l'a dit!

Petypon, ahuri. — Elle vous l'a... Qui?

Le Général. — Ta femme?

La Môme, sous cape. — Boum!

Petypon. — Ma femme? Où ça? Quand ça?... Qui, ça, ma femme?

Le Général. — Mais, elle!

Il désigne la Môme.

Petypon, outré. — Hein! Elle!... Elle! ma femme, ah! non! Ah! non, alors!

Il redescend extrême gauche.

Le Général. — Comment, non?

Petypon, même jeu. — Ah! non, vous en avez de bonnes!... elle, ma femme, ah! ben... jamais de la vie!...

Le Général. — Qu'est-ce que tu me chantes! Ça n'est pas ta femme, elle? que je trouve chez toi? couchée dans ton lit? au domicile conjugal? *(A Petypon.)* Eh! bien, qu'est-ce que c'est, alors?

Petypon. — Eh! bien, c'est... c'est... Enfin, ce n'est pas ma femme, là!

Le Général. — Ah! c'est comme ça! Eh! bien, c'est ce que nous allons voir!

Il remonte vivement à droite de la baie et saisit de la main gauche le cordon de sonnette.

Petypon, se précipitant (2) sur le général (3) pour l'empêcher de sonner. — Qu'est-ce que vous faites?

Le Général, le bras gauche tendu, tandis que de la main droite il écarte Petypon, mais sans sonner. — Je sonne les domestiques! ils me diront, eux, si madame n'est pas ta femme!

Petypon, faisant des efforts pour atteindre la main du général. — Eh! là! eh! là, non, ne faites pas ça!

Le Général, triomphant, lâchant le cordon de sonnette. — Ah! Tu vois donc bien que c'est ta femme!

Petypon, à part, redescendant jusque devant le

canapé. — Oh! mon Dieu, mais c'est l'engre-
nage! *(Prenant son parti de la chose.)* Ah! ma foi,
tant pis! puisqu'il le veut absolument!... *(Se tournant vers le général, et affectant de rire, comme
après une bonne farce.)* Éhé?... éhéhé-héhé!...
éhé!...

*Le Général, le regardant d'un air gouail-
leur.* — Qu'est-ce qui te prend? T'es malade?

Petypon. — Ehé!... On ne peut rien vous
cacher!... Eh! bien, oui, là!... c'est ma femme!

Le Général, victorieux. — Ah! je savais bien!

   Il remonte.

*Petypon, à part, tout en redescendant extrême
gauche.* — Après tout, pour le temps qu'il passe
à Paris, autant le laisser dans son erreur!

Le Général, redescendant vers lui. — Ah! tu en as
de bonnes, « ça n'est pas ta femme!... » Et, à ce
propos, laisse-moi te faire des compliments, ta
femme est charmante!

La Môme, du lit, avec force courbettes. — Ah!
général!... général!

*Le Général, se tournant vers elle, mais sans quitter
sa place.* — Si, si! je dis ce que je pense! j' dis
c' que je pense! *(A Petypon.)* Figure-toi qu'on
m'avait dit que tu avais épousé une vieille toupie!

   Il remonte.

Petypon, riant jaune. — Oh! Qui est-ce qui a pu
vous dire? *(A part.)* Ma pauvre Gabrielle, comme
on t'arrange!

   On frappe à la porte du vestibule.

Le Général, tout en remontant. — Entrez!

Petypon, vivement, presque crié. — Mais non!

SCÈNE XII

Les mêmes, Étienne

Étienne, un grand carton sur les bras, — s'arrêtant strictement sur le pas de la porte. — Monsieur...

Petypon, bourru. — Qu'est-ce qu'il y a? On n'entre pas.

Étienne, avec calme. — Oh! je le sais, monsieur!

Le Général, à Petypon, en indiquant Étienne. — C'est-à-dire que, si tu le fais entrer, tu seras malin!

Petypon. — Qu'est-ce que vous voulez?

Étienne, tendant son carton. — Ce sont des vêtements que l'on apporte de chez la couturière pour madame.

Le Général, au mot de « madame », poussant à l'intention de Petypon une petite exclamation de triomphe. — Aha! *(Allant à Étienne et le débarrassant de son carton.)* C'est bien, donnez! *(Le congédiant.)* Allez! *(A Petypon, tandis qu'Étienne sort.)* Et tiens! voilà encore une preuve que madame est ta femme : ces vêtements qu'on apporte pour elle!

Petypon, prévoyant la conséquence inévitable. — Hein!

Le Général. — Elle m'avait dit qu'elle les attendait pour se lever; les voilà! *(A la Môme.)* Tenez, mon enfant, allez vous habiller.

Il lance le carton à la Môme qui le rattrape au vol.

La Môme. — Merci, m' n' onc'!

Petypon, à part. — C'est ça! il lui donne les robes de ma femme!

La Môme, ouvrant le carton et en tirant la robe à destination de madame Petypon. A part. — Oh! là! là! Je vais avoir l'air d'une ouvreuse, moi, avec ça! Enfin, ça vaut encore mieux que rien. *(Haut, au général.)* M' n' onc'!

Le Général. — Ma nièce?

Petypon. — « Mon oncle! » Elle a tous les toupets!

La Môme. — M' n' onc', voulez-vous-t'y tirer les rideaux?

Le Général, ravi, allant tirer les tapisseries. — « Voulez-vous-t'y tirer les rideaux! » Mais, comment donc! *(Descendant vers Petypon une fois sa mission accomplie.)* Elle est charmante, ma nièce! charmante! Ce qu'elle va en faire un effet en Touraine! Ce qu'elle va les révolutionner, les bons provinciaux!

Petypon, à part, avec conviction. — Ah! j'en ai peur!

SCÈNE XIII

Les mêmes, Mongicourt

Mongicourt, entrant de droite, avec un paquet qu'il dépose, ainsi que son chapeau, sur la chaise qui est au-dessus de la table. — Voilà tout ce que j'ai pu trouver! *(Voyant le général.)* Oh! pardon!

Petypon, à part. — Mongicourt!... Mon Dieu,

pourvu qu'il ne gaffe pas !... *(Passant vivement au 2, entre le général et Mongicourt.)* Mon oncle, je vous présente mon vieil ami et confrère, le docteur Mongicourt ! *(A Mongicourt.)* Le général Petypon du Grêlé !

Tous trois forment un groupe assez rapproché : le général (1), Petypon (2), un peu au-dessus, face au public; Mongicourt (3), face au général.

Mongicourt (3), tendant la main au général et sur un ton jovial, avec des petits soubresauts de la tête en manière de salutations. — Oh! général, enchanté! J'ai souvent entendu parler de vous!

Le Général (1), voulant être poli, et avec les mêmes soubresauts de la tête que Mongicourt. — Mais, euh... moi de même, monsieur! moi de même!

Mongicourt, même jeu. — Oh! ça, général... *(Riant.)* eh! eh! eh! vous n'en mettriez pas votre main au feu?

Tous trois, riant. — Eh! eh! eh! eh! eh!

Le Général, même jeu. — Mon Dieu, ma main au feu!... ma main au feu!... eh! eh! eh! vous savez, ce sont de ces choses qu'on répond par politesse...

Tous trois. — Eh! eh! eh! eh! eh!

Mongicourt, même jeu. — C'est bien ainsi que j'ai compris.

Tous trois. — Eh! eh! eh! eh!

Mongicourt. — Et vous êtes pour longtemps à Paris, général?

Petypon, tout seul. — Eh! eh! eh! *(Voyant qu'il est seul à rire, s'arrêtant court.)* Ah?

Le Général. — Non-non! Non! Je pars en Touraine, pour marier une nièce à moi!... *(Sur un ton futé, à Petypon.)* Au fait, je ne t'ai pas dit qui elle épouse! Tu vas voir comme c'est curieux!... *(Ménageant bien son petit effet.)* Le lieutenant... Corignon!

Petypon (2), approuvant de la tête, mais avec une absolue indifférence. — Ah?

Le Général a un petit sursaut d'étonnement, puis. — Le Corignon... que tu connais!

Petypon (2), simplement et avec la même indifférence. — Moi? non!

Le Général. — Si!

Petypon. — Ah?

Le Général. — Ta femme m'a dit que vous le connaissiez.

Petypon. — Ah! elle vous?...

Le Général. — Mais oui!

Il remonte.

Petypon. — Ah? bon! bien! parfait! *(A part.)* Tout ce qu'on voudra, maintenant! tout ce qu'on voudra!

Mongicourt, mettant inconsidérément les pieds dans le plat. — Comment, ta femme? Elle est donc là?

Petypon, vivement, et en faisant des signes d'intelligence à Mongicourt qui n'y prête pas attention. — Hem! Oui! Oui!

Le Général, au-dessus, à droite du canapé. — Oui! elle est couchée par-là; elle se lève!

Mongicourt, de plus en plus surpris. — Elle se?...

Petypon, même jeu, en se rapprochant de Mongi-court. — Oui! oui!

Mongicourt, à part. — Ah! çà, qu'est-ce que tout cela veut dire? *(Haut.)* Pardon, général, voulez-vous me permettre de dire un mot en particulier à mon ami Petypon?

Le Général, redescendant au 1. — Faites donc!

Mongicourt, au général, tout en entraînant un peu Petypon à droite. — C'est au sujet d'un de nos malades!... secret professionnel! vous m'excusez?

Le Général. — Je vous en prie.

Il s'assied sur le canapé.

Mongicourt (3), bas à Petypon (2), qu'il a emmené jusque devant la table. — Ah çà! qu'est-ce que ça signifie? C'est ta femme qui est couchée, mainte-nant?

Petypon, bas. — Eh! non! c'est la Môme! Il est tombé sur elle; alors, naturellement!...

Mongicourt, bas. — Malheureux, je comprends!

Petypon. — Ah! je suis joli! *(Bondissant en entendant la voix de sa femme à la cantonade.)* Mon Dieu! la voix de ma femme! Ah! non, non, je n'en sortirai pas! *(A l'apparition de madame Petypon.)* Elle!

SCÈNE XIV

Les mêmes, Madame Petypon, vient au 2

Madame Petypon, encore tout exaltée, sans même regarder autour d'elle, descendant d'une traite

*presque jusqu'au canapé, — d'une voix
radieuse.* — C'est fait! j'ai accompli ma mission!
*(Rappelée subitement à la réalité, en se trouvant
face à face avec un inconnu, le général, qui s'est
levé à son approche.)* Oh! pardon!

> *Échange de saluts comme entre gens qui ne se
> connaissent pas.*

Petypon (3), vivement. — Chère amie! mon
oncle, le général Petypon du Grêlé!

Madame Petypon (2). — Ah!... le général! *(Lui
sautant au cou.)* Ah! que je suis heureuse!

Le Général, ahuri. — Hein?

Madame Petypon. — J'ai si souvent entendu parler de vous!

> *Nouveau baiser sur la joue gauche.*

*Le Général (1), pendant que madame Petypon
l'embrasse.* — Mais... euh!... moi de même,
madame! Moi de... *(A part.)* Elle est très aimable,
cette brave dame!

Madame Petypon. — Je vous demande pardon,
général, mais je suis tout essoufflée!

Le Général. — Soufflez, madame! soufflez!

*Madame Petypon, à son mari et à Mongicourt (4),
d'une voix pâmée.* — Ah! mes amis! j'en viens de
la place de la Concorde!... C'est fait!... *(Au général.)* Il m'a parlé!

Le Général (1). — Qui ça?

Madame Petypon (2), bien rythmé. — Celui dont
la parole doit féconder mes flancs!

Le Général la regarde, étonné, puis. — Qu'est-ce
qu'elle raconte?

Madame Petypon, avec élan. — Ah! Dieu! Où la volonté d'en haut va-t-elle choisir ses élus? *(Sur le ton dont on débiterait le récit de Théramène.)* Il y avait une demi-heure que j'attendais en tournant autour de l'obélisque, quand tout à coup, du haut des Champs-Élysées, arrive à fond de train, au milieu d'un escadron de la garde républicaine... le président de la République, dans sa victoria!... Je me dis, palpitante d'émotion: « Le voilà bien celui que le Ciel devait désigner pour engendrer de sa parole l'enfant qui sauvera la France! »

Le Général la considère un instant d'un œil de côté, puis, au public, affirmativement. — C'est une folle.

Madame Petypon, poursuivant son récit. — Voyant en lui l'homme marqué par le destin, je veux m'élancer vers l'équipage! mais déjà un bras m'a arrêtée! Comme le vent, au milieu d'un cliquetis d'armes, le Président a passé *(D'une voix désappointée.)* sans même jeter un regard sur moi! Et c'est de la bouche du plus humble que je reçois la parole fécondante: « Allons, circulez, madame! » *(Un temps.)* L'élu d'en Haut était un simple gardien de la paix!

Mongicourt et Petypon, affectant le plus grand intérêt. — Allons donc!

Le Général. — Qué drôle de maison!

Il gagne l'extrême gauche.

Madame Petypon, épuisée. — Ah! cette journée m'a brisée!

Mongicourt, saisissant la balle au bond, passe vivement derrière Petypon, va au-dessus de madame Petypon en cherchant à la diriger vers sa chambre. — C'est ça! c'est ça! eh! bien, vous devriez vous reposer un peu!

Petypon, qui a suivi le mouvement de Mongicourt. — Oui! Oui!

Mongicourt. — Après de telles émotions!... Le général vous excusera!

Madame Petypon (3), encadrée par Mongicourt (2), et Petypon (4), se laissant conduire. — Oui, j'ai besoin de me recueillir quelques instants! Vous permettez, général?

Le Général. — Oh! comment donc!

Madame Petypon, s'arrêtant au-dessus du canapé, ce qui arrête également Mongicourt (2), et Petypon (4). — J'espère, puisque vous êtes à Paris, que nous allons nous voir souvent.

Le Général. — Ah! non! mille regrets, madame! Je pars ce soir pour mon château de la Membrole, en Touraine!

Madame Petypon, l'air contrit. — Oh! vraiment!

Le Général, gagnant un peu à droite tout en parlant. — Oui! Il est temps qu'on le rouvre un peu, celui-là! Depuis dix ans qu'il est fermé!... *(A Petypon, qui est à droite du canapé.)* On dit déjà dans le pays qu'il est hanté de revenants!...

    Il continue à gagner à droite.

Madame Petypon, avec un petit frisson. — Oh!... Et ça ne vous effraie pas?

Le Général, gagnant jusque devant la table. — Moi? Aha!... Ah! ben!... mais, est-ce que ça existe, les revenants?

Madame Petypon. — N'importe, je ne voudrais pas être à votre place!... Allons, au revoir, général!

Le Général, s'inclinant. — Madame!

Madame Petypon. — Je vous laisse avec mon mari!

Mongicourt et Petypon, sursaut instinctif et exclamation étouffée de part et d'autre. — Oh!

    Dans leur sursaut, Mongicourt est descendu extrême gauche par la gauche du canapé, et Petypon à droite devant le canapé, tandis que madame Petypon est sortie par la porte de gauche.

Le Général, qui était de dos au moment où madame Petypon a prononcé sa phrase de sortie, se retournant, étonné, à part. — Son mari?

Petypon, à part. — Son mari!... Ah! ça avait marché si bien!

SCÈNE XV

Les mêmes, moins Madame Petypon

Le Général, après un temps de réflexion, pendant lequel il a les yeux fixés sur les deux hommes, qui sont pour lui dans le même rayon visuel, brusquement prend un parti et s'avance à froid vers eux. Arrivé à Petypon, qui croit que c'est à lui qu'il en a, il l'écarte du bras droit, et, arrivé à Mongicourt, lui tendant la main. — Oh! monsieur, je vous demande pardon! *(Mongicourt lève sur lui des yeux ahuris.)* Je ne me doutais pas que j'avais affaire à madame votre femme!

Mongicourt. — Ma f?...

Le Général, ne lui laissant pas le temps de

répondre. — Mais, c'est la faute à mon neveu! Il n'avait pas dit le nom en présentant!

Mongicourt. — Hein! Ah! mais non! pas du tout!

Petypon, vivement, descendant, entre eux. — Quoi? quoi, « pas du tout? » Absolument si, c'est ma faute! mon oncle a raison! mais ça ne m'est pas venu en tête. *(Au général.)* J'aurais dû vous dire : « Madame Mongicourt! » *(Remontant au-dessus du général.)* Eh! bien, voilà! le mal est réparé!... *(A Mongicourt, en redescendant, 3.)* Il est réparé, le mal!

Mongicourt, vexé, à part. — Ah! flûte!

Le Général, à Mongicourt. — Je vous fais mes compliments! ça à l'air d'une bien aimable dame!...

Mongicourt, la bouche pincée. — Mais... certainement!

Le Général, tout en se retournant, et bas, dans l'oreille de Petypon. — Seulement, ça, c'est ce que j'appelle une vieille toupie!

 Ravi de sa réflexion, il envoie une bourrade du coude à Petypon, et passe au 3.

Petypon fait une moue, puis à part, sur un ton pincé. — Non, mais est-ce assez de mauvais goût de me répéter ça tout le temps!

Mongicourt, à part, dans son coin, maugréant. — Non! comme amie, soit! mais passer pour son mari, c'est vexant!

SCÈNE XVI

Les mêmes, La Môme

La Môme (3), sortant de la baie, elle est revêtue de la robe qu'on avait apportée pour madame Pety-

pon et que lui a remise le général. — Là, je suis prête!

Le Général (4). — Ah! voilà ma nièce.

La Môme (3). — Ah! non, ce que je dégotte comme ça! *(Enjambant la chaise à droite du canapé.)* Eh! allez donc! C'est pas mon père!

> *Tandis que Mongicourt (1) et Petypon (2) ont un même sursaut au geste de la Môme, le général, ravi, éclate de rire.*

Le Général. — Ah! ah! elle est drôle! *(Singeant le geste de la Môme.)* « Eh! allez donc, c'est pas mon père! » *(Descendant au 3, vers Petypon.)* Elle me va tout à fait, ta femme! un petit gavroche!

> *Il remonte.*

Petypon, grommelant. — Oui, oh! *(Entre ses dents.)* Un voyou!

Le Général, regardant sa montre. — Oh! mais, il est tard! Je me laisse aller à bavarder, et mon train que je dois prendre dans une heure! J'ai encore deux courses à faire avant. *(A la Môme, qui est adossée à la table.)* Alors, c'est bien convenu? A quatre heures cinq à la gare?

La Môme. — C'est ça, mon oncle!

Le Général, s'apprêtant à embrasser la Môme, à Petypon. — Ça ne t'est pas désagréable que je l'embrasse?

Petypon. — Oh! là! là!... Ah! ben!...

Le Général, à la Môme. — Ah! votre mari permet!

La Môme. — Oh! alors!...

> *Elle tend sa joue que le général embrasse.*

Le Général, après l'avoir embrassée. — D'ailleurs, si j'ai le temps, je repasserai vous prendre! C'est ça, rendez-vous ici!

Il remonte.

Petypon. — Quoi?

La Môme, remontant parallèlement au général. — C'est ça, mon oncle, c'est entendu!

Petypon, vivement, en remontant vers le général. — Mais non! mais non! à la gare, ça vaut mieux!

Le Général. — Non, non, ça vaut mieux ici! Comme cela, on ne se manquera pas!

Tout en parlant, il se dirige vers Mongicourt.

Petypon, à part, descendant (4) jusque devant la table. — Oh! non! non! je n'en suis pas encore débarrassé!

Le Général, à Mongicourt. — Au revoir, monsieur! enchanté! vous m'excuserez auprès de madame Mon...? Mon...?

Mongicourt, achevant. — ... gicourt!

Le Général. — Oh! vous avez le temps! ce n'est pas autrement pressé!

Mongicourt. — Non! non! « gicourt! » « Mongicourt! » c'est mon nom.

Le Général. — Ah! pardon. Je comprenais... oui, oui! Mongicourt, merci! Allons, à tout à l'heure, vous autres!

La Môme, au fond. — A tantôt, mon oncle.

Le Général. — A tantôt, ma nièce! *(Il passe devant elle puis se retournant pour l'imiter.)* Eh! allez donc, c'est pas mon père!

La Môme, riant et répétant le geste. — Eh! allez donc, c'est pas mon père! Bravo, mon oncle!

Le Général. — Elle est charmante, ma nièce! *(A Petypon.)* Tu entends, le mari! Elle est charmante, ma nièce.

La Môme. — Tu entends, le mari?

Petypon, sans conviction. — Oui! oui!

Le Général, sortant. — Elle est charmante! des toupies comme ça, ah! ben!...

La voix se perd à la cantonade.

SCÈNE XVII

Les mêmes, moins le Général

Petypon (3). — Ah! là là!... ouf!

Mongicourt (1). — Ah çà! qu'est-ce que j'entends? Vous partez avec lui?

Petypon, gagnant le milieu de la scène, bien appuyé. — Oui!

Mongicourt. — Avec la Môme?

La Môme, sautant assise sur la table côté gauche. — Avec moi!

Mongicourt (1). — Eh! ben, mon vieux!...

Petypon (2), venant se camper devant la Môme. — Ah! oui, tu me mets dans de jolis draps! Que le diable t'emporte d'être venue te fourrer dans ma vie, toi! Oh! le pied dans le crime!... Si seulement il y avait eu crime! Mais, enfin, je ne te connais pas! Tu n'as pas été à moi; je n'ai pas été à toi!

La Môme (3). — Mais, c'est que c'est vrai!... On n'a pas été à nous!

Petypon. — Eh! bien, alors, de quel droit viens-tu troubler mon existence! Me voilà marié à toi, maintenant!

Le Môme, blagueuse. — Tu ne t'embêtes pas!

Mongicourt, qui n'a pas encore digéré la chose. — Et moi à madame Petypon!

Petypon, à la Môme. — Comme c'est agréable pour moi!

Mongicourt, entre ses dents, tout en gagnant la gauche. — Eh! bien, et pour moi!

Petypon. — Si encore tu avais eu le tact de décliner son invitation en Touraine! Mais non! Quelle tête vas-tu faire là-bas? Au milieu de ces bourgeois de province; dans ce monde collet-monté; avec tes « où c't' y qui », tes « qui c' ty qui » et tes « Eh! allez donc, c'est pas mon père! »

La Môme, bien gentiment et sur le ton le plus distingué. — Oh! non, mais je t'en prie!... engueule-moi!

Petypon. — C'est ça! voilà!

La Môme. — Mais, n'aie donc pas peur! tu verras si je leur en ficherai du comme il faut!

Petypon. — Enfin, ça y est : ça y est! Je ne te demande qu'une chose : de la tenue! au nom du ciel, de la tenue!

La Môme, passant, tout en parlant, dans un mouvement débraillé, sa jambe droite sur sa jambe gauche, les deux mains serrant la cheville. — Mais, quoi! J'en ai de la tenue!

Petypon. — Ah! là, oui! Ah! tu en as, de la tenue! *(Lui décroisant les jambes et la faisant descendre de la table.)* Et, maintenant, à tantôt, trois heures et demie, en bas, devant la porte d'entrée!

La Môme. — Entendu! *(Se dégageant de Petypon, qui la dirigeait vers la sortie, pour aller à Mongicourt.)* Bonjour, le m' sieur! *(Elle lui donne la main et, en même temps, par-dessus leurs deux mains jointes, elle fait un passement de jambe.)* Et! allez donc!...

Petypon (3). — Encore! *(Courant à la Môme et lui saisissant le poignet droit.)* Va, file! Ma femme peut entrer d'un moment à l'autre!

La Môme, résistant, sans brusquerie. — Oh! bien, quoi? je suis dans une tenue convenable! *(Passant 3, avec des mouvements de pavane.)* Je suis mise comme une femme honnête. *(A Petypon.)* C'est égal, elle n'a pas de chic, ta femme! *(De loin, avec un salut de la main de Mongicourt.)* Au revoir, bidon!

Mongicourt. — Au revoir, la Môme!

La Môme, à Petypon, en lui pinçant le nez. — Au revoir! vieux vicieux!

Petypon, tandis qu'Étienne paraît à la porte en s'arrêtant fidèlement sur le seuil. — Mais laisse donc mon nez tranquille!

La Môme, passant devant Étienne ahuri, et lui donnant une petite tape sur la joue. — Adieu!... Grenade!

Elle sort.

SCÈNE XVIII

Les mêmes, moins la Môme, plus Étienne,
à gauche de la porte.

Étienne, à part, la regardant partir, étonné. — Tiens?... Par où est-elle entrée, celle-là?

Petypon, bourru, à Étienne. — Encore vous! Quoi? Qu'est-ce que vous voulez?

Étienne, sans bouger du seuil de la porte. — Il y a là deux hommes qui apportent un fauteuil avec une manivelle! Ils disent que c'est des choses que monsieur attend!

Petypon, gagnant la gauche. — Ah! oui! Faites apporter par ici.

Étienne sort.

Mongicourt, qui était remonté pour accompagner la Môme à mi-chemin, redescend au 2. — Qu'est-ce que c'est que ce fauteuil qu'on t'apporte? tu te meubles?

Petypon, criant merveille. — Eh! non! c'est le fameux fauteuil extatique! la célèbre invention du docteur Tunékunc! J'ai vu les expériences à Vienne lors du dernier congrès médical et je me suis décidé à me l'offrir pour ma clinique.

Mongicourt, s'inclinant. — Ah? tu te mets bien!

Petypon. — Mais tu es destiné à l'avoir aussi! Nous sommes tous destinés à l'avoir, nous autres médecins! L'avenir est là, comme aux aéroplanes. Ces rayons X, on ne sait pas toutes les surprises que cela nous réserve!

Mongicourt. — Et ça n'est encore que l'enfance!

Petypon. — Quand on pense que, jusqu'à présent, on endormait les malades avec du chloroforme, qui est plein de danger... et toujours pénible! Tandis que maintenant, avec ce fauteuil!...

SCÈNE XIX

Les mêmes, Étienne, deux porteurs

Étienne, s'arrêtant sur le seuil de la porte et s'effaçant pour livrer passage aux deux porteurs du fauteuil extatique. Ils apportent le fauteuil replié, dossier contre siège. Sur le dossier, la bobine et, dans une boîte, des gants de soie verte. — Entrez! Moi, je n'entre pas!

Petypon, indiquant aux porteurs la gauche de la table. — Posez cela là, voulez-vous? *(Tandis que les porteurs placent le fauteuil à la place indiquée, à Mongicourt, qui, dos au public, devant la table, regarde ce jeu de scène.)* Tu vois, le voilà!... *(Aux porteurs.)* La bobine là, sur la table!... *(Tandis qu'un des porteurs place la bobine, puis, sans en avoir l'air, dans la mâchoire branche le fil déjà préparé sur la table dès le lever du rideau.)* Ah! les gants! vous avez apporté les gants?

Premier porteur. — Oui, monsieur! là, dans cette boîte!

Il pose la boîte sur la table, côté lointain.

Petypon. — C'est bien, merci. Tenez, voilà cinq sous!... vous partagerez!

Les porteurs sortent.

Mongicourt, à droite de la table. — Des gants! Quels gants?

*Petypon, tout en redressant le dossier du fauteuil
et le mettant en état.* — Des gants de soie! des
gants isolateurs! *(Prenant le fil dont est munie la
machine électrique qui est censé transmettre le
courant au fauteuil quand on l'y branche.)* Alors,
tu vois, tu n'as qu'à introduire la fiche qui est au
bout de ce fil dans la mâchoire placée au dossier
du fauteuil!... *(Indiquant le bouton de cuivre qui
surmonte le côté gauche du dossier.)* Tu appuies
sur ce bouton... *(Il donne un coup du plat de la
main sur ledit bouton; aussitôt, dans le globe de la
machine, on voit vaciller des rayons lumineux.)* et
la communication est établie!... *(Indiquant le
bouton de droite.)* Comme ça, tu l'arrêtes. *(Il
appuie sur le bouton, les rayons disparaissent.)*
Alors, voilà : tu places ton malade... euh... *(Ses
yeux semblent chercher un sujet absent, puis,
s'arrêtant soudain sur Mongicourt qui, absorbé,
l'écoute avec intérêt.)* Tiens, vas-y donc, toi! tu te
rendras mieux compte.

*Mongicourt, à droite du fauteuil, devant la
table.* — Non!... non!... Je te remercie bien!
Vas-y, toi!

Petypon, à gauche du fauteuil. — Mais non,
voyons! puisque c'est moi qui te démontre!...
D'ailleurs, ça n'est pas comme opéré que j'aurai à
m'en servir, mais comme opérateur, alors!...

Mongicourt, riant. — J' te dis pas! mais,
qu'est-ce que tu veux? moi, ces choses-là, je les
aime beaucoup mieux pour les autres que pour
moi, alors!...

Petypon. — Quoi? Quoi? je n'ai pas l'intention
de t'endormir! C'est pour te faire voir le fonc-
tionnement du fauteuil.

Mongicourt, manquant de confiance. — Ben
oui!

Petypon. — Tu ne me crois pas.

Mongicourt, même jeu. — Si! si!

Petypon. — Eh ben! alors?

Mongicourt. — Soit, mais, tu sais!... Pas de blagues, hein?

Petypon. — Mais non, quand je te dis!

Mongicourt, sans enthousiasme. — Oui, enfin!...

   Il s'assied dans le fauteuil.

Petypon. — Là! Eh ben?

Mongicourt, s'installant confortablement. — Eh! on n'est pas mal, là-dessus!

Petypon (1). — Parbleu!... Alors, n'est-ce pas? suivant que je veux mon malade plus ou moins étendu, je fais fonctionner cette manivelle-là.

   Il indique le bouton placé extérieurement sous le siège et qui déclenche la crémaillère qui permet de modifier à volonté la position du dossier.

Mongicourt. — Oui! oui.

Petypon, à croupetons, pressant sur le bouton en question. — Comme ça, je te renverse!...

Mongicourt, qui est bien adossé, se renversant avec le dossier. — Eh! là! eh! là!

Petypon. — N'aie pas peur! *(Redressant le dossier.)* Et, comme ça, je te remets droit.

Mongicourt. — Eh ben! oui!... connu!

Petypon, se redressant. — Et alors, maintenant, quand il s'agit d'endormir le malade, je presse sur ce bouton!...

Mongicourt, vivement. — Ah! oui, mais, tu sais!...

*Trop tard! Mongicourt n'a pas achevé le mot
« tu sais », que Petypon, sans même s'en rendre
compte, emporté qu'il est par sa démonstration,
a appliqué une tape du plat de la main sur le
bouton gauche du fauteuil. La machine, aussitôt, s'est mise en action; Mongicourt reçoit
comme un choc qui le fait sursauter et le voilà
immobilisé dans son attitude dernière, les yeux
joyeusement ouverts, un sourire béat sur les
lèvres.*

*Petypon, au-dessus du fauteuil, continuant sa
démonstration, sans remarquer qu'il a endormi
son confrère.* — Immédiatement, mon cher, le
patient, sous l'influence du fluide, tombe dans
une extase exquise!... et, alors, ça y est! insensi-
bilité complète! Tu as tout ton temps! Tu peux
charcuter, taillader, ouvrir, fermer, tu es comme
chez toi! Tu ne trouves pas ça épatant?... *(Un
temps.)* Hein? *(Descendant à gauche du fauteuil,
étonné du silence de Mongicourt.)* Mais dis donc
quelque chose!... *(A part.)* Qu'est-ce qu'il a?
(Appelant.) Mongicourt!... Mongicourt! *(Brusquement.)* Sapristi! je l'ai endormi!... Oh! non,
moi, je... oho! Il faut que je fasse voir ça à
Gabrielle!... *(Remontant vers la chambre de sa
femme et ouvrant la porte.)* Gabrielle!...
Gabrielle!...

Voix de Gabrielle. — Tu m'appelles!

Petypon, redescendant. — Vite, viens!

SCÈNE XX

Les mêmes, Madame Petypon

Madame Petypon, descendant au 1. — Qu'est-ce
qu'il y a?

Petypon (2), à gauche du fauteuil. — Tiens, regarde-le!

Madame Petypon. — Ah! qu'est-ce qu'il fait?

Petypon, tout fier de lui. — Ce qu'il fait?... Il dort!

Madame Petypon. — Comment, il s'est endormi chez toi?

Petypon. — Mais non! tu ne devines donc pas?

Madame Petypon, comprenant. — Oh!... C'est le fauteuil extatique!

Petypon. — Mais oui! Hein? regarde? Est-ce étonnant!

Madame Petypon. — Oh! que c'est curieux!... Mais, alors, c'est toi qui?

Petypon, avec un certain orgueil. — C'est moi qui, parfaitement.

Madame Petypon. — Oh! ce pauvre Mongicourt! Ah! non, qu'il est drôle comme ça!

Elle fait mine d'aller vers le fauteuil.

Petypon, vivement, l'arrêtant du bras droit au passage. — Ne le touche pas! tu t'endormirais aussi.

Madame Petypon, toujours même numéro. — Pas possible!

Petypon. — Non, mais, regarde-le! A-t-il assez l'air d'être en paradis!

Madame Petypon. — C'est que c'est vrai.

Petypon. — Y'a pas deux mots, il jubile! Gabrielle! je te présente un homme qui jubile!

Madame Petypon. — C'est merveilleux!

Petypon, remontant. — Oui, eh! ben, il a assez jubilé pour aujourd'hui! Faut pas le fatiguer! aïe donc!

Il tape sur le bouton droit.

Mongicourt, a eu comme un choc, puis toujours souriant, toujours dans son rêve, se lève. — Belle princesse!... dites-moi que vous m'aimez?...

Petypon, qui est redescendu à gauche du fauteuil, sur le même ton chevrotant que Mongicourt. — Oh! tu vas te taire!...

Mongicourt, revenant peu à peu à la réalité. — Quoi?

Petypon. — Je dis : tu vas te taire?

Mongicourt, à Petypon. — Qu'est-ce qu'il y a eu donc?

Petypon. — Il y a eu que tu as dormi!

Mongicourt, certain de n'avoir pas dormi. — Non.

Petypon. — Si!

Mongicourt, soupçonnant la vérité. — Hein! Non? moi?...

Petypon. — Eh! bien, pas moi, bien sûr!

Mongicourt. — C'est pas possible! tu m'as?... Ah! bien, elle est forte! je n'ai rien senti!

Petypon. — Hein? est-ce admirable?

Mongicourt, faisant mine de se rasseoir. — Oh! j'en redemande!

Petypon, l'arrêtant. — Ah! non! En voilà un gourmand!

Mongicourt. — Parole, c'est étonnant!

Il contourne le fauteuil en l'examinant avec respect.

Petypon. — Et croyez-vous que c'est précieux pour les opérations !

Madame Petypon. — Je n'en reviens pas !...

Petypon, brusquement, et sur un ton hypocrite, à sa femme. — Oh ! à propos d'opération, dis qu'on prépare tout de suite ma valise, il faut que je file dans un quart d'heure !

Madame Petypon. — Allons bon !

Petypon. — Ah ! ma chère amie, le devoir avant tout !... une opération très urgente !

Madame Petypon. — C'est bien, qu'est-ce que tu veux, ce sont les inconvénients de la profession ! Je vais faire préparer ta valise.

Elle remonte vers la porte, deuxième plan gauche.

Petypon, accompagnant sa femme jusqu'au-dessus du canapé. — S'il te plaît !

Madame Petypon sort.

Mongicourt, les mains dans les poches de son pantalon, gagnant la gauche, aussitôt la sortie de madame Petypon. — Eh ! bien, tu en as un toupet !

Petypon, au fond. — Qu'est-ce que tu veux ? Je ne peux pas aller là-bas avec deux femmes ! On n'est pas des Turcs !

SCÈNE XXI

Les mêmes, puis Marollier et Varlin

Étienne, paraissant, un petit plateau à la main sur lequel deux cartes de visite et s'arrêtant sur le pas de la porte. — Monsieur !

Petypon, allant à Étienne. — Qu'est-ce qu'il y a?

Étienne, à mi-voix, à Petypon. — Il y a là deux messieurs, dont voici les cartes, qui demandent à s'entretenir avec monsieur en particulier.

Petypon, lisant les cartes. — Qui ça? *(Regardant les cartes.)* Connais pas. Qu'est-ce qu'ils me veulent?

Étienne, même jeu. — Ils disent comme ça qu'ils viennent au sujet de l'affaire de cette nuit.

Petypon, subitement ému. — De l'affaire de cette nuit? allons, bon! qu'est-ce que c'est encore que cette affaire-là? *(A Mongicourt, d'une voix inquiète.)* Mongicourt!

Mongicourt, affectueusement. — Mon ami?

Petypon. — Voilà encore autre chose! on vient pour l'affaire de cette nuit!

Mongicourt (1). — Quelle affaire, mon ami?

Petypon (2), avec la même voix angoissée. — Je ne sais pas!... Ah! là! là! *(A Étienne.)* Faites entrer ces messieurs.

   Étienne sort.

Mongicourt (2), passant devant Petypon et allant prendre son chapeau sur la chaise derrière la table. — Eh! ben, je te laisse, puisque tu as à recevoir ces gens.

Petypon (1). — C'est ça, va!... Ah! mon ami, voilà une nuit dont je garderai le souvenir!...

Mongicourt. — Je comprends!

Petypon. — Allons, au revoir!

Mongicourt. — Au revoir! *(Se croisant avec les deux personnages qui entrent et s'effacent pour lui livrer passage.)* Messieurs!

Ils se saluent.

Petypon (1), une fois Mongicourt sorti. — Qu'est-ce qui me vaut, messieurs, votre visite ?

Marollier (2), ton sec, cassant. Tenue : redingote, chapeau haut de forme. — C'est bien à monsieur Petypon que nous avons l'honneur de parler ?

Petypon. — A lui-même.

Marollier. — Je suis monsieur Marollier, lieutenant au 8ᵉ dragons. *(Présentant Varlin qui est (2) un peu au-dessus de lui.)* Monsieur Varlin !

Varlin. — Agent d'assurances, incendie, vie, accidents, etc., etc. *(Offrant quelques cartes de son agence à Petypon.)* Si vous voulez me permettre !...

Petypon. — Trop aimable !

Varlin. — Dans le cas où vous ne seriez pas assuré, je vous recommanderais...

Marollier, lui imposant silence. — Je vous en prie ! Vous n'êtes pas ici pour faire du commerce.

Varlin. — Oh ! pardon ! je repasserai.

Petypon, indiquant le canapé. — Asseyez-vous, messieurs !

Varlin s'assied (1), Marollier au-dessus (2), Petypon prend la chaise et s'assied face à eux.

Marollier, une fois que tout le monde est assis. — Vous devinez sans doute, monsieur, ce qui nous amène ?

Petypon (3). — Mon Dieu, messieurs, j'avoue que je ne vois pas ?...

Marollier. — C'est au sujet de l'affaire de cette nuit.

Petypon, cherchant à se souvenir. — De l'affaire de cette nuit?

Marollier. — Eh! oui.

Petypon. — Pardon, mais!... Quelle affaire de cette nuit?

Marollier. — Comment, quelle affaire?... Vous n'allez pas nous dire que vous ne vous souvenez pas!

Petypon. — Mais... du tout, monsieur!

Marollier. — Il est vrai que l'état d'ivresse avancé dans lequel vous étiez!

Petypon, se dressant, furieux. — Monsieur!

Marollier, se levant instinctivement. — D'ailleurs, monsieur, notre rôle n'est pas de discuter l'affaire avec vous! veuillez nous mettre simplement en rapport avec deux de vos amis.

Il se rassied.

Petypon, se rasseyant également. — « Avec deux de mes amis »! Comment, avec deux de mes amis? Si je vous comprends bien, il s'agit d'une réparation? Eh! bien, je ne dis pas non; mais vous ne voulez cependant pas que je me batte sans savoir pourquoi? *(A Varlin qui semble dans les nuages.)* Enfin, voyons?...

Varlin, très souriant et profondément lointain. — Oh! moi... je m'en fous!

Petypon. — Comment?

Marollier, se tournant d'un bond vers Varlin. — Qu'est-ce que vous dites?... en voilà des façons!... Si c'est comme cela que vous prenez les intérêts de votre client!

Varlin. — Oh! pour ce que je le connais!... *(A*

Petypon.) Il était à côté de moi chez Maxim...
Vous savez ce que c'est : on s'est parlé entre deux
consommations.

Marollier, sur les charbons. — Oui, bon, ça va
bien.

Varlin. — Là-dessus, l'affaire a eu lieu ; comme
il ne connaissait personne...

Marollier, même jeu. — Oui !... oui !

Varlin. — ... il m'a demandé si je voulais être
son second témoin... C'est pas plus malin que ça !

Marollier. — Oh ! mais, c'est bien ! ça suffit !... *(A
Petypon.)* Monsieur ! après les invectives plus que
violentes échangées cette nuit, vous nous voyez
chargés par notre client...

Petypon. — Mais, enfin, encore une fois, quelles
invectives ?...

Marollier. — Comment, quelles invectives !...
mais il me semble que le seul fait de dire à
quelqu'un : « Je vais vous casser la gueule !... »

*Petypon, se dressant, comme mû par un ressort ;
instinctivement les deux témoins se lèvent à son
exemple*. — Oh ! oh ! ce n'est pas possible !... Oh !
je suis désolé !... Dites bien à votre client que si
ces paroles m'ont échappé, c'est contre ma
volonté ! et que, du fond de cœur, je les retire !

Marollier, froid et cassant. — Non !... Vous ne
pouvez pas les retirer !

Petypon. — Comment, « je ne peux pas » ?...

Marollier, très sec. — Non !... C'est mon client
qui vous les a dites.

Petypon, abasourdi. — Hein ? *(Gagnant la
droite.)* Ah bien ! elle est forte, celle-là... *(Reve-*

nant à Marollier.) Comment, c'est lui qui m'a dit!... et il vous envoie!...

Marollier. — Oh! mais... il ne vous conteste pas le rôle de l'offensé!

Petypon. — Il est bien bon!... *(Les bras croisés et presque sous le nez de Marollier.)* Mais, enfin, c'est une plaisanterie! *(Passant (2), à Varlin.)* Enfin, voyons?

Varlin, comme précédemment. — Oh! moi, je m'en fous!

Petypon, vivement, lui coupant la parole. — Oui! Je sais; vous vous en... *(A Marollier, 3.)* Non mais, est-ce que vous croyez que je vais me battre avec votre monsieur parce que c'est lui qui m'a insulté?

Marollier, du tac au tac. — Si vous ne vous battez pas quand on vous insulte, quand donc vous battrez-vous?

Petypon. — Ça, monsieur, j'en suis juge!

Marollier, sur un ton hautain en gagnant la droite pour s'arrêter juste devant le fauteuil extatique. — D'ailleurs, monsieur... inutile de discuter plus longtemps! ce débat est tout à fait irrégulier entre nous!

Petypon, gagnant par étape jusqu'à lui au fur et à mesure de ses questions. — Et votre démarche à vous, est-elle régulière? Où avez-vous vu que ce soit l'offenseur qui envoie des témoins à l'offensé?... Où? Vous n'allez pas m'en remontrer, n'est-ce pas? Je n'en suis pas à mon premier duel!... Je suis médecin!... Alors!...

Marollier. — Oh! mais, pardon, monsieur, j'estime, moi, qu'en matière de duel...

Petypon, tout contre lui, en appuyant ses paroles de petites tapes du revers de la main qu'il lui applique sur la poitrine. — Non, pardon, monsieur, je vous ferai remarquer, moi...

Marollier. — Permettez, monsieur, je vous dirai, moi aussi !...

Petypon, à part. — Il n'y a pas de « je vous dirai moi aussi ! », je prétends que quand... *(Voyant que Marollier ne lâche pas prise.)* Ah ! et puis, il m'embête !... *(D'un double mouvement, presque simultané, il donne une poussée à Marollier qui s'affale sur le fauteuil et appuie sur le bouton du fauteuil. Immédiatement, Marollier reste figé dans son geste dernier, yeux ouverts et sourire sur les lèvres.)* Il nous fichera la paix, maintenant !

    Il remonte.

Varlin, après un temps, s'apercevant de la situation. — Oh ! Qu'est-ce qu'il a ?

Petypon, redescendant. — Faites pas attention !... il m'agaçait, je l'ai fait taire !

Varlin. — Ah ! c't'épatant !

Petypon. — C'est vrai, ça ! En voilà un mal embouché !... a-t-on jamais vu !... *(Allant invectiver Marollier sous le nez.)* Mal embouché ! *(Narguant Marollier en lui agitant sa main droite renversée sous le nez.)* Si tu crois que tu me fais peur ! *(Toujours à Marollier, sur un ton narquois.)* C'est comme « son client » ! Je vous demande un peu ce que c'est que « son client » ?

Varlin, devant le canapé, un peu à droite. — C'est un officier.

Petypon, répétant, avec un haussement d'épaules. — C'est un officier.

Varlin. — Le lieutenant Corignon.

Petypon, même jeu. — Le lieu... Quoi? *(A Varlin.)* Corignon? Comment, Corignon? Ah! ça serait fort!... Qu'est-ce que c'est que ce Corignon?... ce n'est pas un officier qui va se marier?

Varlin. — Mais... je crois que si! il me semble qu'il m'a dit...

Petypon. — Ah! non, celle-là est cocasse! Corignon! Mais c'est mon cousin!

Varlin. — Votre cousin?

Petypon. — Enfin, il va le devenir! Comme le monde est petit!... Mais qu'est-ce qu'il lui a pris après moi? Pourquoi cette affaire?...

Varlin. — Ah! ben... parce que vous étiez avec une femme qu'il a aimée. Il se marie, c'est vrai, mais je crois que ça, c'est plutôt un mariage de raison! et que celle qu'il a, comme on dit, dans la peau, c'est la petite qui était avec vous.

Petypon, n'en revenant pas. — La Môme Crevette!

Varlin. — Alors, quand il vous a vus ensemble, ça lui a tourné les sangs et il a dit: « C't'homme-là, je le crèverai! »

Petypon, remontant. — Eh! bien, vrai! Si c'est pour ça!...

SCÈNE XXII

Les mêmes, Étienne, puis Corignon

Étienne. — Mais oui, monsieur, attendez, je vais vous annoncer... *(Haut.)* Le lieutenant Corignon!

Varlin et Petypon. — Lui!...

> *Petypon, instinctivement, se réfugie derrière le canapé, derrière lequel il se fait petit.*

Corignon, en uniforme, tenue du matin, sans sabre; gants bruns. Il entre, très ému, le képi sur la tête, la main au képi. — Le... le docteur Petypon?

Petypon (2), émergeant de derrière le canapé et peu rassuré. — C'est... c'est moi, monsieur!

Corignon (3), se découvrant et dans un débit précipité par l'émotion. — En effet, monsieur, je vous reconnais!... Oh! monsieur, combien je suis confus!... cette sotte altercation de cette nuit!... Mon Dieu! si j'avais su que c'était vous!... au moment d'entrer dans votre famille!... quelle vilaine façon de se présenter!... Oh!... Mon cousin!

> *Il lui tend la main.*

Petypon, dont la figure s'est peu à peu rassérénée à mesure que Corignon parle, — avec mansuétude, en redescendant vers lui. — Mais... remettez-vous, monsieur!

> *Il lui serre la main.*

Corignon. — Pardonnez-moi!... C'est que quand je vous ai vu, cette nuit, attablé avec la Môme!... vous savez ce que c'est, quand on a aimé une femme!... Oh! c'est fini, maintenant!... Mais, la nuit, quelquefois, on est éméché; on aperçoit son ex avec un autre; on a oublié qu'on a fini de s'aimer et... et on voit rouge! c'est ce qui m'est arrivé.

Petypon. — Oui! *(Désignant Varlin d'un geste de la tête.)* C'est ce que monsieur me disait!

Corignon, regarde Varlin et s'incline légèrement comme devant quelqu'un qu'on ne connaît pas. — Monsieur !

Petypon, étonné de cet accueil, les regarde tous deux bouche bée, puis. — Monsieur Varlin !

Corignon, s'inclinant à nouveau. — Monsieur !

Petypon, la bouche rieuse. — Votre second témoin !

Corignon, passant au 2 pour aller tendre la main à Varlin. — Oh ! pardon ! Oui ! Oui ! je ne vous remettais pas !

Varlin (1). — C'est qu'il y a si peu de temps qu'on se connaît.

Corignon, lui secouant la main. — En effet ! c'est cette nuit. *(A Petypon, sans lâcher la main de Varlin.)* Oh ! combien je suis désolé de cet envoi de témoins... ridicule !

Varlin, tirant Corignon à lui. — Comment, « de témoins ridicules ».

Corignon, à Varlin, tout en lui lâchant la main. — Non ! Non ! Je parle de l'envoi.

Varlin. — Ah ! bon.

Corignon, à Petypon. — J'espère bien que vous n'allez pas me tenir rigueur et que vous allez me serrer la main que je vous tends en agréant mes excuses les plus sincères !

Petypon, magnanime, lui tendant la main. — Mais, voyons ! J'ai tout oublié !

Corignon, lui serrant cordialement la main. — Ah ! je ne saurais vous dire le poids que vous m'enlevez !

Petypon. — A la bonne heure ! Au moins, ce n'est pas un ours !... comme l'autre !

Il désigne de la tête Marollier endormi sur son fauteuil.

Corignon, intrigué par ce qu'il voit. — Tiens, mais... c'est Marollier! Mais qu'est-ce qu'il fait?

Petypon, avec un geste désinvolte. — Il dort!

Corignon. — Comment? Il pionce dans les affaires d'honneur?

Petypon, remontant jusqu'au-dessus du fauteuil. — Je vais vous le rendre!...

Il appuie sur le bouton de droite du fauteuil.

Marollier a un petit sursaut, se lève comme un automate; puis. — Oh! la Loïe Fuller!... (*Chantant et dansant en agitant des voiles imaginaires, sur l'air de « Loin du bal ».*)
Tralalala, la, la, la, la, la, la, la, la, la
Tralalala, la, la, la, la, la, la, la, la laire.
Tralalala
Tralalala...

Corignon. — Ah! çà! qu'est-ce que vous faites là, Marollier? Vous dormez?

Marollier, réveillé en sursaut. — Hein? Comment, je dors! (*Se tournant vers Corignon.*) Comment, je dors! (*Reconnaissant Corignon.*) Corignon! Vous ici? Chez votre adversaire! Mais ça ne se fait pas! c'est absolument incorrect!

Corignon. — Ne faites pas attention! Je me suis expliqué avec monsieur Petypon; tout est arrangé!

Il tend la main à Petypon que celui-ci serre.

Marollier, marchant sur Corignon dont il n'est séparé que par Petypon. — Vous! Mais je n'admets pas ça!... Vous n'avez pas voix au chapitre!

*Corignon, sans quitter la main de Petypon, s'avan-
çant sur Marollier.* — En vérité?

Marollier. — Absolument! Vous nous avez
commis le soin de vos intérêts!...

Corignon, se montant. — Eh bien! je vous les
retire!

Marollier, furieux. — Corignon!

Corignon. — Ah! et puis, vous savez, en voilà
assez! Si vous n'êtes pas content, je suis homme
à vous répondre!

Petypon. — A la bonne heure! A-t-on jamais vu?

Marollier, brusquement, à Petypon. — Qu'est-ce
que vous dites, vous?

*Petypon, se réfugiant prestement derrière Cori-
gnon.* — Hein?... Je dis ce qui me plaît! et puis,
vous savez, si vous n'êtes pas content... *(Toujours
collé dans le dos de Corignon, et allant chercher la
poitrine de ce dernier avec son index.)* Il est
homme à vous répondre!

   Il pivote, l'air bravache, et gagne la gauche.

Marollier (4), à Corignon. — C'est bien, monsieur! Ça ne se passera pas comme ça!

*Petypon (2), se retournant, subitement
inquiet.* — Hein? Moi?

Marollier. — Non, lui!

*Petypon, rassuré, et avec un geste à la j'-m'en-
fiche.* — Ah! lui, oh!

Marollier, sec. — Je vous salue, messieurs.

Corignon, cassant. — Au revoir!

   Marollier sort porte droite pan coupé.

SCÈNE XXIII

Les mêmes, moins Marollier

Petypon (2), à Varlin. — Non, mais est-il grin-chu, cet animal-là!

Varlin. — Ça!

Corignon (3). — Oui, oh! mais... je le materai s'il m'embête!

Petypon, toujours bravache, à Corignon. — Mais, parfaitement! c'est ce que je lui ai dit! *(A Varlin.)* Ah! mais! Je ne me suis pas gêné! *(Regardant sa montre.)* Oh! nom d'une pipe, trois heures et demie!... et les autres qui doivent venir me cher-cher!... *(A Corignon et à Varlin, en faisant passer ce dernier au 2.)* Oh! messieurs, je suis désolé, mais j'ai à prendre le train.

Corignon (3). — Oh! que ne le disiez-vous! vous partez?

Petypon (1). — Eh! oui, je pars avec votre futur oncle, pour la Touraine!... Au fait, je vous y re-trouverai, il est probable?

Corignon. — C'est vrai, vous allez là-bas! Ah! moi, je ne pars que demain!... je n'ai pu obtenir congé plus tôt!... Ah! bien, je suis bien heureux: je vous y reverrai!...

Petypon. — C'est ça. C'est ça!

Corignon. — Allons! Au revoir, mon... *(Avec intention.)* mon cousin!

Petypon. — C'est vrai! Au revoir, *(Appuyant sur le mot.)* mon cousin!... *(Ils se serrent la main. A Varlin.)* Monsieur, enchanté d'avoir fait votre connaissance!

Varlin, lui serrant la main. — Pas plus que moi, croyez bien! Si jamais pour une assurance vous avez besoin... on ne sait jamais! on peut mourir.

Petypon. — Trop aimable de me le rappeler! Après vous, je vous prie!

Varlin. — Pardon!

Ils sortent, accompagnés par Petypon jusqu'à la porte.

SCÈNE XXIV

Petypon, Madame Petypon, puis le Général, puis Étienne et le balayeur

Petypon, aussitôt leur départ, traversant la scène dans la direction de la chambre de sa femme. — Là! et maintenant... *(Ouvrant la porte et appelant.)* Gabrielle, vite! Gabrielle!

Madame Petypon, accourant. — Qu'est-ce qu'il y a, mon ami?

Petypon (2). — Vite! je suis follement en retard!... ma valise?

Madame Petypon (1). — Elle est prête; tu la trouveras dans l'antichambre!

Petypon, faisant mine de remonter. — Ça va bien!... *(Avisant une lettre non décachetée que madame Petypon tient à la main.)* Qu'est-ce que c'est que ça? C'est pour moi?

Madame Petypon. — Non. C'est une lettre pour moi; je la lirai tout à l'heure.

Petypon. — Bon!... Ah! mon chapeau? mon paletot?

Madame Petypon. — Dans ton cabinet de toilette!

Petypon. — Bien!...

Il remonte d'un pas pressé et sort par la baie. Pendant ce temps, Gabrielle a gagné la droite et décacheté sa lettre.

Madame Petypon, après avoir parcouru la lettre des yeux, poussant une petite exclamation de surprise. — Ah!... Ah! bien, elle est bien bonne! Le général qui nous demande d'aller en Touraine pour le mariage de sa nièce et qui me prie d'y venir faire les honneurs!... C'est un peu curieux, ça! Il était là tout à l'heure et il ne m'en a pas ouvert la bouche!... Comment faire?... Lucien qui est obligé de partir! Nous ne pouvons cependant pas nous abstenir tous les deux! *(Après une seconde de réflexion, très ponctué.)* Ah! ma foi... seule, ou avec lui... j'irai!

Petypon (1), reparaissant du fond avec son chapeau sur la tête et son pardessus sur le bras. — Voilà, je suis prêt!

Madame Petypon (2). — Ah! Lucien! Tu ne devinerais jamais de qui je reçois une lettre.

Petypon, allant embrasser sa femme. — Oui, oh! bien, tu me diras ça une autre fois, je suis en retard! Au revoir, ma bonne amie!

Madame Petypon, le retenant. — Non, mais, écoute donc, voyons!... il faut que tu saches...

Petypon, remontant. — Mais non, ma chère amie, je te dis que je n'ai pas le temps!

Voix du Général. — Enfin, quoi! il n'est pas encore descendu?

Petypon, bondissant au premier mot de la voix du

général. — Nom d'un chien, voilà mon oncle!...
(S'élançant sur sa femme et la tirant par la main.)
Viens! Viens par là! Tu me liras ça dans ta
chambre!

Madame Petypon, tirant de son côté. — Mais
non! à quoi bon? Nous sommes aussi bien ici!

Petypon, tirant vers la chambre. — Mais non!
mais non! viens!

Madame Petypon, tirant vers la droite. — Mais,
laisse-moi donc, voyons! *(D'un mouvement
brusque elle a fait lâcher prise à Petypon, que
l'élan envoie presque jusqu'au canapé, tandis que
madame Petypon va tomber sur le fauteuil extatique.)* Oh! mais, tu me fais chaud!

Petypon, saisi d'une inspiration. — Oh! *(Il saute
sur le bouton du fauteuil, appuie vivement dessus
et immédiatement madame Petypon reçoit le choc
et s'endort comme précédemment les autres.)*
Quand on n'a pas le choix des moyens!...

Voix du Général. — Il est par là, vous dites?

Petypon. — Nom d'un chien, cachons-la! *(Il
prend le tapis de table qui est sur la chaise du fond
et en recouvre complètement sa femme. Paraît le
général.)* Ouf! il était temps!

Le Général, paraissant porte droite. — Eh! ben,
voyons! voilà dix minutes que nous t'attendons
en bas!

Petypon, au-dessus du fauteuil. — Voilà, voilà!
Je suis à vous!

*Le Général, descendant (1), intrigué qu'il est par la
silhouette qu'il voit sur le fauteuil.* — Ah!...
Qu'est-ce qu'il y a là?

Petypon. — Rien, rien! C'est une pièce anato-
mique!...

Le Général. — Ah?

 Il fait mine de s'approcher.

Petypon, l'arrêtant. — Non!... n'y touchez pas!

Le Général. — Pourquoi?

Petypon. — Elle sèche!... On vient de la repeindre!

Le Général. — Hein?

Petypon, le poussant vers la porte de sortie. — Allez, descendez! Quelque chose à prendre! je vous rejoins!

Le Général. — Bon, bon, mais ne sois pas long, hein?

Petypon. — Non, non! *(Une fois le général sorti, descendant jusque devant le canapé.)* Mon Dieu! je ne peux pourtant pas la laisser dans cet état pendant toute mon absence!

Étienne, paraissant et s'arc-boutant à la porte pour retenir le balayeur qui veut entrer quand même. — Mais, attendez donc, mon ami! je vais le dire à monsieur!

Le balayeur, par-dessus l'épaule d'Étienne. — Mais, puisque je vous dis qu'il m'attend!... *(A Petypon.)* Bonjour, m'sieur.

Petypon. — Quoi? Qu'est-ce que c'est? Laissez entrer!

Le balayeur, à Étienne qui s'efface pour lui livrer passage. — Là! quand je te disais!

 Étienne sort.

Petypon. — Qu'est-ce que vous voulez?

Le balayeur (2), se découvrant tout en descendant

vers Petypon. — C'est moi! le balayeur *ed* la rue
Royale!

Petypon (1). — Le balayeur? Quel balayeur?
Qu'est-ce que vous demandez?

Le balayeur, sa casquette à la main. — Comment, ce que j' demande? Je viens dîner!

Petypon. — Quoi?

Le balayeur. — Vous m'avez invité à dîner.

Petypon. — Moi? moi, je vous ai invité à dîner?

Le balayeur. — Mais absolument! J'étais en
train de balayer cette nuit rue Royale; vous passiez au bras de vot' dame; vous êtes venu
m'embrasser...

Petypon, scandalisé. — Oh!

Le balayeur. — ... et vous m'avez dit : « Ta tête
me plaît! Veux-tu me faire l'honneur de venir
dîner demain chez moi? »

Petypon. — Hein!

*Le balayeur, il tire une carte de sa ceinture, l'essuie
machinalement contre sa poitrine avant de la
tendre, et, la posant sur sa casquette comme sur
un plateau, la présente à Petypon*. — Même que
voilà votre carte que vous m'avez remise!

Petypon, abasourdi, avec honte. — Moi, je...
Oh!... *(A part.)* Ah! ma foi, tant pis! c'est lui qui
me tirera de là! *(Au balayeur.)* C'est bien! tenez,
voilà quarante sous!

Le balayeur. — Quarante sous!

Petypon. — Oui! et je vais dire qu'on vous fasse
dîner à la cuisine!

Le balayeur. — A la cuisine! Ah! chouette! ça!...

Petypon. — Seulement, vous allez me rendre un service.

Le balayeur. — Allez-y, patron!

Petypon, passant 2, pour remonter au-dessus du fauteuil. — Je vais m'en aller!... Aussitôt que je serai parti, vous presserez sur ce bouton, qui est là, sur ce fauteuil! *(Il indique le bouton de droite.)* Et, pour le reste, ne vous occupez pas de ce qui se passera.

Le balayeur. — Bon, bon! compris!

Le Général, à la cantonade. — Eh bien! voyons!

Petypon. — Voilà, mon oncle! voilà! *(Au balayeur.)* C'est entendu!

Le balayeur. — Bon, merci!

   Petypon sort vivement.

Le balayeur, une fois Petypon dehors. — Voyons! Il a dit, le bouton, là!... Allons-y... *(Il est à gauche du fauteuil, et de sa main gauche presse sur le bouton, aussitôt, sous son tapis, madame Petypon a le soubresaut du réveil.)* Qu'est-ce que c'est que ça?

   Intrigué, il regarde de plus près.

Madame Petypon, à ce moment, pousse un cri. — Mon Dieu, je suis aveugle!

   Instinctivement, elle écarte les deux bras pour rejeter le tapis qui la couvre; dans ce geste sa main arrive en gifle sur la joue du balayeur.

Le balayeur. — Oh!

Madame Petypon, poussant un cri, en se trouvant en face de cet inconnu étrange. — Ah!... mon Dieu! Quel est cet homme?

En même temps, elle se précipite à droite pour remonter par la droite de la table vers la porte de sortie.

Le balayeur, voulant s'expliquer, remonte parallèlement à madame Petypon de l'autre côté de la table. — Je suis le balayeur que vous attendez pour dîner.

Madame Petypon, trouvant le balayeur sur sa route, rebrousse chemin, redescend par la droite et par le devant de la scène, se sauve, vers sa chambre. — Au secours! Lucien!... Étienne! Étienne!

Le balayeur, la suivant pour s'expliquer. — Mais, je suis l'balayeur que vous attendez pour dîner!...

Étienne, accourant. — Qu'est-ce qu'il y a? Qu'est-ce qu'il y a?

Madame Petypon. — Au secours! Au secours!

Étienne a fait irruption dans la pièce, s'élance sur le balayeur qu'il enlève à bras le corps.

Le balayeur, emporté par Étienne, tandis que madame Petypon disparaît de gauche en criant toujours à l'aide. — Mais j'suis le balayeur que vous attendez pour dîner! mais j' suis le balayeur...

RIDEAU

ACTE II

LE CHÂTEAU DU GRÊLÉ, EN TOURAINE

Un grand salon au rez-de-chaussée, donnant de plain-pied par trois grandes baies cintrées sur la terrasse dominant le parc. Aux baies, seules les imposes vitrées, les battants de portes ayant été enlevés pour la circonstance. A droite de la scène, premier et deuxième plan, deux grandes portes pleines. Entre les portes, une cheminée assez haute surmontée d'un portrait d'ancêtre enchâssé dans la boiserie. A gauche, une porte entre premier et deuxième plan. En scène, à gauche, un peu au-dessous de la porte, un piano quart de queue placé le clavier tourné à gauche, perpendiculairement au public. Entre le cintre et la queue du piano, trois chaises volantes, deux autres au-dessus du piano. Devant le clavier, une chaise et un tabouret de piano, ce dernier au lointain par rapport à la chaise. A droite de la scène, une bergère, le siège tourne à gauche, face au piano ; lui faisant vis-à-vis, une chaise volante ; au-dessus, une autre chaise, face au public. Ces trois sièges sont groupés ensemble, le tout placé à 1,50 m environ de la porte de droite, premier plan. Au-dessus de la porte, une autre chaise volante. Partant obliquement de la cheminée jusqu'au chambranle gauche de la baie de droite, un buffet servi, avec services d'argenterie. Au fond, consoles dorées de chaque côté de la baie du milieu. Lustre et girandoles actionnés par un bouton placé au-dessus et à gauche de la console de gauche. Tout est allumé dès le début de l'acte. Sur la terrasse, trois ou quatre chaises volantes. Suspendues en l'air, des guirlandes de fleurs avec lampes électriques, Rayon de lune sur l'extérieur pendant tout l'acte. Sur le piano, le képi du général.

SCÈNE PREMIÈRE

*Le Général, la Môme, Petypon, Clémentine,
l'Abbé, Madame Ponant, la Duchesse,
la Baronne, Madame Hautignol, Madame Virette,
Madame Claux, Guérissac, Chamerot, Émile,
officiers, invités, valets de pied, les enfants*

*Au lever du rideau, les personnages sont placés
ainsi qu'il suit : le long du piano, du clavier à la
partie cintrée, mesdames Claux (1), Hautignol (2),
la Baronne (3). Devant la queue du piano, perpendiculairement à la rampe, la Môme (1), le Général
(2), Clémentine (3). Petypon (4). Au-dessus du
piano, Chamerot (1), Guérissac (2). Devant le
général, entre lui et les enfants qui occupent le
centre de la scène, le curé. A droite des enfants,
mesdames Ponant et Virette, puis la Duchesse; au-
dessus, des invités. Au coin du buffet, Émile; derrière le buffet, un valet; au fond, sur la terrasse,
contre la balustrade et face à chaque baie, trois
domestiques en livrée. Les enfants, quand le
rideau se lève, sont en train de chanter la cantate
composée en l'honneur du général et de ses deux
nièces. Ils sont en groupe, se détachant en tête le
petit soliste, tous tournés face au général; le curé
dirige en leur battant la mesure.*

Premier enfant
... Et le pays gardera la mémoire

Le chœur
... *Et le pays gardera la mémoire*

L'enfant
De l'heure de félicité.

Le chœur
... licité

Premier enfant
Qui réuni-it ici, dans l'antique manoi... *re*

Le chœur
Dans l'antique manoi... *re*

L'enfant
Les lauriers de la gloi... re

> *Le curé, sans cesser de battre la mesure,*
> *s'incline légèrement en se tournant à demi vers*
> *le général pour indiquer que c'est à lui que*
> *s'adresse le compliment.*

Le chœur
Les lauriers de la gloi... re

L'enfant
Aux grâces de la beauté!

> *Même jeu du curé à la Môme et à Clémentine.*

Le chœur
Aux grâces de la beauté!

Tout le monde, murmure flatteur. — Ah! ah!

Le chœur
Amis que l'on s'unisse.
Pour boire, boire, boire, à ces époux parfaits,
Oui, buvons à longs traits,
Et que Dieu vous bénisse,
(Parlé en frappant du pied.)
« Une, deux, trois. »
A vos souhaits!

Tout le monde. — Bravo! Bravo! *(Puis c'est un murmure confus, au milieu duquel percent des :)* « C'est délicieux!... Ah! charmant!... N'est-ce pas que c'est exquis?... Quelle délicate surprise! »

Pendant ce temps, on aperçoit la Môme, Clé-
mentine, Petypon, le Général, qui serrent la
main de l'abbé, embrassent les enfants, etc.

Le Général, *qui a soulevé le petit soliste pour*
l'embrasser, après l'avoir déposé à terre, dominant
de la voix le brouhaha général. — Allez, mes
nièces, des sirops et des gâteaux à ces enfants ! et
qu'ils s'en fourrent jusque-là !

Clémentine. — Oui, mon oncle.

La Môme. — Par-ici, les gosses !

La Môme et Clémentine emmènent les enfants
et, pendant ce qui suit, leur distribuent, aidées
des domestiques, des verres de sirop, des sand-
wichs et des gâteaux, cependant que les invités
entourent l'abbé et le félicitent.

La Baronne. — Ah! Monsieur l'abbé, je vous fais
mes compliments.

L'Abbé, *flatté.* — Ah! Madame, vraiment !...

La baronne remonte.

Mademoiselle Virette. — Ah! très bien, monsieur
l'abbé.

L'Abbé. — Vraiment?

Madame Ponant. — Ah! délicieux!

Madame Claux. — Exquis!

Madame Hautignol. — Divin!

La Baronne, *qui est redescendue à droite.* — A
pleurer!

L'Abbé, *modeste et ne sachant à laquelle*
répondre. — Oui? Vous trouvez? oh!

Tout le monde, tandis que la Môme et Clémentine

sortant terrasse fond gauche, emmènent les enfants restaurés. — Ah! oui! Ah! oui!

La Duchesse, passant devant mesdames Ponant et Virette pour aller au curé. — Oui, vraiment, l'abbé, c'est touchant!... et d'une délicatesse!

Tous. — Ah! oui! oui!

L'Abbé. — Ah! Madame la duchesse, vous me comblez!... *(Tandis que la duchesse va rejoindre à l'avant-scène droite mesdames Virette et Ponant et converse avec elles.)* Ah! mesdames, messieurs!...

Le Général, qui était au buffet avec les enfants, redescendant à gauche (1) de l'abbé (2) en perçant le groupe pour aller serrer les mains à son hôte. — Ah! Monsieur l'abbé, merci! je ne saurais vous dire combien j'ai été touché! Vraiment, cette manifestation!... tout cela était si imprévu!... aussi vous me permettrez, à mon tour... *(Appelant.)* Émile!

Émile, qui était au buffet, descendant au milieu de la scène, entre le général et l'abbé. — Mon général?

Le Général. — Descendez la chose, vous savez!

Émile, a un petit hochement de tête malicieux de l'homme qui est dans la confidence, puis. — Bien, mon général!

Le Général. — Allez!

Émile remonte, parle bas à deux domestiques et sort avec eux par le fond gauche.

L'Abbé, au général qui est redescendu près de lui, au même numéro que précédemment. — Ah! général, je suis confus!

Le Général. — Mais voulez-vous bien vous

taire!... c'est moi, au contraire, l'abbé!... Vrai!
ces paroles, bien qu'en musique, m'ont été au
cœur!

L'Abbé. — Ah! général!

Le Général. — Parole! je leur trouve un air de
bonhomie et de sincérité, qui m'a littéralement
ému! Je me suis dit : « Il n'y a que l'abbé pour
avoir écrit ça ! » Quelqu'un me demandait :
« Est-ce que ça n'est pas de Musset?... » Je lui ai
répondu : « Non! C'est de l'abbé ! » Je suis heureux d'être tombé juste!

L'Abbé. — Ah! général, vraiment, je ne mérite
pas!...

Le Général. — Si, si, c'est très bien! C'est comme
cette fin : *Et que Dieu vous bénisse, à vos souhaits!...* Comme pour un rhume de cerveau!

Tous. — Ah! oui! oui!

Le Général. — Et puis... et puis comment donc,
déjà : *Le pays qui gardera la mémoire...*

L'Abbé, chantonnant. — De l'heure de félicité!

Le Général, continuant de mémoire. — ... licité!

L'Abbé. — Qui réunit ici, dans l'antique manoi...
re.

Le Général. — Dans l'antique manoi...

L'Abbé, terminant. — ... re.

Le Général. — Comment, « *manoi*... re » ! Ça
prend donc un *e* manoire? Je l'ai toujours écrit
sans.

L'Abbé, à un geste plein de bonhomie. — C'est
pour la rime; licence poétique!

Le Général. — Ah! voilà! voilà!... C'est que,

j'aime autant vous le dire, je ne suis pas poète!...
ce qui fait que, quand je prends une licence, moi,
elle est prosaïque!

*Tout le monde rit et le général plus fort que les
autres.*

Tous. — Ah! ah! ah! ah! ah!

Guérissac, flagorneur. — Ah! bravo! mon général! bravo! charmant!

Chamerot, même jeu. — Mon général a un
esprit!

*A ce moment, précédés par Émile, paraissent les
deux valets de pied apportant un objet d'assez
grande dimension dissimulé sous une élégante
gaine de taffetas jaune, sur une petite civière,
recouverte de fine lingerie, et dont ils sou-
tiennent les brancards, chacun sur son épaule.
Les domestiques viennent se placer au milieu de
la scène, deuxième plan.*

Le Général. — Ah! voilà l'objet!

Tout le monde se range.

Chamerot. — Messieurs! aux champs!

*Tous les officiers se mettent en ligne, et, le pouce
aux lèvres, imitent le clairon.*

Ta... tatata, tataire,
Tatata, tatata,
Tatata, tatatata, etc.

*Aussitôt la dernière note de la sonnerie, le géné-
ral, qui est à gauche devant les brancardiers,
soulève la gaine qui découvre une admirable
cloche de bronze doré, toute chargée de ciselures
et de hauts reliefs.*

Tout le monde, levant les bras d'étonne-ment. — Une cloche!

Le Général, après avoir donné la gaine à tenir à Émile. — A l'abbé, sur le ton militaire, scandé et vibrant sur lequel il haranguait ses soldats. — Monsieur l'abbé! permettez-moi à mon tour de vous témoigner ma reconnaissance en vous offrant cette cloche dont je fais hommage à l'église de votre village! Elle est peut-être un peu culottée! mais elle a cet avantage d'être un objet historique. *(Un peu sur le ton du camelot.)* Rapportée de Saint-Marc de Venise, par les soldats du général Bonaparte, elle fut offerte à mon grand-père qui devint général de l'Empire!

Tous, approuvant. — Ah!

Le Général, même jeu. — Maintenant, si elle n'est pas plus grande, c'est que les soldats avaient précisément choisi la plus petite, attendu!... qu'une cloche est un objet plutôt encombrant à trimballer en secret et surtout en voyage!... J'ai dit!

Tous. — Bravo! Bravo!

Mesdames Claux et Hautignol remontent en causant pour redescendre par la suite auprès de la duchesse.

L'Abbé, au comble de l'émotion. — Ah! général... mon émotion!... Je ne sais comment vous dire!... Laissez-moi vous embrasser!

Le Général, ouvrant ses bras. — Allez-y l'abbé!... *(Arrêtant l'élan de l'abbé.)* Ah! je ne vous dis pas que ça vaudra une jolie femme! mais pour un ecclésiastique, n'est-ce pas?... Sur mes joues, l'abbé!

Tous les officiers, pendant l'accolade, claironnant

l'air « *Au Drapeau* ». — Tarata ta taire, *etc. (Tout
le monde applaudit des mains :)* « Bravo! bravo! »

*Le Général, la cérémonie terminée, remet la gaine
sur la cloche; puis, aux valets de pied, leur indiquant la console de gauche.* — C'est bien! posez
la cloche sur cette console et rompez!

> *Les valets remontent jusqu'à la console indiquée
> sur laquelle Émile dépose la cloche surmontée
> de sa gaine, puis les deux valets se retirent. Pen-
> dant que le général surveille la manœuvre, Gué-
> rissac et Chamerot sont descendus en causant
> devant le piano. L'abbé va s'asseoir sur la chaise
> face au public, près de la duchesse assise elle-
> même depuis un instant dans la bergère.
> Conversation générale, brouhaha de voix, la
> cloche d'un côté et madame Petypon de l'autre
> font évidemment l'objet des différents bavar-
> dages. A ce moment paraissent, venant de la ter-
> rasse, la Môme et Clémentine suivies de Pety-
> pon.*

Le général, redescendant vers ses officiers. — Ah!
voilà mes nièces!

> *La Môme n'a pas plus tôt paru qu'aussitôt, atti-
> rées comme par un aimant, toutes les dames
> Virette, Ponant, Hautignol, Claux, la baronne
> remontent, empressées, vers elle. On l'entoure,
> on la comble d'adulations, de prévenances. On
> arrive ainsi en groupe devant le buffet. Clémen-
> tine, plus effacée, se tient près de sa pseudo cou-
> sine. Quant à Petypon, il va et vient autour du
> groupe avec des allures de chien de berger ou
> d'« Auguste de cirque », effaré qu'il est à l'appré-
> hension des impairs que la Môme peut
> commettre et voulant être là pour y parer.*

Madame Ponant. — Oh! divine! délicieuse,
exquise!

Madame Hautignol. — Et un chic!

Madame Claux. — Une élégance!

La Baronne, surenchérissant. — La reine de l'élégance!

La Môme. — Oh! vous me charriez, baronne, vous me charriez.

La Baronne. — Ah! charmant!

Madame Virette. — Exquis!

Madame Claux. — « Vous me charriez »! est-ce assez parisien!

La Môme. — Oh! mesdames!

Le Général (3) à Guérissac (2) et Chamerot (1). — Hein! Croyez-vous qu'elle en a un succès, ma nièce, madame Petypon!

Guérissac (2), à gauche devant le piano. — L'attrait de la Parisienne sur toutes ces provinciales.

La Môme, dos au public, avec des tortillements et sautillements de croupe, minaudant au milieu de ces dames qui forment éventail autour d'elle et allant successivement de l'une à l'autre. — Oh! vraiment, madame, me refuser, oh! c'est mal! Et vous, madame? Quoi, pas même une coupe de champagne? On n'a pas idée, vraiment! Vous me contristez! vrai, vous me contristez!... Et vous, chère baronne, serez-vous aussi impitoyable? Une petite coupe de champagne?

La Baronne. — Une larme!

La Môme. — Une larme, à la bonne heure! *(Au maître d'hôtel à la façon des garçons de café.)* Une coupe de champagne! une!

Le Général, qui observe la scène depuis un ins-

tant. — Le fait est qu'elle a un je ne sais quoi, ma nièce! un chien!...

Clémentine, descendant (4) au général (3). — Vous ne désirez pas vous rafraîchir, mon oncle?

Le Général, l'embrassant. — Merci, mon enfant! va! va!

Clémentine. — Oui, mon oncle!

Elle remonte.

Le Général, aux officiers. — Ah! je voudrais bien que celle-ci ressemblât un peu à mon autre nièce!

Chamerot, tandis que mesdames Hautignol et Ponant, qui se sont détachées du groupe, viennent en causant s'asseoir sur les chaises qui sont devant le piano. — Mais, pourquoi? Elle est charmante ainsi.

Guérissac. — Charmante!

Le Général (3). — Ben oui! ben oui! elle est gentille, c't'entendu! mais c't'une oie.

Chamerot. — Oh! mon général!

Il gagne l'extrême gauche suivi dans ce mouvement par Guérissac et le général, de façon à ne pas masquer les deux femmes.

Le Général. — Aussi lui ai-je donné un avis: puisqu'elle a la chance d'avoir sa cousine, qu'elle lui demande donc carrément de la dégourdir un peu. Vous voyez d'ici la satisfaction de Corignon en trouvant sa petite provinciale de fiancée entièrement transformée.

Les officiers. — Ah! quelle heureuse idée!

Madame Hautignol, à madame Ponant. — Enfin,

ma chère amie, regardez plutôt comment est habillée madame Petypon !

Le Général (3), vivement, à mi-voix à ses officiers en leur indiquant de l'œil les deux femmes. — Tenez ! écoutez-les ! écoutez-les !

Madame Ponant (5). — Vous pensez bien que je n'ai regardé qu'elle !

Le Général, à ses officiers tout en passant devant eux pour remonter par la gauche du piano, suivi dans ce mouvement par les deux officiers. — Toujours ma nièce sur le tapis.

Madame Hautignol. — Ça prouve bien ce que je vous disais : qu'on ne portait que des robes princesse cette année.

Madame Ponant, tandis que madame Virette descend jusqu'à elle sans quitter de l'œil la Môme toujours au buffet. — Qu'est-ce que vous voulez que je vous dise : madame Courtois m'a affirmé qu'on faisait la jupe cloche.

Madame Virette, qui a entendu ces derniers propos. — Ah ! madame Courtois ! madame Courtois ! Vous pensez bien que madame Petypon, qui est une Parisienne, doit mieux savoir que madame Courtois !

Le Général s'assied en face de la duchesse, près du curé.

Madame Hautignol (1), se levant ainsi que madame Ponant. — Oh ! nous finirons toutes par la lâcher, madame Courtois ! Elle ne se donne même pas la peine de se tenir au courant des modes.

Madame Ponant. — Et ce n'est vraiment pas la peine d'avoir sa couturière à Tours !... pour être nippée comme si on se faisait habiller... à Douai !

La Môme, toujours suivie de Petypon à ses trousses, surgissant au milieu du groupe entre mesdames Ponant et Virette. — Vous ne désirez pas vous rafraîchir, mesdames?

Cette apostrophe produit un effet magnétique. Le groupe s'élargit comme mécaniquement, laissant la Môme au centre, Petypon un peu au-dessus. Et, tout en répondant machinalement à leur interlocutrice, il est visible que les trois dames n'ont qu'une préoccupation : passer l'inspection de la toilette de la Parisienne, car leurs regards se promènent de la jupe au corsage de la Môme, ainsi qu'on fait devant un mannequin chez la couturière.

Madame Hautignol. — Merci beaucoup, madame!

La Môme. — Et vous?

Madame Ponant. — Oh! moi, rien! Merci, merci mille fois!

La Môme. — Et vous, madame?

Madame Virette. — Vous êtes trop bonne, merci!

La Môme, gaiement. — Oh! mais alors quoi, mesdames, la sobriété du cham...

Petypon, vivement intervenant entre la Môme et madame Ponant. — ... de l'anachorète!... de l'anachorète!

La Môme, vivement. — J'allais le dire, mesdames! j'allais le dire!

Petypon, remontant en s'essuyant le front. — Ouf! Elle me donne chaud!...

La Môme. — Alors, rien?

Madame Hautignol (1). — Eh bien! toute réflexion faite, un peu d'orangeade.

La Môme. — Une orangeade, à la bonne heure!... je vais vous chercher ça, madame, je vais vous chercher ça! *(De loin, en remontant, suivie de Petypon.)* Une orangeade! une!

> A peine la Môme a-t-elle quitté le groupe que, d'un élan simultané, le cercle se resserre comme par un mouvement de contraction et les trois femmes presque ensemble.
> Presque simultanément.

Madame Hautignol, très vite et passant (2). — Eh bien! vous avez vu, ma chère! la jupe est plate par-derrière avec l'ouverture sur le côté!

Madame Ponant, avant que l'autre ait fini sa phrase et aussi vivement. — La manche, ma chère! la manche! avez-vous remarqué comme elle est faite! l'épaulette, le haut est rapporté!

Madame Virette, de même. — J'ai bien regardé la jupe, elle est de biais, ma chère! avec le volant en forme comme je le disais.

Madame Claux, surgissant brusquement (2) au milieu des trois femmes. — Grande nouvelle, mes amies!

Toutes. — Quoi donc?

Madame Claux. — J'ai vu son jupon de dessous.

Les trois femmes. — A qui?

Madame Claux. — Mais à ELLE! A qui voulez-vous? à madame Petypon!

Les trois femmes. — Pas possible!

Madame Claux. — Comme je suis là, mes toutes chères! tout en linon rose, figurez-vous!... et ample! ample!...

Madame Ponant (1). — Non!

Madame Hautignol (2). — C'est bien ça! Notre couturière qui nous fait toujours des jupons très collants!

Madame Ponant (1). — En nous disant que c'est ce qu'on porte à Paris!

Madame Claux (3). — Celui-là on peut en prendre au bout de chaque main et tendre les deux bras, il en flottera encore!... et alors des volants en dessus! des volants en dessous!... un fouillis de dentelles!... c'est d'un chic!

Les trois femmes. — Non?

Madame Hautignol, avec une curiosité gourmande. — Oh! comment avez-vous fait pour savoir?

Madame Claux, sur un ton mystérieux. — Ah! voilà!... J'ai été diplomate!

Madame Ponant. — Oh! je suis sûre que ça doit être d'un ingénieux!

Madame Claux, prenant simultanément madame Hautignol et madame Virette par l'avant-bras et les faisant descendre jusqu'à l'avant-scène. Sur un ton entouré de mystère. — A un moment où il n'y avait personne autour d'elle, je me suis approchée et je lui ai dit : *(Avec lyrisme.)* « Ah! madame!... *(Sur un ton tout à fait opposé.)* je voudrais bien voir votre jupon de dessous! »

Toutes, avec admiration. — Oh!

Madame Virette. — Quoi? Comme ça?

Madame Claux. — Comme ça!... Alors... *(Bien détaillé.)* le plus gracieusement du monde, de sa main droite elle a pris le bas de sa robe par devant... Comme ça : *(Elle fait le geste de pincer le bas de sa jupe au ras du pied droit et, restant dans cette position.)* et avec un geste indéfinissable... où la jambe aussi bien que le bras jouait son rôle, elle a rejeté le tout au-dessus de sa tête : hop-là !... *(Elle simule le geste d'envoyer une robe imaginaire au-dessus de sa tête à la façon des danseuses de cancan.)* Et je n'avais plus devant les yeux qu'une cascade de rose et des froufrous de dentelles, au milieu desquels une jambe, suspendue en l'air, décrivait des arabesques dans l'espace.

Les trois femmes, n'en croyant pas leurs oreilles. — Non, ma chère ?

Madame Claux. — Si, ma chère !...

Les trois femmes, se pâmant. — Oh ! mes chères !

Madame Claux. — Eh ! bien, voilà, mes chères !

Madame Ponant. — Oh ! ces Parisiennes, il n'y a vraiment qu'elles pour savoir s'habiller !

SCÈNE II

Les mêmes, Monsieur et Madame Vidauban, puis le Sous-Préfet en tenue, et Madame Sauvarel

Un valet de pied, annonçant du fond. — Monsieur et madame Vidauban !

Cette annonce est accueillie par une rumeur flatteuse, comme pour quelqu'un dont la venue est de quelque importance. On entend des chuchotements : « Madame Vidauban !... C'est madame Vidauban !... Voilà madame Vidauban !... » *etc.*

Le Général, tout en se levant, cherchant ce que ce nom lui rappelle. — Madame Vidauban?... Attendez donc, madame Vidauban?...

Madame Virette, venant à son secours. — Eh! général, notre Parisienne! la Parisienne du pays!... celle qui donne le ton dans nos salons!

   Madame Vidauban entre en coup de vent, l'air dégagé et souriant, suivie de son mari, l'air modeste du « mari de la jolie femme ».

Le Général, qui est allé au-devant d'elle. — Ah! madame, enchanté de vous recevoir chez moi!... ainsi que monsieur Vidauban!

Madame Vidauban. — Mais c'est nous, général, qui nous faisions une véritable fête!... *(A son mari.)* N'est-ce pas, Roy?

Vidauban. — Oui, ma bonne amie!

   A ce moment, la duchesse se lève et, pendant ce qui suit, sortira sur la terrasse au bras de l'abbé.

Madame Vidauban, descendant vers les quatre femmes rangées en ligne devant le piano, et, leur serrant successivement la main, tout en leur décernant à chacune de mot aimable. — Bonjour, mes chères! *(A madame Hautignol.)* Oh! quelle jolie toilette!... *(Avec la décision de l'expert.)* C'est un modèle de Paris! *(Sans transition, à madame Ponant.)* Eh! bien mignonne! je ne vous ai pas vue ce matin, jour du marché; vous avez donc oublié?

Madame Ponant. — Non, figurez-vous, je n'ai pas pu!

Madame Vidauban (3), tandis que mesdames Hautignol et Virette, une fois madame Vidauban passée, décrivent au-dessus du groupe formé par cette dernière, son mari et le général, et en passant l'inspection de la toilette de leur Parisienne, un mouvement arrondi qui les amène à droite de la scène, près du général. — Oh! toutes ces dames y étaient... *(Au général.)* J'avais pensé y faire la connaissance de cette charmante madame Petypon, dont tout le pays vante le succès!

Le Général, un peu surpris. — Au... au marché?

Madame Vidauban. — Oh! mais ici, c'est le grand chic!... Le marché du vendredi, ce sont nos Acacias, à nous!... On se contente... de ce qu'on a!

Le Général. — J'ignorais!... Il y a si longtemps, n'est-ce pas...? Mais, tenez, si vous me permettez, je vais vous présenter ma nièce.

Madame Vidauban, prenant le bras que lui offre le général. — Mais nous serons ravis!... N'est-ce pas, Roy?

Vidauban. — Oh! oui, ma bonne amie!

> *Le général et madame Vidauban remontent vers le buffet, suivis de Vidauban. Mesdames Virette et Hautignol, par un même mouvement arrondi, mais en sens contraire, et toujours les yeux sur madame Vidauban, reviennent vers mesdames Claux et Ponant.*

Madame Claux, qui regarde madame Vidauban remonter, brusquement, aux trois femmes, en descendant avec elles à l'avant-scène. — Vous savez, la Vidauban! elle meurt d'envie de connaître madame Petypon : mais, au fond, elle doit crever de dépit!...

Les trois femmes, pendant qu'au buffet le général fait les présentations. — Pourquoi?

Madame Claux (3). — Tiens, vous êtes bonne!...

Elle, qui faisait autorité ici pour la mode et le ton, la voilà supplantée par une plus Parisienne qu'elle !

Révérences exagérées avec saut de croupe de la Môme. Salutations immédiatement imitées et rendues par madame Vidauban.

Madame Hautignol (4). — Oh! bien, c'est pain bénit, ma chère! Elle nous la faisait aussi trop à la Parisienne, avec ses « Ah! ma chère, à Paris, nous ne faisons plus que ça... » et « A Paris, ma chère, voici ce que nous portons!... »

Même jeu de la part de la Môme et de madame Vidauban.

Madame Ponant. — Tout ça parce qu'elle est née à Versailles!... et qu'elle va tous les ans passer huit jours dans la capitale!

Les trois femmes. — Ça, c'est vrai!

Madame Hautignol, indiquant de la tête le jeu des deux femmes qui se trémoussent à qui mieux mieux. — Non, mais regardez-la! se tortille-t-elle!

Madame Vidauban, à la Môme, avec des minauderies et des sauts de croupe. — Mais non, du tout! je dis ce que je pense, je dis ce que je pense!

La Môme, même jeu que madame Vidauban. — Oh! madame, vraiment, c'est moi, au contraire!... Euh!... (Non suspensif et bien bête.) croyez que! (Salut.) Croyez que!

Salut.

Petypon, avec les mêmes sauts de croupe que les deux femmes. — C'est vraiment trop d'honneur que vous faites à ma femme!

La Môme. — Oh! *voui!* Oh! *voui!*

Elle descend, accompagnée de madame Vidau-ban, et va s'asseoir fauteuil extrême droite, occupé précédemment par la duchesse.

Madame Vidauban, qui s'assied face à elle, tandis que Petypon s'assied sur la chaise au-dessus d'elle et que Vidauban s'assied sur la chaise qu'il est allé chercher près du buffet pour la placer entre Petypon et la Môme. — Comment, trop d'honneur! Si vous saviez quelle joie c'est pour moi de rencontrer une vraie Parisienne! Nous en sommes tellement sevrées dans notre province!

Petypon. — Ah! Vous êtes sevrée?...

Madame Vidauban. — Quand je pense que je suis seule ici à porter le drapeau du parisianisme!

Madame Virette, à son clan rangé devant la caisse du piano. — Oh! non, mais écoutez-la!

La Môme. — Vous êtes Parisienne, madame?...

Madame Vidauban. — Oh! Parisienne!...

Madame Claux, entre ses dents, dans la direction de madame Vidauban. — Mais dis donc que tu es de Versailles!

Madame Vidauban. — C'est-à-dire que j'ai toujours vécu à Paris.

Madame Claux, à son clan. — Non!... elle ne le dira pas!

Clémentine, qui fait son service de jeune fille de la maison, va avec deux verres pleins à la main au-dessus du piano rejoindre les officiers et leur offre des consommations.

Madame Vidauban. — Il n'y a que depuis mon mariage... Les occupations de mon mari!... *(Elle indique Vidauban qui s'incline.)* Mais si je suis ici, mon âme est restée à Paris!

Madame Claux. — Oh! chérie!

Elle s'assied, ainsi que madame Hautignol, sur les chaises 1 et 2 qui sont devant le piano. Mesdames Ponant et Virette restent un moment debout près d'elles, puis peu après se détachent, contournent le piano par l'extrême gauche, pour remonter en causant jusqu'aux officiers et redescendent ensuite retrouver mesdames Hautignol et Claux à la pointe droite du piano.

Petypon. — J'espère au moins que vous allez la rejoindre quelquefois?

Madame Vidauban. — Oh! une fois par an, pendant huit jours! Mais, je me tiens tellement au courant de la vie parisienne que c'est comme si j'y étais!

Émile descend du buffet et, entre Petypon et Vidauban, présente à la Môme, sur un plateau, une orangeade dans laquelle trempent deux pailles.

La Môme, *prenant le verre.* — Ah! merci! *(A madame Vidauban, tout en se levant, avec un certain maniérisme.)* Je vous demande pardon, chère madame, il faut que j'aille porter ce verre d'orangeade.

Émile remonte au buffet.

Petypon, *vivement, se levant en voyant la Môme se lever, et passant, en l'enjambant presque, devant madame Vidauban, avec de petites courbettes.* — Oui, on l'attend! on l'attend!... Je vous demande pardon!

Madame Vidauban. — Je vous en prie!

*A ce moment, suivie de l'abbé, la duchesse rentre
du fond au bras du général, qui va la conduire
au fauteuil extrême droite. Madame Vidauban et
son mari se lèvent à son approche, puis, les poli-
tesses faites, se rasseyent, Vidauban à la même
place, madame Vidauban sur la chaise précédemment occupée par Petypon.*

*La Môme, qui se dirige vers madame Hautignol, à
Petypon, qui lui emboîte le pas.* — Oh! je t'en
prie, ne sois pas tout le temps sur mes talons!

Petypon (2). — C'est plus prudent! Merci! « La
sobriété du chameau! » Pour peu que tu en
lâches quelques-unes comme ça!

*La Môme (1), qui machinalement suce le chalu-
meau du verre qu'elle porte.* — Oh! ben quoi!
« chameau », « anachorète », c'est un mot pour
un autre! *(Elle tire à nouveau sur le chalumeau.)*
Et au moins le premier, on le comprend!

Petypon. — Oui, eh bien! je préfère celui qui ne
se comprend pas!

*La Môme, a un haussement d'épaules, tire une
dernière gorgée sur la paille, puis, plantant là Petypon, à madame Hautignol, très gracieuse-
ment.* — Voici, chère madame, votre verre
d'orangeade!

*Madame Hautignol, qui s'est levée, prenant le
verre.* — Oh! merci, chère madame.

La Môme. — Oh! mais, de rien, madame! de
rien! *(Apercevant Clémentine qui est descendue
extrême gauche et allant à elle.)* Ah! vous voilà,
mignonne!

*Elle la prend amicalement par la main et la fait
passer devant elle, pour remonter vers le buffet.*

Madame Claux, au moment où la Môme, précédée

de Clémentine, passe devant elle, l'arrêtant au passage. — Vous savez, la Parisienne, là! Eh bien! elle est de Versailles!

La Môme. — Ah?... *(gaiement et très légèrement entre ses dents.)* Je m'en fous!

Elle va rejoindre, avec Clémentine, Petypon toujours à la même place.

Madame Claux, à son clan. — Je ne suis pas fâchée de le lui avoir dit.

Madame Hautignol et madame Claux remontent par la gauche du piano.

Le Général, qui est au milieu de la scène avec Guérissac et Chamerot, aux deux soi-disant cousines en train de remonter. — Eh bien? ça va-t-il comme vous voulez, mes nièces?

La Môme, Clémentine, ensemble. — Oh! oui, mon oncle.

Petypon, se précipitant vers le général et arrivant presque en même temps que la Môme et Clémentine qui, dès lors, s'effacent à droite. — Oh! oui, mon oncle!

Le Général, à Petypon, en le faisant pirouetter à gauche. — Quoi, « oui, mon oncle »! c'est pas à toi que je le demande! Je dis : « Eh bien! mes nièces »; tu n'es pas ma nièce?

Petypon (1). — Ah! non!... Non! Je regrette.

Le Général (2). — Pas moi! Merci, une nièce de ton âge!... Tu es déjà assez vieux comme neveu!... *(Chamerot et Guérissac, un peu au-dessus de lui.)* Je vous demande un peu s'il ne devrait pas être mon cousin? *(On rit. A la Môme et à Clémentine.)* Oh! mais, je vois avec plaisir que vous faites bon ménage, les deux cousines!

Clémentine. — Oh! oui, mon oncle.

Le Général. — Tant mieux, bon sang! Tu sais ce que je t'ai dit, Clémentine! tu as ta cousine, profite-z-en!

Clémentine. — Oh! oui, mon oncle!

L'abbé, qui précédemment était allé s'asseoir en face de la duchesse, se lève et écoute (5) ce qui suit, avec un sourire approbateur.

Le Général. — Mais ne réponds donc pas toujours (l'imitant.) : « Oh! oui, mon oncle », comme une serinette! Tu ne sais donc pas dire autre chose, sacré nom de D...

L'Abbé, sursautant. — Oh!

Clémentine, scandalisée. — Oh! oh! mon oncle!

Le Général, sans se déconcerter, indiquant l'abbé tout contrit. — ... comme dit monsieur l'abbé!

L'Abbé, scandalisé. — Moi!... Oh! oh! général!...

Il remonte en esquissant un imperceptible signe de croix.

Le Général, à la Môme. — Ah! elle a bien besoin que vous la dégourdissiez un peu!

La Môme. — Oh! mais, c'est entendu, mon oncle! Tout à l'heure, nous nous éclipserons un moment et je lui donnerai quelques conseils élémentaires.

Le Général. — Bravo!

Petypon, près du piano. — Eh bien! ce sera du joli!

En voyant la Môme remonter avec Clémentine, il s'élance pour la retrouver, trouve le général sur son chemin, hésite, tantôt à droite, tantôt à

gauche, le général contrariant sans le vouloir
chaque fois son mouvement.

Le Général, l'envoyant à droite. — Allons, prends
ta droite! *(A Chamerot et Guérissac qui, par
l'extrême gauche, sont descendus jusque devant le
piano.)* Est-il jaloux, ce bougre-là, il ne la quitte
pas d'une semelle!

*En se retournant il trouve près de lui le curé
occupé à considérer de loin Petypon et la Môme
en train de se chamailler devant le buffet.*

L'Abbé, au général, indiquant le couple. — C'est
beau, général, de voir un ménage aussi uni!

Le Général. — Ah! oui! ça c'est beau!

*Il remonte. Le curé sans détacher son regard du
couple Petypon-Môme, se rapproche insensiblement des deux officiers.*

*Chamfrot (1), sans faire attention à l'abbé qui,
près d'eux, les écoute, à Guérissac (2), tout en
regardant du côté de la Môme.* — Ce qu'il y a de
drôle, c'est que plus je regarde madame Petypon,
plus il me semble que je l'ai vue quelque part.

Guérissac. — Oh! que c'est curieux! moi aussi!

*L'Abbé (3), jette un coup d'œil du côté de la Môme,
puis.* — Ah?... Pas moi!...

Il remonte au fond.

Guérissac. — Oh! moi si!... Mais où! Voilà ce
que je serais bien en peine de préciser!

*Guérissac et Chamerot remontent par l'extrême
gauche et vont rejoindre le général au-dessus du
piano. La Môme, pendant tout ceci, est près du
buffet, très entourée. On entend tout à coup ce
monde éclater de rire, tandis que Petypon
s'arrache désespérément les cheveux.*

Toutes, riant. — Ah! Ah! Ah! Ah! Ah!

Petypon, s'arrachant les cheveux. — Oh!

Madame Claux. — Ah! qu'elle est drôle!

Madame Hautignol. — Qu'elle est amusante!

Madame Pontant. — Elle a une façon de dire les choses!

Toutes. — Ah! Ah! Ah! Ah! Ah!

La Môme, riant de confiance. — Qu'est-ce qu'il y a? J'ai dit quelque chose?... *(A Petypon, qui lui a saisi la main droite et l'entraîne à l'avant-scène, tandis que le groupe se disperse.)* Quoi? Quoi? Qu'est-ce qui te prend?

Petypon, l'amène à l'avant-scène. — Non! non! tu ne peux donc pas nous priver de tes : « Où c't'y qui? », de tes « Qui c't'y qui? » et de tes « Eh! allez donc, c'est pas mon père!... » ? A l'instant, là : « Où c't'y qu'il est, le valet de pied? », tu as vu l'effet que ça a fait!...

La Môme (2). — Ah! non, c't' averse!...

Petypon. — Quoi!

La Môme. — Zut! tu me cours!

Petypon (1). — En voilà une réponse! C'est comme ce matin, à déjeuner : comme c'est d'une femme du monde de s'écrier : « Ah! ça, monsieur l'abbé, vous me faites du pied! »

La Môme. — Tiens, il me raclait avec ses godillots!

Petypon. — Oui, oh! je t'engage!...

La Môme, mimant ce qu'elle dit avec sa jambe. — Et aïe donc, là! Aïe donc les pieds! Aïe donc!

Petypon. — Le pauvre homme, je t'assure qu'il ne s'apercevait guère!...

La Môme. — C'est possible! mais moi je m'en apercevais!

Petypon. — Je ne savais plus où me fourrer! heureusement qu'avec ton prestige de simili Parisienne, ce qui eût choqué chez une autre a paru du dernier genre; on a ri. Mais il ne faudrait pas recommencer.

La Môme (2). — Oh! non, écoute, ferme ça!

Petypon. — Ferme quoi?

La Môme, avançant une main en bec de canard sous le nez de Petypon. — Ta bouche!... miniature!

Petypon, esquissant une remontée en poussant un soupir de découragement. — Pfffue!

La Môme, sans transition, apostrophant l'abbé qui descend du buffet tout en humant une orangeade avec une paille. — Eh! bien, monsieur l'abbé? nous sirotons? *(Recevant sur les mains, qu'elle a jointes derrière le dos, une tape de Petypon pour l'inciter à la prudence, — se retournant vivement.)* Aïe donc, toi!

L'Abbé (3). — Mon Dieu, je le confesse! Que voulez-vous, madame? la soutane ne nous préserve pas de toutes les faiblesses humaines!

Petypon (2), sur les charbons. — Oui!... oui!

La Môme (2). — Ah! monsieur l'abbé, que je vous félicite — je n'ai pu le faire tout à l'heure — pour votre délicieuse composition!... *(A mi-voix, à Petypon.)* C'est-y ça?

Petypon fait signe que ça peut aller.

L'Abbé, confus. — Oh! madame, vraiment!...

La Môme. — Voyez-vous, j'aimerais que vous me la donnassiez.

Petypon, à part. — Ouïe là!

La Môme. — Je veux l'apprendre et la chanter.

L'Abbé (3). — Oh! madame, c'est trop d'honneur!

Petypon, vivement s'interposant entre la Môme et l'abbé. — Non, non! elle ne chante pas! elle ne chante pas!

La Môme. — Pffo! Comme on dit : entre le zist et le zest.

L'Abbé, malicieux. — Oh! si, si! Je vois ça à votre figure.

La Môme. — Mon Dieu, monsieur l'abbé!... Qui c't'y qui ne chante pas un peu dans notre monde?

Petypon, pivotant sur les talons, manque de s'effondrer. — Boum là! Aïe donc!

   Il remonte pour redescendre aussitôt (2).

L'Abbé. — Ah! charmant! Vous avez une façon si piquante de dire les choses, vous autres Parisiennes!

La Môme, avec des révérences à sauts de croupe. — Ah! vous nous flattez, monsieur l'abbé! Croyez que! Croyez que!

Petypon, la faisant passer au 1 en se substituant à elle et par ses courbettes à reculons, repoussant la Môme vers la gauche de la scène. — Oui! vous nous flattez, monsieur l'abbé, vous nous flattez!

Le valet de pied, annonçant du fond. — Monsieur le sous-préfet! Madame Sauvatel!

Le Général, se détachant du groupe du buffet. — Ah! *(Appelant.)* Ma nièce!

La Môme et Petypon, celui-ci se précipitant. — Mon oncle?

Le Général, à Petypon qui est arrivé premier, en l'envoyant à l'écart, à droite du buffet. — Oh! naturellement, il faut que tu arrives, toi! *(Accueillant le sous-préfet et sa femme qui arrivent du fond droit et entrent par la baie du milieu.)* Chère madame!... Monsieur le sous-préfet!... *(Au sous-préfet.)* Voulez-vous me permettre... euh! *(Présentant la Môme.)* Ma nièce... *(A la Môme.)* Monsieur le sous-préfet et madame Sauvarel.

Le Sous-Préfet. — Mademoiselle, tous mes vœux!

Le Général. — Ah! non! non! vous vous trompez! (Indiquant Clémentine.) La fiancée, la voilà!

Le Sous-Préfet, à Clémentine. — Ah! mademoiselle, derechef!

Le Général, indiquant la Môme. — Celle-ci est la nièce mariée!... au vieux monsieur là!

Petypon. — Charmant!

Le Général. — Mon neveu, le docteur Petypon! *(A la Môme.)* Et maintenant, ma chère enfant, voulez-vous conduire au buffet notre aimable sous-préfète?

La Môme, au général. — Oh! mais, comment donc! *(A Madame Sauvarel.)* Madame, si vous voulez m'accompagner?

Madame Sauvarel. — Avec plaisir. *(A son mari.)* Tu permets, Camille?

Le Sous-Préfet, gentiment. — Va donc! Va donc!

(Il fait mine de descendre, puis se ravisant.) Ah! seulement!...

Madame Sauvarel, qui déjà esquissait le mouvement d'aller au buffet, s'arrête à la voix de son mari.

Madame Sauvarel. — Quoi?

Le Sous-Préfet, à mi-voix. — Tu sais, hein? tu te rappelles ce que je t'ai dit?

Madame Sauvarel (2). — Non, quoi donc?

Le Sous-Préfet. — Mais si, voyons! *(Madame Sauvarel fait un geste d'ignorance.)* Oh! *(A la Môme.)* Vous permettez?

La Môme. — Je vous en prie.

Le Sous-Préfet, entraînant sa femme à part *(milieu scène)* et à mi-voix, très posément. — Je t'ai dit de bien observer comment toutes ces dames parlent... agissent... se tiennent... afin de prendre modèle! Ça peut me servir pour ma carrière!

Madame Sauvarel (2). — Ah! oui! *(Elle va pour remonter, puis, se ravisant.)* Oh!... on sait bien que nous sommes des fonctionnaires de la République.

Le Sous-Préfet. — C'est possible!... Mais ce n'est tout de même pas la peine d'en avoir l'air! *(Haut.)* Va, va! Madame Petypon t'attend.

Le général vient la prendre par la main et la conduit au buffet, où l'attend la Môme, coin droit du buffet.

La Môme, à madame Sauvarel. — Chère madame, que puis-je vous offrir?... de l'orangeade!... une coupe de champagne?... du café glacé?... *Qué c't'y* que vous voulez prendre?

Petypon, qui était près de la Môme, dévalant jusqu'au milieu de la scène. — V'lan! ça y est!

Madame Sauvarel. — Mais, je ne sais vraiment pas!... Qué... qué c't'y que vous avez de bon?

Petypon, n'en croyant pas ses oreilles. — Hein!... Ah?... *(Soulagé.)* Oh! alors!...

> *Il descend à droite; la Môme s'occupe de son invitée, mesdames Claux, Virette et la baronne vont au buffet. Mesdames Ponant et Hautignol sont à gauche du piano.*

Le Général, causant (2) près du piano avec le sous-préfet (1). Tous deux sont dos au public. — Oh! ici, il n'y a rien... Voici pourtant un plafond de Fragonard.

Le Sous-Préfet, la tête en l'air. — Ah! très joli!... De quelle époque?

Le Général. — Eh bien! de l'époque... euh!... de Fragonard!

Le Sous-Préfet. — C'est juste!

Le Général, indiquant avec son index l'étage supérieur. — Ah! par exemple, là-haut, j'ai la salle des Pastels.

Petypon, qui s'est rapproché du général, entendant ces derniers mots. — Oui... au-dessus!

Le Général (2), se retournant. — Non, comment! te voilà toi?... Bartholo a quitté Desdémone?

Petypon. — Comme vous voyez!... *(A part, avec ironie.)* Bartholo avec Desdémone! *(Haut.)* Hein! Si Don Juan savait ça!...

Le Général, gouailleur. — Ah! ah! « Don Juan et Desdémone! » tu es fort en littérature, toi!

Petypon, s'inclinant ironiquement. — Vous me l'apprendrez.

Le Général. — Je pourrais!... En attendant, tiens, puisque tu n'as rien à faire, montre donc la salle des Pastels à notre sous-préfet.

Petypon, bas au général. — Hein!... C'est que ma femme!...

Le Général. — Eh bien! quoi, « ta femme? » on ne la mangera pas, « ta femme!... » Est-il jaloux, ce bougre-là!... *(L'envoyant au 2.)* Allons, va!

Petypon, qui va donner contre la poitrine du sous-préfet. — Oh! *(Au sous-préfet.)* Par ici, monsieur le sous-préfet.

Le Sous-Préfet. — Oh! monsieur, vraiment, j'abuse...

Petypon, la pensée ailleurs. — Certainement, monsieur! Certainement! Si vous voulez me suivre!...

Le Sous-Préfet. — Volontiers!

Petypon. — C'est ça, passez devant!

Le Sous-Préfet, sortant le premier, porte gauche. — Pardon!

Petypon, à part, jetant un dernier regard vers la Môme avant de sortir. — Mon Dieu, faites qu'elle ne quitte pas la sous-préfète!

Ils sortent.

SCÈNE III

Les mêmes, moins le Sous-Préfet et Petypon, puis le Duc

Moment de conversation générale. Les dames qui étaient au buffet redescendent devant le piano pour s'asseoir. Madame Claux va au-dessus du piano causer avec Chamerot, Guérissac a pris une des chaises au-dessus du piano et la descend face à madame Virette, assise près du piano. Il s'assied et bavarde avec les dames. Brusque éclat de rire dans le groupe duchesse, Vidauban, madame Vidauban.

La Duchesse, riant. — Non, vraiment, le percepteur a répondu ça au capitaine de gendarmerie?

Madame Vidauban. — Comme je vous le dis, duchesse.

La Duchesse. — Oh! c'est à envoyer à un journal de Paris.

Madame Vidauban. — Il n'y a vraiment que chez nous qu'on a de l'esprit.

La Duchesse. — C'est positif! *(Appelant.)* Guy!

La Môme, qui était au buffet avec des invités, redescendant vivement et très empressée vers la duchesse. — Vous désirez quelque chose, duchesse?

La Duchesse. — Oh! rien!... Je voudrais que mon fils m'apporte un verre d'eau.

La Môme, au-dessus de la chaise qui fait face à la duchesse. — Hein? Mais, pas du tout!... *(Appelant en voix de tyrolienne, l'« E » dans le grave, « mile » dans l'aigu :)* Émile!... *(A la duchesse.)* Mais, comment donc, duchesse!... *(Même appel.)* Émile! *(S'asseyant en face de la duchesse.)* Nos gens sont là pour ça!... *(Même appel.)* Émile!

Émile, venant du buffet et descendant à gauche de la Môme. — Madame?

La Môme, sur le ton gouape. — Eh! ben, mon vieux! pour quand?... *(Femme du monde.)* Un verre d'eau pour madame la duchesse! *(Émile s'incline et remonte. A la duchesse.)* Ah! duchesse, je suis vraiment confuse!... ces larbins sont d'un lent!

La Duchesse, riant sous cape. — Oh! oh! oh! oh!

La Môme. — Qu'est-ce qui vous fait rire?

La Duchesse. — C'est cette expression de « larbin », dans votre bouche!...

La Môme, le rire à fleur des lèvres. — Quoi? Vous ne connaissez pas ce mot de larbin?

La Duchesse. — Je le connais... sans le connaître!

La Môme, pouffant de rire, avec des rejets du corps en arrière, accompagnés de claques sur la cuisse et de lancement de jambe en l'air à chaque phrase. — Ah! ah! ah! ah! ah! Elle ne connaît pas ce mot de « larbin », la duchesse!... *(A madame Vidauban, qui considère sa tenue avec une attention un peu étonnée.)* Vous entendez, ma chère?... *(Se tapant sur la cuisse.)* La duchesse qui ne connaît pas le mot « larbin »!

Même jeu.

Madame Vidauban, se tapant sur la cuisse, à l'instar de la Môme. — Ah! ah! ah! elle est bien bonne, ma chère!... *(Même jeu.)* Elle est bien bonne!

La Môme, se tapant sur la cuisse. — Mais, « larbin », nous n'employons que ce mot-là!

Madame Vidauban, même jeu. — Mais il n'y en a pas d'autres!... « Larbin », *(Même jeu.)* nous ne disons que ça aujourd'hui! *(Même jeu.)* N'est-ce pas, Roy?

Toutes deux rient en se tapant la cuisse.

Vidauban, se tapant également sur la cuisse. — Oui, ma bonne amie!

La Duchesse, tandis qu'Émile descend du buffet avec un verre d'eau sur son plateau et vient à elle par le milieu de la scène, passant devant la Môme. — Eh bien! oui, qu'est-ce que vous voulez? *(Considérant avec son face-à-main Émile qui lui présente son plateau.)* Alors... c'est un larbin, ça? *(Prenant le verre d'eau.)* C'est drôle!

Émile, vexé, à part, tout en rebroussant chemin avec son plateau. — Eh! bien, elle est polie!

Il remonte au buffet.

La Duchesse. — Voilà ce que c'est de n'être plus Parisienne! Mais, qui sait! je vais peut-être être obligée de le redevenir. Voici mon fils majeur... *(Appelant.)* Guy!

D'un groupe, dans la baie du milieu, se détache un gros et jeune garçon, bien costaud, bien râblé, qui, dos au public, bavardait avec les autres.

Guy (smoking), descendant avec empressement. — Maman?

La Môme, regardant le duc, debout entre elle et madame Vidauban, mais légèrement au-dessus. — Non, c'est vrai? C'est à vous, ce grand fils?

Le Duc. — Oui, madame.

La Duchesse. — Mais, oui!

La Môme. — Oh! le Jésus!

La Duchesse. — Ah! ça grandit!... Et ce qui m'inquiète c'est l'idée de l'envoyer à Paris!

Le duc lance un clin d'œil malicieux au public et

descend à gauche de la Môme, milieu de la scène.

Madame Vidauban. — Mais quel besoin?...

La Duchesse. — Que voulez-vous? Il faut qu'il travaille *(Moue du duc.)* Malheureusement... il ne sait rien!

Nouvelle moue vexée du duc.

La Môme, un œil de côté sur le duc, et entre ses dents. — C't' un crétin!

La Duchesse, comme de la chose la plus simple du monde. — Alors, n'est-ce pas?... il va faire de la littérature.

Madame Vidauban. — Ah! oui.

La Môme, se retournant vers la duchesse. — C'est évident!

La Duchesse, sur un ton détaché. — Tout le monde sait plus ou moins écrire.

La Môme. — Ben, là, voyons, c'te farce!

La Duchesse. — Mais je conviens que, pour cette carrière, il est utile que mon fils vive à Paris!... Et c'est ce qui m'inquiète! Le voici majeur! en possession, par conséquent, de la grosse *(Appuyer sur « grosse ».)* fortune que lui a laissée son père...

La Môme, pivotant immédiatement, face au duc qui, sous le regard de la Môme, baisse les yeux. — Ah?

La Duchesse. — Il est très faible!... Avec ça... *(Rapprochant sa bergère et se penchant pour n'être pas entendue de son fils. — Confidentiellement aux deux femmes qui, curieuses, se sont rapprochées également.)*... on devient un petit homme!...

La Môme, les dents serrées, l'œil en coulisse vers le duc. — C'est que c'est vrai qu'on devient un petit homme!

La Duchesse, à mi-voix. — Nous savons toutes ce que c'est que la chair!...

La Môme, les yeux au ciel. — Oh! voui!

La Duchesse. — S'il lui arrive de tomber sur une de ces femmes... innommables, comme il en est!...

La Môme, repoussant avec une horreur comique l'affreuse vision. — Ah!... dussèche!...

La Duchesse. — Le pauvre enfant sera mangé!

La Môme. — Ne m'en parlez pas! Oh!

La Duchesse. — Ah! quand j'y pense!...

La Môme, se levant. — Oh! mais, que vois-je? Votre verre est vide! Permettez-moi de vous débarrasser.

Le duc s'est rapproché, dans le but de débarrasser sa mère du verre en question. Mais la présence de la Môme, devant lui, l'empêche d'aller jusqu'au bout de son intention et il reste ainsi sur place, tout contre la Môme et la main prête à prendre l'objet qu'on lui tendra.

La Duchesse, gracieusement. — Oh! mais, laissez donc!... (Avec intention, pour montrer qu'elle a profité de la leçon.) Le larbin est là!

La Môme, insistant. — Mais, du tout! du tout!

De la main gauche, elle prend le verre des mains de la duchesse puis, en se retournant, se trouve nez à nez avec le duc qui, intimidé sous son regard, recule instinctivement. Elle s'arrête un quart de seconde tout contre le duc et les yeux

*plongés dans les siens. Celui-ci, très gêné, ne sait
où poser son regard et détourne légèrement la
tête. La Môme lentement le contourne, en passant devant et tout contre lui, retrouvant quand
même ses yeux ; puis une fois arrivée à sa droite
(c'est-à-dire au 1, par rapport à lui, au 2), au
moment de remonter et quand elle est dos au
public, bien près de lui, de sa main droite, elle
saisit la main droite du duc qui pend le long de
son corps, lui imprime une forte pression qui
force le duc, tout décontenancé, à plonger sur
lui-même, et, trébuchant, l'envoie à gauche, tout
près du dossier de la chaise. Pendant ce temps,
avec un air de ne pas y toucher, la Môme
remonte jusqu'au buffet déposer son verre.*

*La Duchesse, qui n'a pas quitté la Môme des yeux
et pourtant n'a vu que du feu à tout ce jeu de
scène, aussitôt celui-ci terminé, à madame Vidauban.* — Quelle charmante petite femme !

Madame Vidauban. — Charmante !

*A ce moment, la Môme redescend du buffet, et,
n'abandonnant pas son idée de derrière la tête,
pique droit sur le duc (1) et arrivée (2) tout
contre lui, avec un geste aussi dissimulé que
possible pour les autres, elle pince de la main
droite la lèvre inférieure du jeune homme et la
lui agitant convulsivement :* « Ouh ! ma
crotte ! »

La Duchesse, à madame Vidauban. — Et distin-
guée !

Madame Vidauban. — Tout à fait !

*La Môme, lâchant le duc (qui, absolument abruti
et l'air vexé, essaie de remettre en place sa bouche
meurtrie par de grandes contorsions des lèvres) et
allant, de l'air le plus innocent du monde, s'asseoir*

en face de la duchesse. — Et voilà, madame la duchesse! Voilà qui est fait!

La Duchesse. — Oh! chère petite madame, je suis confuse!

La Môme. — Mais, comment donc!... *(L'œil en coulisse sur le duc.)* Ah! il est très gentil, votre fils! Il me plaît beaucoup!... *(Avec un coup d'œil plus insistant, au duc.)* Beaucoup!

La Duchesse, ravie. — Oui?

> Le duc, pour qui cette situation devient un supplice, ne sachant que faire, fait un demi-tour plongé sur lui-même et remonte vers la terrasse à grandes enjambées.

La Môme, entre ses dents et en haussant les épaules en voyant filer le duc. — Ballot!

La Duchesse, à la Môme, en réponse à ses compliments. — Ah! que vous me faites plaisir!

SCÈNE IV

Les mêmes, Petypon et le Sous-Préfet

Le Sous-Préfet, arrivant à la suite de Petypon, par la porte de gauche. — Tous mes remerciements, cher monsieur!

Petypon, distrait, tout à la préoccupation de retrouver la Môme. — Certainement, monsieur! certainement. *(Bondissant en apercevant la Môme assise sur sa chaise, le corps en avant, les bras sur les genoux et la croupe saillante, causant avec la duchesse.)* Nom d'un chien! La Môme avec la duchesse!

Il court à elle et du revers de la main lui envoie une claque cinglante sur la croupe.

La Môme, *se redressant sous la douleur.* — Chameau!

La Duchesse, *étonnée.* — Comment?

La Môme, *très femme du monde.* — Non! je cause avec mon mari!... *(Se levant.)* Pardon! Vous permettez?

La Duchesse. — Je vous en prie!

La Môme, *allant retrouver Petypon qui s'est aussitôt écarté milieu de la scène.* — Quoi? qu'est-ce qu'il y a?

Petypon, *à mi-voix à la Môme.* — Tu es folle de te lancer avec la duchesse!

La Môme. — Ah! non! Tu vas pas recommencer, hein?

Petypon, *tenace.* — Qu'est-ce que tu lui as dit?... De quoi lui as-tu parlé?

La Môme. — J'y ai parlé de ce qui m'a plu! Et puis, si tu n'es pas content, zut! *(Enjambant la chaise du milieu qui est entre elle et Petypon.)* Eh! allez donc, c'est pas mon père!

Elle gagne l'extrême droite.

Petypon, *comme s'il avait reçu un coup de pied dans les reins.* — Oh!

Tout le monde, *stupéfait.* — Ah!

Les assis se sont levés. Mesdames Virette, la baronne, Ponant, Hautignol, descendent devant la queue du piano. La duchesse, par la suite, accompagnée de madame Vidauban et de Vidauban, ira rejoindre madame Claux au buffet.

La Môme, ayant subitement conscience de son étourderie et toute confuse. — Oh!

Petypon, désespéré. — V'lan! Ça devait arriver!

Le Général, qui était au-dessus du piano, descendant par l'extrême gauche jusque devant le piano et d'un ton ravi. — Ah! ah! elle est très amusante avec son tic : *(L'imitant.)* « Eh! allez donc, c'est pas mon père! »

En ce disant il remonte par le milieu de la scène et va retrouver la duchesse au buffet.

Petypon, saisissant la balle au bond et tout en passant d'une invitée à l'autre en commençant par la gauche. — Oui!... Oui! C'est le dernier genre à Paris!... Toutes ces dames du faubourg Saint-Germain font ce petit!...

Il simule le geste.

La Môme, de son coin à droite, corroborant. — Oui!... oui!

Tout le monde, étonné. — Ah?... Ah?

Petypon. — C'est une mode qui a été lancée par la princesse de Waterloo et la baronne Sussemann!... Et, comme elles donnent le ton, à Paris, alors!...

La Môme. — Oui! Oui!

Murmures confus : « Ah! que c'est drôle!... Ah! que c'est curieux! Drôle de mode! Où va-t-on chercher ces choses-là! » etc.

Petypon, en appelant, à madame Vidauban qui, du buffet, s'est détachée, suivie de Vidauban, pour se rapprocher du groupe du milieu. — N'est-ce pas, madame Vidauban?

Madame Vidauban, à gauche de Petypon, avec assurance. — Oui! oui!

Petypon, enchanté de cet appui inespéré. — Là !
Vous voyez : madame Vidauban, qui est au courant des choses de Paris, vous dit aussi !...

  *Il redescend extrême droite près de la Môme qui
  est au 2, par rapport à lui, au 1. Étonnement
  général.*

Madame Hautignol, à madame Vidauban. —
Comment, vous le saviez ?

Madame Vidauban, avec un aplomb imperturbable. — Mais, évidemment, je le savais !

Madame Ponant, même jeu. — C'est drôle ! nous
ne vous l'avons jamais vu faire !

Madame Vidauban. — A moi ? Ah ! bien, elle est
bonne ! Mais toujours ! Mais tout le temps !
N'est-ce pas, Roy ?

Vidauban, de confiance. — Oui, ma bonne amie !

Madame Vidauban. — Ça c'est fort !... Vous ne
me l'avez jamais vu faire ? Ah ! ben...! *(Enjambant la chaise du milieu à l'instar de la Môme.)*
Eh ! allez donc ! c'est pas mon père !

Tout le monde, étonné. — Ah !

Petypon. — Ouf !

*La Môme, en délire, traversant la scène en applaudissant des mains et en gambadant comme une
gosse.* — Elle l'a fait !... elle l'a fait !... elle l'a fait !

*Petypon, la rattrapant par la queue de sa robe au
moment où elle passe devant lui et courant à sa
suite.* — Allons, voyons !... Allons, voyons !

  *Arrivée au piano, par un crochet en demi-cercle,
  toujours en gambadant, la Môme remonte au
  buffet, avec Petypon, toujours à ses trousses.*

Le Sous-Préfet, qui est à l'extrême gauche du

piano, à sa femme qui est près de lui. — Eh bien!
tu vois, ma chère amie, ce sont ces petites
choses-là qu'il faut connaître! ce sont des
riens!... mais c'est à ces riens-là qu'on reconnaît
la Parisienne. Étudie, ma chère amie! étudie!

Il remonte par l'extrême gauche.

Madame Sauvarel. — Oui! oui!

*Immédiatement, elle prend la première chaise
qui est devant le piano, l'apporte extrême
gauche, presque contre le mur, puis avec achar-
nement, s'applique maladroitement à l'enjamber
à plusieurs reprises, en répétant chaque fois à
voix basse: « Eh! allez donc, c'est pas mon
père! » Au même moment on entend un son de
fanfare, au loin, qui à mesure se rapproche.*

Tout le monde, *se retournant instinctivement vers
le fond.* — Qu'est-ce que c'est que ça?

Le Général, *dos au public, à ses invités.* — Ah! je
sais!... Ce sont les pompiers de la commune dont
on m'a annoncé la visite. Mesdames et messieurs, si vous voulez que nous allions à leur rencontre? *(Tandis que tout le monde remonte, il va
prendre le bras de Petypon qui est avec la Môme
près du buffet.)* Allons, viens, toi!

Petypon, *résistant.* — Mais, mon oncle, c'est
que...

Le Général. — Oui, oui, c'est entendu, « ta
femme »! Eh ben! tu l'embêtes, ta femme!...
Allez, viens! *(Il l'envoie milieu scène, puis se
dirige vers le piano pour prendre son képi. A ce
moment, son attention est attirée par madame
Sauvarel qui répète consciencieusement dans son
coin. Il la signale de l'œil à Petypon, puis, brusquement, en applaudissant des mains.)* Bravo,
madame Sauvarel!

Madame Sauvarel, sursautant et avec un petit cri aigu. — Ah!

Elle se sauve vers le fond, tout effarée. Le général remonte en riant, entraînant Petypon. Tout le monde à ce moment est à peu près sorti. Le duc est le dernier. Il s'efface pour laisser passer le général et le docteur. La Môme, qui est restée seule près du buffet, voyant que le duc sort le dernier, s'élance vers lui d'un pas rapide et sur la pointe des pieds et le fait descendre à vive allure jusque devant le trou du souffleur. La musique peu à peu s'éloigne, mais on ne cesse de l'entendre pendant toute la scène qui suit.

SCÈNE V

La Môme, le Duc, puis Petypon

La Môme, d'un geste brusque tourne à elle le duc peu rassuré, puis sans ambages. — Embrasse-moi!

Le Duc (1), ahuri. — Hein?

La Môme (2). — Mais embrasse-moi donc, imbécile!

Elle est face au public et tend sa joue droite.

Le Duc, absolument annihilé. — Euh!... Oui, madame!

Il jette un regard d'angoisse vers le public puis, se décidant lentement, il tourne la tête pour embrasser la Môme sur la joue; mais, en même temps que lui, la Môme a fait de la tête le même mouvement en sens contraire, de sorte qu'ils en arrivent à se trouver face à face et, avant que le

duc ait eu le temps de s'y reconnaître, il reçoit
entre les lèvres comme un coup de lancette, aussitôt sortie, aussitôt rentrée. La langue alerte de
la Môme. Le duc a un petit soubresaut de la tête,
puis, face au public, médusé, reste l'œil
angoissé, avec un petit « mniam, mniam »
dégustation de la bouche.*

La Môme, le regardant, et après un temps. — Eh
ben?... C'est donc si désagréable?

Le Duc, timidement, mais sincère. — Oh! non,
madame!

*La Môme, brusquement, le tournant face à
elle.* — J'ai un béguin pour toi, tu sais?

Le Duc (1), bien stupide. — Ah?

*La Môme, pressante, et sans lâcher la main du
duc.* — Tu viendras me voir à Paris?

Le Duc. — Mais... votre mari?

*La Môme, lui prenant les deux mains et gagnant à
reculons jusqu'à la chaise face à la bergère.* — Il
ne sera pas là; ne t'occupe pas de lui! Tu viendras? (Après s'être assise.) C'est très chic chez
moi, tu sais!...*

Le Duc. — Ah?

*La Môme, d'un mouvement sec, attirant brusque-
ment le duc sur ses genoux. Elle, face au public,
lui, dos côté cour.* — Ouh! le petit Ziriguy à sa
Momôme! (Elle lui a passé le bras droit autour
des jambes, le bras gauche autour du corps, la
main tenant le biceps, et le berce comme une nourrice.) On n'est pas bien comme ça?*

*Le Duc, gigotant joyeusement des deux jambes
tendues.* — Oh! si!

La Môme. — Mais, embrasse-moi donc, grand
nigaud!

Le Duc, tout excité, complètement déniaisé. —
Ah!... madame!

   Il l'embrasse goulûment dans le cou.

La Môme. — A la bonne heure!

*Petypon, arrivant du fond gauche et descendant
par la baie du milieu.* — *A la vue du couple enlacé,
poussant une exclamation.* — Oh!

   *Instinctivement il remonte sur la terrasse pour
s'assurer que, ni de droite ni de gauche, personne n'a pu voir.*

*Le Duc, sursautant un cri de Petypon et pivotant
aussitôt sur les genoux et entre les bras de la
Môme qui le tient enlacé.* — Sapristi! Votre
mari!... votre mari! Lâchez-moi!...

La Môme, sans lâcher prise. — C'est rien! fais
pas attention!

Le Duc. — Mais lâchez-moi, voyons!

   *D'une secousse des reins, il se dégage et gagne
l'extrême droite.*

*Petypon, redescendant (1) vers la Môme qui ne
s'est même pas levée, tant cette arrivée intempes-
tive la trouble peu.* — Malheureuse! tu es
folle!... Si un autre vous avait vus!

Le Duc, ahuri, à part. — Hein?

La Môme (2), assise, avec lassitude. — Ah! non!
dis? tu vas pas recommencer?

Petypon. — Enfin, voyons, est-ce que c'est une
tenue, ça?... avec monsieur sur tes genoux!...

La Môme. — Où voulais-tu que je le mette?

Petypon. — Mais, nulle part! Que diable! quand
tu seras à Paris, tu feras ce que tu voudras! Mais,

au moins, pendant que tu es ici, je t'en supplie, au nom du ciel, observe-toi !

La Môme hausse les épaules.

Le Duc, à part, dans son coin. — Oh ben ! il n'est pas méchant !

Petypon, voyant qu'il perd son temps avec la Môme, allant vers le duc dont l'inquiétude transparaît aussitôt sur la physionomie. — Une fois arrivé à lui. — Je vous en prie, mon cher duc, soyez raisonnable pour elle !... Je vois que vous êtes au courant ; je peux vous parler à cœur ouvert !... Eh ! je comprends très bien, parbleu : vous êtes jeune ; elle est jolie... Mais, quoi ? à Paris, vous aurez bien le temps ! Songez donc à l'effet que ça ferait si le général ou quelqu'un d'autre...

Le Duc (3), qui s'est peu à peu rasséréné. — Mais comment, monsieur !... mais je comprends très bien !... (*A la Môme qui, l'air maussade, est redescendue.*) C'est vrai ; il a raison, madame !

La Môme. — Ah ! laissez donc ! Il est d'un collet monté !...

Petypon. — Ah ! par exemple, ça, si je suis collet monté !... J'en appelle au duc.

Le Duc. — Ah ! ben, non ! ça, écoutez, vraiment, on ne peut pas lui reprocher !...

Petypon. — Là ! je ne suis pas fâché que monsieur le duc te dise !...

La Môme. — Laisse-moi donc tranquille ! Monsieur le duc ne sait pas comme moi...

Petypon, tout en remontant. — Mais si, mais si, monsieur le duc se rend très bien compte... (*Arrivé au fond.*) Chut, du monde ! (*Bondissant.*)

Nom d'un chien! Gabrielle! C'est Gabrielle! *(Sautant (1) sur la Môme, toujours assise (2), et l'entraînant par le poignet dans la direction de la porte de gauche.)* Vite, viens! viens!

La Môme. — Oh! mais quoi? quoi? qu'est-ce qu'il y a?

Petypon. — Ça ne te regarde pas! Viens! Viens!

La Môme, entraînée par Petypon, envoyant des baisers au duc. — A tout à l'heure, mon duc!... mon petit duc!

Petypon. — Oui, ça va bien! ça va bien!

Ils sortent de gauche.

Le Duc, qui a suivi le mouvement et, à leur suite, est arrivé jusqu'à la porte de gauche, s'arrêtant sur le seuil. — Eh! bien, qu'est-ce qui lui prend! Ah! ben!... (Changeant de ton, tout en redescendant extrême gauche.) J'ai subjugué une femme du monde!... J' fais des béguins! Ah! si je pouvais raconter ça à maman! Elle qui a toujours peur que je tombe sur une femme innommable.

Il remonte vers la porte de gauche et reste ainsi, rêveur, à fixer l'intérieur de la pièce par laquelle est sortie la Môme.

SCÈNE VI

Le Duc, Gabrielle, Émile

Gabrielle, costume de voyage, cache-poussière. Elle arrive de droite, un petit sac de voyage en cuir à la main. Elle est précédée d'Émile portant sa valise. — *Arrivée à la baie du milieu.* — Tenez, mon ami! portez tout ça dans la chambre qui m'est réservée.

Émile (2). — Dans la chambre?... Mais laquelle? On n'attend personne.

Gabrielle (3). — Comment, laquelle?... Il n'y a pas une chambre pour madame Petypon?

Émile. — Ah! si!

Gabrielle. — Eh! bien, c'est bien! faites-y monter mes colis!

Émile. — Ah?... Bien, madame!

Il passe devant Gabrielle et sort premier plan cour en emportant la valise.

Le Duc (1), redescendant extrême gauche, et sans voir Gabrielle. — J'ai subjugué une femme du monde! *(Apercevant Gabrielle.)* Oh! pardon, madame.

Gabrielle (2), descendant en scène. — Oh! pardon! monsieur! *(Le duc s'incline.)* Excusez-moi d'être en costume de voyage, je descends de chemin de fer et je ne me doutais pas qu'il y eût déjà réception ce soir.

Tout en parlant, elle s'est débarrassée du petit sac de cuir qu'elle a posé sur le piano.

Le Duc, homme du monde. — Mais, madame, vous êtes tout excusée.

Gabrielle. — Le général n'est pas là?

La musique, qui n'a pas cessé, mais lointaine, pendant les scènes précédentes, ici commence à se rapprocher.

Le Duc. — Il est dans le parc avec ses invités, mais il va revenir.

Gabrielle. — Parfait!... je vais en profiter pour aller voir si on monte mes malles!

Le duc s'incline. Gabrielle salue également et sort premier plan droit.

Le Duc, après la sortie de madame Petypon. — Au revoir, belle madame! au revoir! Qu'est-ce que c'est que ce tocasson?... (*Brusquement.*) J'aime mieux madame Petypon!

Il remonte se mêler aux invités qui, arrivant de gauche pendant ces derniers mots, ont envahi la terrasse à mesure que la fanfare s'est rapprochée. Tout le monde est en ligne le long de la balustrade, et dos au public. Le général est au centre, face à la baie du milieu. Madame Claux et la baronne sont visibles par la baie de droite. Mesdames Ponant et Vivette sont à gauche du général. Les autres invités ad libitum.

Le Général, aussitôt la fin de l'exécution du morceau, dos au public, aux pompiers en contrebas et dont on n'aperçoit que le haut de la bannière, — toussant. — Hum! Hum!... Messieurs les pompiers de la Membrole! C'est toujours une profonde émotion pour un vieux militaire, qui, par conséquent, j'ose le dire sans forfanterie, aime les militaires, de voir, réuni devant lui et dans un même élan, tout un groupement, euh... militaire!... Oui!... Euh! qu'est-ce que je voulais donc vous dire? Je ne sais plus! Ah! oui! Je vous salue, messieurs les pompiers! Je salue votre drapeau en la personne si j'ose dire de votre bannière, ornée d'autant de médailles que la poitrine d'un brave. Comme disait Napoléon à Austerlitz... Attendez donc! était-ce bien à Austerlitz? Non, c'était à... D'ailleurs, peu importe! A quoi bon des souvenirs historiques? A quoi bon avoir recours aux paroles des grands quand on peut puiser en soi-même ? J'aime mieux vous dire tout simplement ce que mon cœur me dicte : merci, messieurs ! Vive les pompiers de la Membrole ! Vive la France et... et au revoir !

Tous, chaleureusement. — Bravo ! bravo !

Les pompiers, à la cantonade. — Vive le général ! Vivent les fiancés !

Le Général, aux pompiers. — Il y a du vin et de la bière pour vous là-bas sous la tonnelle ! Allez ! et, comme on dit au régiment, tâchez moyen de ne pas vous pocharder !

Les pompiers. — Vive le général !

Le Général. — A la bonne heure !

La musique reprend et va en s'éloignant pour s'éteindre par la suite tout à fait.

Madame Ponant, descendant en scène. — Ah ! c'était charmant.

Madame Virette, même jeu. — Ah ! exquis.

Madame Claux. — Ah ! délicieux ! *(Enjambant la chaise qui est au milieu.)* Eh ! allez donc ! c'est pas mon père !

Elle descend jusque devant le piano.

Tous. — Ah ! bravo, madame Claux !

Madame Claux. — Tiens ! je ne vois pas pourquoi je ne serais pas Parisienne, moi aussi !

Le Général, au milieu de la scène. — Ah çà ! où sont donc mes nièces ?

Guérissac, au 2 par rapport au général (1). — Mon général, je viens de voir madame Petypon se promenant avec mademoiselle Clémentine dans le parc.

Le Général, gagnant un peu à droite. — Ah! parfait! elle lui donne sa leçon de parisienne.

L'Abbé, descendant entre Guérissac et le général. — Oh! général, je sais bien une chose qui ferait plaisir à tout le monde!

Le Général. — Quoi donc?

Tous, se rapprochant du groupe. — Quoi? quoi?

L'Abbé. — Ne dites pas que c'est moi qui vous l'ai dit : il paraît que madame Petypon est excellente musicienne!...

Le Général. — Ma nièce?

L'Abbé. — Parfaitement! Et qu'elle chante à merveille.

Madame Vidauban. — Ah! il faut lui demander de chanter!...

Madame Ponant. — Oh! ce serait si gentil, si elle voulait bien!...

Madame Hautignol. — La moindre des choses : quelques couplets, une romance!

Le Général, passant devant l'abbé et descendant à gauche, près du piano, suivi de toutes les dames qui l'entourent. — Je vous promets, dès qu'elle sera là, de le lui demander.

Tous. — Ah! Bravo!... bravo!...

Le général est descendu vers le piano (sur lequel il dépose en passant son képi, coiffe et visière en l'air), puis va s'asseoir devant, ainsi que quelques dames; les autres restent debout près du général, qui se trouve ainsi dissimulé par leur présence à tout arrivant de droite. Chamerot et Guérissac sont plus au fond et au milieu de la scène ainsi que l'abbé. Mesdames Ponant et

*Sauvarel vont rejoindre les autres dames près du
général.*

SCÈNE VII

*Les mêmes, Gabrielle, puis Monsieur
et Madame Tournoy*

*Gabrielle, arrivant de droite, premier plan. Elle a
retiré son chapeau et son cache-poussière.* — Là,
mes malles sont montées !... Où est donc le général ?

Elle remonte en cherchant des yeux le général.

*Madame Ponant, qui est debout devant le géné-
ral.* — Général ! Quelle est donc cette dame ?

*Le Général, se levant, ainsi que les dames déjà
assises.* — Quelle dame ?

*Madame Ponant, indiquant Gabrielle, qui erre au
fond.* — Là !

*Le Général, regardant dans la direction indi-
quée.* — Hein ! Mais c'est la dame que j'ai vue
hier chez mon neveu !

Gabrielle, aux officiers. — Pardon, messieurs !
vous n'auriez pas vu le général ?

Chamerot. — Le général ?

Le Général. — Ah çà ! qu'est-ce qu'elle vient
faire ?

Guérissac. — Mais, le voilà !

Gabrielle. — Oh ! c'est juste !

Le Général. — Je ne l'ai pas invitée, moi !

Gabrielle, radieuse, courant au général. — Ah!
général!

*Le Général, qui s'est avancé de deux pas et se
trouve à un mètre environ du groupe des dames, et
séparé de Gabrielle seulement par la chaise du
milieu qui est entre eux deux — A
Gabrielle.* — Chère madame... que c'est aimable
à vous!

Gabrielle (2) par rapport au général (1). —
Excusez-moi, général, de me présenter ainsi. Je
descends du train, et j'ignorais qu'il y eût ce soir
réception!

Le Général, ne sachant trop que dire. — Mais,
madame... comment donc!... certainement!...
je... je vous en prie!...

Gabrielle. — Oh! mais, je vais aller m'habiller!...
J'ai déjà fait monter mes malles!...

Le Général. — Hein!... *(A mi-voix, de façon à
n'être entendu que par le groupe des dames.)* Eh
bien! elle est sans façon!

   *Les dames rient discrètement. Quelques-unes
   s'asseyent.*

Gabrielle. — J'aurais bien voulu vous amener
mon mari! Malheureusement, il n'a pu
m'accompagner! Il vous prie de l'excuser.

*Le Général, moqueur, et moitié pour la galerie,
moitié pour Gabrielle.* — Ah! il vous prie de?...
Comment donc! Comment donc!... Mon Dieu,
vous auriez peut-être pu trouver une autre personne de votre famille.

   Il rit; les dames font chorus.

Gabrielle, bien ingénument. — Je n'avais personne.

Le Général, à Gabrielle. — Ah! c'est regrettable!... *(Se retournant, l'air narquois, vers les dames.)* C'est regrettable! Vraiment!

    La duchesse rentre du dehors au bras du sous-préfet et s'arrête à causer avec lui au fond, près du buffet.

Gabrielle. — Mais moi, vous pensez bien que je me suis fait un devoir!... Aussi, malgré ce que vous m'avez raconté des revenants qui hantent ce château...

Le Général. — Ah! ah! oui, c'est vrai! vous croyez à ces choses-là! Mais ça n'existe pas, les revenants!

Gabrielle, ne voulant pas discuter. — Oui, enfin!... je suis venue; c'est le principal! *(S'écartant à droite, puis de là faisant signe au général et à mi-voix.)* Général!

Le Général, s'avançant jusqu'à elle, après avoir jeté un regard d'étonnement aux dames. — Madame?

Gabrielle, bas. — Voulez-vous me présenter à ces dames?

Le Général. — A ces...? Mais, comment donc! avec plaisir!... *(Au moment d'aller vers les dames, s'arrêtant et à part.)* Saperlipopette, c'est que je ne me rappelle pas du tout le nom qu'on m'a dit en me la présentant!... Ah! ma foi, tant pis! *(A mi-voix, aux dames, tandis que Gabrielle se tapote coquettement les cheveux, la cravate, se préparant à la présentation.)* Mesdames, je vous demanderai la permission de vous présenter cette dame! Seulement, ne me demandez pas son nom, je ne me le rappelle pas! Je n'ose pas le lui demander, parce qu'il y a des gens que ça vexe! Tout ce que je sais, c'est que c'est une excellente amie de ma nièce, madame Petypon!

Madame Vidauban. — Une Parisienne?

Le Général. — Oui, une Parisienne!

Les Dames, se levant. — Ah! mais, nous serons enchantées!

Madame Vidauban. — Mais comment donc!

> *Remue-ménage parmi ces dames. Elles sont placées ainsi qu'il suit, obliquement le long de la queue du piano : mesdames Virette (1), Claux (2), Hautignol (3), Sauvarel (4), Vidauban (5). Au-dessus du piano, madame Ponant cause avec les officiers, la baronne et l'abbé.*

Le Général, debout derrière la chaise du milieu, dont il tient le dossier entre les mains. — *haut, au groupe des dames.* — Mesdames! voulez-vous me permettre de vous présenter madame euh... *(Se penchant vers les dames, le dos de la main droite en écran contre le coin gauche de la bouche, et très glissé, à mi-voix, comme s'il prononçait le nom de la personne qu'il présente.)* Taratara n'importe quoi-c' que vous voudrez!

Madame Vidauban. — Comment?

Le Général, vivement et bas. — Rien, chut! *(Haut, présentant.)* Madame Vidauban!

Madame Vidauban, s'avançant d'un pas et avec une révérence. — Ah! madame, enchantée!...

Gabrielle. — Mais c'est moi, madame, qui...

Madame Vidauban, enjambant la chaise près de laquelle est le général. — Eh! allez donc, c'est pas mon père!

> *Elle descend se ranger (1) à côté de madame Virette.*

Gabrielle, sursautant de stupéfaction. — Ah!

Le Général, présentant. — Madame Sauvarel!

Madame Sauvarel, même jeu, mais timidement, maladroitement. — Madame, enchantée!...

Gabrielle. — Oh! madame, vraiment!...

Madame Sauvarel, enjambant la chaise. — Eh! allez donc! c'est pas mon père!

> *Nouveau sursaut de Gabrielle, tandis que madame Sauvarel descend (1) près de madame Vidauban. Chaque fois, tout le rang remonte d'un numéro.*

Gabrielle, à part. — Hein! elle aussi?

Le Général, présentant. — Madame Hautignol!

Gabrielle, s'inclinant. — Madame!...

Madame Hautignol. — Madame, enchantée!

Gabrielle, à part. — Nous allons un peu voir si celle-là aussi?...

Madame Hautignol, enjambant la chaise. — Eh! allez donc! c'est pas mon père!

Gabrielle, à part. — Ça y est! Ça doit être un usage de la Touraine. *(Haut.)* Madame, enchantée!...

> *Madame Hautignol descend (1) à côté de madame Sauvarel.*

Le Général, voyant les deux dames qui s'avancent couplées. — Mesdames Claux et Virette!

Gabrielle, saluant. — Mesdames!

Mesdames Claux et Virette, ensemble, s'inclinant. — Madame! (Enjambant la chaise en même temps, madame Virette de la jambe droite, madame Claux de la jambe gauche, ce qui fait

*qu'elles s'envoient mutuellement un coup de pied
dans le jarret.)* Eh! allez donc! c'est... Oh!

Madame Virette. — Oh! pardon.

Madame Claux. — Je vous ai fait mal!

Madame Virette. — Du tout! et moi?

Madame Claux. — C'est rien! c'est rien!

Elles prennent le 1 et le 2.

Gabrielle, à part. — Eh ben!... il faut venir en
province pour voir ça!

*Le Général, avisant l'abbé au-dessus du
piano.* — Et, enfin, notre excellent ami, l'abbé
Chantreau!

L'Abbé, descendant. — Ah! madame, très
honoré!

Gabrielle, s'inclinant. — C'est moi, monsieur
l'abbé!...

L'Abbé, enjambant la chaise. — Eh! allez donc!
c'est pas mon père!

*Il remonte, tandis que son entourage lui fait un
succès.*

Gabrielle, à part. — Le clergé aussi! Oh ça! c'est
tout à fait curieux! *(Traversant pour aller aux
dames qui sont devant le piano.)* Vous m'excuserez, mesdames, de me présenter dans cette
tenue; mais je descends de chemin de fer!

*Le Général, toujours derrière le dossier de sa
chaise.* — Mais oui, mais oui!... *(Voyant la
duchesse qui descend en causant avec le sous-
préfet. A part.)* Ah! et puis à la duchesse! *(Haut à
la duchesse.)* Ma chère duchesse! Voulez-vous
me permettre de vous présenter madame... euh...

(Comme précédemment.) « Taratata n'importe-quoi-c' que vous voudrez !... »

La Duchesse, à droite de la chaise. — Madame quoi ?

Le Général, vivement et entre les dents. — Chut ! oui ! n'insistez pas ! *(Présentant, à Gabrielle.)* La duchesse douairière de Valmonté !

> *Il descend à droite (3) par rapport à la duchesse (2) et Gabrielle (1). La duchesse salue.*

Gabrielle, à gauche de la chaise et face à la duchesse. — Madame, enchantée !... *(Enjambant la chaise comme elle l'a vu faire aux autres.)* Eh ! allez donc ! C'est pas mon père ! *(A part.)* Puisque c'est l'usage !

> *Chuchotements parmi les hommes :* « Hein ! vous voyez ?... Vous avez vu ?... Hein ?... la Parisienne !... » *etc.*

Madame Hautignol. — En tout cas nous lui avons montré que nous étions à la hauteur !...

La Duchesse, de l'autre côté de la chaise, à Gabrielle avec un joli sourire. — Excusez-moi, madame ! mais mon vieil âge ne me permet pas d'être dans le mouvement.

Gabrielle. — Mais comment donc !

La Duchesse, pinçant du bout des doigts un pli de sa robe à hauteur du genou de façon à découvrir juste le haut du pied, esquisse, en la soulevant à peine de terre, un discret rond de jambe. — Eh ! allez donc ! *(Avec une révérence de menuet.)* C'est pas mon père !

Gabrielle, maintenant. — C'est ça, madame, c'est ça ! *(Au général qui s'est effacé pour livrer passage à la duchesse, laquelle va s'asseoir sur la bergère de droite.)* Et maintenant ne vous occupez plus de rien! je me charge de tout!

Le Général, étonné. — Ah?

Gabrielle, passant successivement — et en commençant par la gauche — d'une dame à l'autre, et chaque fois avec des petits trémoussements de la croupe. — Asseyez-vous, je vous en prie, mesdames!... Madame asseyez-vous, je vous en prie!... Si vous voulez vous asseoir, madame!... Asseyez-vous, je vous en prie, madame!... *(Arrivée au bout de la rangée, brusquement au général.)* Mais quoi? Est-ce qu'on ne fait pas un peu de musique? Quelque chose pour distraire cette aimable société?...

Le Général, tandis que les femmes sur l'invitation de Gabrielle se sont assises sur les chaises longeant le piano, madame Sauvarel sur la chaise du milieu qu'elle a rapprochée du groupe. — Si! Si! on attend ma nièce, pour la prier de chanter.

Gabrielle. — Ah! parfait! parfait!... Cette chère mignonne, je serai enchantée de l'embrasser.

Le Général, avec une politesse narquoise. — Elle aussi, croyez-le bien!

Gabrielle, aux invités. — Mesdames et messieurs, vous êtes priés de patienter un peu; nous attendons la nièce du général pour qu'elle nous chante quelque chose!

Les invités. — Oh! mais nous savons! nous savons!...

Gabrielle, un peu dépitée. — Ah? Ah?... vous savez?...

Le Général. — Mais oui! Mais oui!

Gabrielle, de même. — Ah? ah?... Très bien! très bien!

Le Général, à part. — Non! mais elle est éton-
nante!... De quoi se mêle-t-elle?

*Gabrielle, repassant successivement d'une dame à
l'autre comme elle l'a fait précédemment pour les
faire asseoir.* — Vous ne désirez pas vous rafraîchir, chère madame?... Et vous, chère madame?... Vous ne désirez pas vous rafraîchir? Et
vous?

*Le Général, à l'avant-scène, dos au public, la
regardant circuler et gagnant ainsi jusqu'aux
dames de gauche.* — Non! mais regardez-la : elle
va! elle va!

*Gabrielle, qui, arrivée au bout de la rangée, a tra-
versé la scène pour aller à madame Vidauban.* — Et vous, chère madame, vous ne désirez
pas vous rafraîchir? *(Voyant qu'elle hésite.)* Si!
Si! *(En se retournant, elle se trouve face à face
avec Émile qui descend du buffet avec un plateau
chargé de rafraîchissements.)* Valet de pied,
voyons! passez donc des rafraîchissements!...
Qu'est-ce que vous attendez?

   *Émile, interloqué, roule des yeux écarquillés sur
   Gabrielle, puis regarde le général, comme pour
   lui demander avis.*

Le Général, jovialement. — Eh bien! qu'est-ce
que vous voulez, mon garçon... passez des rafraîchissements, puisque madame vous le demande.
*(Émile s'incline puis passe les rafraîchissements
aux dames de gauche en commençant par en haut.
Le général à part, gagnant la droite.)* Ma parole,
elle m'amuse!

   *Émile, après avoir fait la rangée des dames,
   remontera par la gauche du piano et regagnera
   par la suite le buffet par le fond.*

Un valet de pied, contre le chambranle droit de la

baie du milieu, annonçant au fond, presque en même temps que paraissent les deux arrivants. — Monsieur et madame Tournoy!

Le Général, aussitôt l'annonce, remontant dans un mouvement arrondi. — Ah!

Gabrielle, qui s'est élancée également à l'annonce, arrivant à la rencontre des arrivants avant le général, et quand celui-ci arrive, l'écartant de la main gauche et se mettant devant lui. — *Très verbeuse, passant sans transition d'une idée à l'autre.* — Ah! monsieur et madame Tournoy! que c'est aimable à vous!... *(Avec un rond de jambe dans le vide.)* Eh! allez donc, c'est pas mon père!... *(Ahurissement du couple.)* Comme vous arrivez tard!... Excusez-moi de vous recevoir dans cette tenue, je descends de chemin de fer!

Monsieur et Madame Tournoy. — Mais, madame, je vous en prie!...

Le Général, à Gabrielle. — Pardon! je vous serais obligé...

Gabrielle, sans le laisser achever. — Oh! c'est juste! *(Au couple.)* Vous ne connaissez pas le général, peut-être?... *(Au général.)* Général! monsieur et madame Tournoy!

Le Général, redescendant légèrement. — Ah! bien, elle est forte!

Gabrielle. — Tenez, madame, si vous voulez vous rafraîchir au buffet... ainsi que monsieur Tournoy!

   Elle les fait passer devant elle dans la direction du buffet.

Le Général (1), par rapport à Gabrielle (2). — Ah! non, mais permettez!...

Gabrielle, le repoussant doucement. — Laissez! laissez! ne vous occupez de rien!

Le Général, redescendant milieu gauche de la scène. — Oh! mais elle commence à m'embêter!

Gabrielle, redescendant, sautillante, vers le général. — Là! voilà qui est fait!

Le Général (1). — Oui! Eh bien! c'est très bien! mais je vous prierai dorénavant, madame!...

Gabrielle (2), chatte. — Oh! non!... Pas madame! Ne m'appelez pas madame, voulez-vous?

Le Général. — Eh ben! comment voulez-vous que je vous appelle?

Gabrielle, minaudière. — Mais je ne sais pas?... *(Prenant de chaque main une main du général qui se demande où elle veut en venir, et l'amenant doucement à l'avant-scène, puis :)* Comment appelez-vous votre nièce?

Le Général. — Ma nièce?... eh! bien, je l'appelle : ma nièce!

Gabrielle. — Eh! bien, voilà! Appelez-moi : « ma nièce »!... ça me fera plaisir! et moi, je vous appellerai mon oncle.

Le Général. — Hein?

Gabrielle, d'une secousse des mains sur les mains du général, l'amenant chaque fois à elle. — Ah! mon oncle. *(Elle l'embrasse sur la joue droite.)* Mon cher oncle!

   Elle l'embrasse sur la joue gauche tandis que tous les assistants rient sous cape.

Le Général, à part, en remontant vers la droite, tandis que Gabrielle va vers le groupe de droite expliquer à madame Vidauban et à la duchesse que le général est son oncle. — Ah! non! elle est à enfermer! *(Apercevant Clémentine et la Môme qui bras dessus bras dessous reviennent par la terrasse.)* Ah! vous voilà les cousines!... Eh! bien vous en avez mis un temps!

Clémentine (2). — Je prenais ma leçon, mon oncle.

La Môme (1). — Elle prenait sa leçon, notre oncle!

Le Général (3). — Je sais! Au moins, ça t'a-t-il profité?

Clémentine. — Oh! oui, mon oncle!

Le Général. — Bravo! *(A la Môme, avec un geste de la tête dans la direction de Gabrielle qui tourne le dos.)* Et vous, ma chère enfant, préparez-vous à une surprise!

La Môme, descendant. — Une surprise!... Laquelle! *(Reconnaissant Gabrielle et, à part, bondissant vers la gauche.)* La mère Petypon!... Ah! bien! je comprends pourquoi le docteur filait comme un lapin!

　Elle revient près du général.

Le Général, à Gabrielle (4), lui présentant Clémentine qu'il fait passer (3). — Chère madame!... D'abord, ma nièce, Clémentine, la fiancée!

Gabrielle, qui s'est retournée à l'apostrophe. — Oh! qu'elle est mignonne! Tous mes vœux, ma chère enfant!

　Elle l'embrasse sur le front.

Le Général (2), tout en prenant la main de Clé-

mentine *pour la ramener à lui.* — Chère
madame, je n'ai pas besoin de vous présenter
mon autre nièce... (*Un petit temps grâce auquel
l'énoncé du nom qui suit peut s'appliquer aussi
bien à la Môme qu'à Gabrielle.*) madame Petypon?...

*Il remonte au buffet avec Clémentine qui se mêle
au groupe des invités.*

*La Môme, coupant la parole à Gabrielle, qui
ouvrait déjà la bouche pour répondre, se précipite
vers elle, lui saisit les deux mains, et, avec aplomb,
l'abrutissant de son caquetage et chaque fois lui
imprimant dans les avant-bras des secousses qui
se répercutent dans la tête de madame Petypon.* — Nous présenter! Ah! bien! en voilà une
question! le général qui demande s'il faut nous
présenter; elle est bien bonne, ma chère! Elle est
bien bonne! Non! c'est pas croyable! Comment,
c'est toi?

Gabrielle (2), ahurie. — Hein?

La Môme. — Ah! bien! c'est ça qui est gentil!...
Et tu vas bien? Oui? Tu vas bien?

Gabrielle (2), complètement ahurie. — Mais...
pas mal! et... toi?

La Môme. — Ah! que je suis contente de te voir!
Mais regarde-moi donc!... mais tu as bonne
mine, tu sais! tu as bonne mine! (*En appelant à
l'assistance.*) N'est-ce pas qu'elle a bonne mine!...

*Le Général, qui est descendu près des dames de
gauche et se trouve par conséquent (1) par rapport
à la Môme (2) — d'une voix tonitruante.* — Elle a
bonne mine!

Il remonte en riant.

La Môme, toujours même jeu, à Gabrielle qui

écoute tout ça bouche bée, l'air abruti, le regard dans celui de la Môme. — Figure-toi, depuis que je ne t'ai vue, j'ai eu un tas d'embêtements! Émile a été très malade!

Gabrielle. — Ah?

La Môme. — Heureusement, il a été remis pour le mariage de sa sœur!

Gabrielle. — Ah?

La Môme. — Tu sais, Jeanne!

Gabrielle. — Jeanne?

La Môme. — Oui! Elle a épousé Gustave!

Gabrielle. — Gustave?

La Môme. — Tu sais bien, Gustave!

Gabrielle, n'osant se prononcer. — Euh...

La Môme. — Mais si... le bouffi!

Gabrielle. — Ah!

La Môme. — Oui! Eh! bien, elle l'a épousé, ma chère! Hein? qui aurait cru? « Gustave »! tu te rappelles ce qu'elle en disait?... Enfin, c'est comme ça : c'est comme ça! tout va bien... on dit noir un jour, on dit blanc le lendemain! c'est la vie! on est girouette ou on ne l'est pas. Tel qui rit... Mais, qu'est-ce que tu as? Tu as l'air tout drôle?... Je t'en prie, mets-toi à ton aise. As-tu soif? veux-tu boire? orangeade? café glacé?... orgeat? limonade?

Gabrielle, abrutie. — Bière!

La Môme. — Oui! parle! dis ce que tu veux! tu sais, tu es ici chez toi!

Le Général, sur le ton blagueur. — Oh! elle y est!

Gabrielle, de plus en plus démontée. — J'te... t'te remercie bien!

La Môme. — Oh! mais je te demande pardon!... Tu permets? hein! tu permets!

Gabrielle. — Mais va donc, j't'en prie, va donc! va d... *(Sans transition, pendant que la Môme la laisse en plan pour aller rire avec les dames de gauche puis un instant après remonter au buffet.)* Qu'est-ce que c'est que cette dame-là? *(Un temps.)* Elle doit me connaître, puisqu'elle me tutoie! Il n'y a pas, j'ai beau chercher?... je ne la connais pas! Si encore le général m'avait dit son nom, mais il n'a dit que le mien en présentant *(Voyant le général qui cause avec le groupe des dames de gauche et prenant un parti.)* Ah! ma foi, tant pis! *(Allant au général et confidentiellement.)* Dites-moi donc, général!

Le Général. — Madame?

Gabrielle. — Quel est donc le nom de cette dame?

Le Général. — Quelle dame?

Gabrielle, indiquant du coin de l'œil la Môme qui est au buffet où Clémentine est allée la rejoindre. — Celle-là!... que vous venez de me présenter.

Le Général, croyant à une plaisanterie. — Hein, la da... Ah! ah! très bien!... *(Avec un sourire et un hochement de tête approbatif.)* Elle est bonne!

Gabrielle. — Comment?

Le Général, avec un crescendo à chaque fois dans la voix. — Elle est bonne! Elle est bonne! Elle est bonne!

Tous les voisins rient et le général, pivotant sur

*les talons remonte en riant pour rejoindre la
Môme au buffet.*

*Gabrielle, reste un instant comme abru-
tie.* — Qu'est-ce qu'il a ? *(Elle hésite une seconde,
puis, à part.)* Oh ! Il n'y a pas !... *(Avisant madame
Vidauban.)* Dites-moi donc, chère madame ?

Madame Vidauban, se levant. — Madame ?

Gabrielle. — Pouvez-vous me dire quelle est
cette dame ? *(Elle indique la Môme de l'œil.)* à qui
le général vient de me présenter ?

Madame Vidauban. — Quelle est cette dame à
qui ?... Ah ! ah ! Vous voulez rire !... Très drôle !
C'est très drôle !...

Tout le groupe rit.

*Gabrielle, décontenancée, s'éloignant un peu pen-
dant que madame Vidauban se rassied.* — Ah ?...
Ah ? *(A part.)* Ah ça ! elle aussi ! Je ne vois pas ce
qu'il y a de drôle dans ma question ! *(Tandis
qu'Émile présente son plateau pour reprendre les
verres vides, au groupe de droite, remontant vers
l'abbé qui cause avec le sous-préfet au-dessus du
piano.)* Dites-moi, monsieur l'abbé, ne pourriez-
vous me dire... ?

L'Abbé. — Oui !... oui ! J'ai entendu la question...
*(Riant et comme le général, mais avec une certaine
onction.)* Ah ! Ah ! elle est bonne ! elle est
bonne !... Ah ! ah ! ah !

*Il remonte un peu, laissant Gabrielle bouche
bée.*

*Tous les invités du voisinage, faisant cho-
rus.* — Ah ! ah ! elle est bien bonne !

Gabrielle. — Oui !... *(Un temps, puis à part.)*
C'est curieux comme on est rieur ici ! *(S'adres-*

sant à Émile qui est en train de remonter avec son plateau.) Dites-moi donc, mon ami! quelle est donc cette dame qui cause avec le général?

Émile, par rapport à Gabrielle. — Là?... Mais c'est madame Petypon!

Aussitôt Gabrielle descendue, il va au-dessus du piano ramasser les verres vides qui traînent.

Gabrielle, descendant d'un pas. — Hein?... madame Petypon!... *(Descendant d'une envolée jusqu'à l'avant-scène légèrement à droite, — et bien large.)* Le général est remarié!... Lucien ne m'avait pas dit ça!... *(Voyant la Môme qui, venant du buffet, se dirige rapidement du côté des dames de gauche, s'élançant vers elle et la happant au passage, de façon à la faire virevolter pour l'entraîner par les deux mains jusqu'à droite du souffleur.)* Oh! venez ici! que je vous voie! que je vous regarde!

La Môme, ahurie. — Qu'est-ce qu'il y a?

Gabrielle. — Figurez-vous que je ne me doutais de rien! C'est le valet de pied qui m'a dit que vous étiez madame Petypon!

La Môme, inquiète. — Ah?

Gabrielle (2). — Je ne savais pas que vous étiez la femme du général!

La Môme (1), immense. — Hein!

Gabrielle, sans transition l'attirant contre elle par une traction des mains. — Ah! ma tante!

Elle l'embrasse sur la joue droite.

La Môme. — Quoi?

Gabrielle, même jeu. — Ma chère tante!

Nouveau baiser sur la joue gauche.

La Môme, pendant que Gabrielle l'embrasse. — Moi? Ah! zut!

Tous, étonnés. — Ah!

Gabrielle, s'épanchant. — Ah! que je suis contente! que je suis ravie! *(L'embrassant à gauche.)* Ma tante! *(L'embrassant à droite.)* Ma chère tante! *(Lâchant la Môme et allant à madame Vidauban.)* C'est ma tante, figurez-vous, madame!

Le Général, descendant (1), par rapport à la Môme (2). — Comment est-ce qu'elle vous appelle? Ma tante?...

La Môme, ne sachant plus où elle en est. — Oui!... oui!

Le Général. — Ah! elle est bien bonne! Moi, elle m'a demandé à m'appeler mon oncle!

Les dames. — Non, vraiment?

La Môme, vivement, passant entre les dames et le général. — Oui! oui! c'est une manie chez elle! elle est tellement expansive qu'elle éprouve le besoin de vous donner comme ça des petits noms de famille!

Le Général, (2) par rapport à la Môme (1). — Oui, enfin, elle est braque!

L'Abbé, qui est descendu (3), à Gabrielle (4). — Eh bien! madame! vous êtes tout de même arrivée à être renseignée?...

Gabrielle. — Mais oui, *(Avec une petite révérence.)* mon père!

Le Général, à la Môme, en pouffant de rire. — Ah! ah!... C'est à se tordre!... Moi, je suis son oncle! Vous êtes sa tante! Et l'abbé est son père! *(Avisant de sa place Guérissac qui est à l'avant-scène gauche et le désignant à Gabrielle.)* Dites donc, madame!

Gabrielle. — Général?

Le Général. — Est-ce que monsieur n'est pas votre neveu?

Gabrielle, qui ne saisit pas la moquerie. — Monsieur?... Non!... non!

Le Général, à Guérissac. — Ah! mon ami! Vous n'êtes pas son neveu!... C'est regrettable! Ce sera pour une autre fois!

Gabrielle, petite folle. — Oh! mais je cause! je cause! et, pendant ce temps-là, je ne m'habille pas!... *(Aux dames de gauche.)* A tout à l'heure, mesdames, je ne serai pas longue... *(Traversant la scène, et, au groupe de droite.)* Je ne serai pas longue, mesdames, à tout à l'heure!

La Môme, remontant légèrement et de loin à Gabrielle sur un ton gavroche. — C'est ça, va! va!

Gabrielle, passant entre madame Vidauban et Vidauban, dérangeant chacun. — Pardon! Pardon, monsieur! pardon!

Elle sort premier plan droit.

Le Général, sur un ton péremptoire à la Môme qui est redescendue (2) par rapport à lui. — Ma nièce! elle est complètement folle, votre amie.

Tout le monde, approuvant. — Ah! oui! Ah! oui!

L'Abbé, qui causait près du buffet avec le duc, descendant (3) et faisant des signes d'intelligence au général dont il est séparé de la Môme. — Hum! hum! Général.

Le Général (1). — Qu'est-ce qu'il veut, l'abbé! *(Même jeu de l'abbé qui indique la Môme de l'œil au général.)* Ah! oui! *(A la Môme.)* Ah! ma nièce! je vous avertis qu'un complot a été tramé contre vous!

La Môme (2). — Contre moi?

Le Général (1). — Ma nièce, vous allez nous chanter quelque chose!

Tous, se levant. — Oh! oui! oui!

La Môme. — Qui, moi?... mais vous n'y pensez pas!... mais je ne chante pas!...

L'Abbé, finaud. — Oh! que si!

Tout le monde. — Oh! si! oh! si!

La Môme. — Mais je vous assure!...

Le Général. — Allons, voyons, vous n'allez pas vous faire prier!

La Môme. — Puis enfin, je n'ai pas de musique!

Tous, désappointés. — Oh!

Clémentine, qui est descendue entre le général et la Môme. — Oh! ma cousine, j'en ai vu un rouleau dans votre chambre!

La Môme. — Ah! c'est traître ce que vous faites là!

Le Duc, descendant (4). — Oh! si, madame! chantez-nous quelque chose!

La Môme (3), les yeux dans les yeux du duc, côte contre côte, de sa main gauche lui serrant la main qui pend le long de son corps et sur un ton pâmé. — Ça vous ferait plaisir... duc?

Le Duc. — Oh! oui!

La Môme, même jeu, lui broyant la main dans la sienne. — Ah! duc!... Je ne peux rien vous refuser!

Le Duc, radieux. — Ah! madame!

Il remonte jusqu'au-dessus du piano.

La Môme, à pleine voix. — Allons, soit!... Mais il me faudrait ma musique!

Clémentine, esquissant un mouvement de retraite. — Je vais vous la chercher!... *(S'arrêtant.)* Dans votre chambre, n'est-ce pas?...

La Môme, indiquant la porte de gauche. — Non, je l'ai descendue ce matin dans la bibliothèque!...

Clémentine. — Ah! bon!

Elle sort de gauche. Le monde remonte; les domestiques ont pris les chaises et les rangent en ligne oblique, et ce, à partir de la bergère de la duchesse.

Le Général, à ses officiers. — Tenez, jeunes gens, aidez donc à ranger les chaises! ça gagnera du temps!

Les officiers prennent également des chaises et achèvent de les ranger pendant ce qui suit.

SCÈNE VIII

Les mêmes, Petypon, puis Clémentine

Petypon (2), débouchant tout essoufflé de la porte de droite premier plan. — Ouf! ça y est!

La Môme (1), se précipitant vers Petypon, l'amène

à l'avant-scène, puis vivement. — Ah! te voilà, toi! Qu'est-ce que ça veut dire? Ta femme est ici!

Petypon. — Je le sais bien!

La Môme. — Qu'est-ce que tu en as fait?

Petypon. — Je l'ai enfermée!

La Môme, avec un sursaut de surprise. — Hein!

Petypon. — Je l'ai aperçue qui entrait dans une chambre; la clé était à l'extérieur; alors, viling! vlan! deux tours!

La Môme. — Mais c'est fou! qu'est-ce que tu y gagnes?

Petypon. — J'y gagne du temps! Gagner du temps, tout est là, dans la vie!

Clémentine, revenant de gauche avec un rouleau de musique et descendant (1), à la Môme. — Voici votre musique, ma cousine!...

Tout le monde. — Ah! bravo! bravo!

Clémentine remonte.

Petypon, flairant quelque nouveau danger. — Hein! pourquoi? Qu'est-ce que tu vas faire?

La Môme, tout en dénouant son rouleau de musique. — On me demande de chanter quelque chose.

Petypon, bondissant. — En voilà une idée! mais, c'est insensé!... pas du tout!

La Môme, d'une voix pâmée. — Ça fait plaisir au duc!

Elle gagne vers la caisse du piano.

Petypon, emboîtant le pas derrière elle. — Mais,

je m'en moque, que ça fasse plaisir au duc!...
Mais malheureuse, qu'est-ce que tu vas leur
chanter?

*La Môme, qui a développé son rouleau cherchant
dans sa musique.* — Je ne sais pas!... J'ai bien
là : « La langouste et le vieux marcheur »...

Petypon, bondissant à cette idée. — Mais tu
divagues!... La langouste et le vieux marcheur,
ici!

La Môme. — Oui, tu as raison! J'ai peur que ce
soit un peu!... Ah! bien! attends!... j'ai là une
complainte sentimentale...

Petypon. — C'est ça; voilà! une complainte sentimentale, ça fera l'affaire.

*La Môme, en gambadant et en brandissant son
morceau de musique, gagnant le milieu de la
scène.* — Allez! Qui c't'y qui va m'accompagner?

Le Général, qui cause au fond avec l'abbé. — Eh!
bien... l'abbé!

L'Abbé. — Moi! Mais, général, je ne joue que de
l'orgue!

Le Général. — Eh! ben? C'est la même chose!...
*(Non restrictif, par conséquent dans la même
modulation.)* sans les pieds!

L'Abbé. — Ah! mais non, général! permettez!

Le Général. — Non?... Bon! adjugé! *(A l'assem-
blée tout entière.)* Qui est-ce qui joue du piano?

Le Duc, de sa place, indiquant sa mère. —
Maman!

Tout le monde, se tournant vers la duchesse. —
Ah! duchesse!...

Le Général, descendant vers la duchesse. — Ah!

duchesse! puisque l'abbé ne peut pas accompagner, vous ne pouvez pas nous refuser!

La Duchesse. — Je veux bien essayer!

Tous, murmure de satisfaction. — Ah!

Le Général, à la duchesse. — Duchesse! mon bras est à vos pieds.

La Duchesse, prenant le bras. — Oh! général, vraiment!...

Ils traversent obliquement la scène pour descendre au piano par le fond gauche.

Tout le monde, tandis qu'ils remontent. — Bravo! Bravo!

Le Général, après avoir accompagné la duchesse, voyant le sac laissé par Gabrielle sur le piano. — Ah ça! qui est-ce qui a fourré ce sac là? (*Appelant.*) Émile!

Émile, de la baie du milieu. — Mon général?

Le Général. — Tenez! enlevez donc ça?

Il lui jette le sac qu'Émile rattrape au vol.

La Môme (2), se rapprochant du duc qui, s'étant effacé pour laisser passer le général et la duchesse, est descendu milieu de la scène, et à mi-voix. — Vous voyez, duc! vos désirs sont des ordres!

Petypon (1), vivement saisissant la Môme par le poignet et la faisant passer au 1. — Oui, oui! ça va bien.

Le Duc, au public avec extase. — Elle est exquise! (*Croyant la Môme toujours à côté de lui, dans un élan irréfléchi, il se retourne pour lui donner un baiser rapide. Avec passion.*) Ah!

Baiser que reçoit Petypon qui s'est substitué à la Môme.

Petypon, s'essuyant la joue. — Allons, voyons!

Le Duc. — Ah! pouah!

Petypon, tandis que la Môme va au piano. — Je vous en prie, duc, on vous regarde!

Le Duc. — Oui, monsieur! oui! *(A part, tandis que Petypon va rejoindre la Môme qui cause avec la duchesse au piano.)* Il n'y a pas à dire : elle est délicieuse!... Au fait, elle ne m'a pas donné son adresse! *(Il se dirige carrément vers le piano pour aller parler à la Môme, mais en route rencontre Petypon qui se dirige vers le cintre du piano pour y prendre une chaise. — Mouvement de droite et de gauche des deux personnages pour se livrer passage.)* Pardon!

Petypon. — Qu'est-ce que vous cherchez?

Le Duc. — Non, c'était pour... Au fait, vous pouvez aussi bien!... Dites-moi donc, docteur, où demeurez-vous, à Paris?

Petypon, tout en prenant sa chaise par le coin gauche du dossier. — Moi, 66 bis, boulevard Malesherbes; pourquoi?

Le Duc, avec malice. — Mais pour... *(Avec un clin d'œil dans la direction de la Môme.)* pour y aller!

Petypon, qui n'y entend pas malice et lui tendant instinctivement sa main gauche comme pour la lui offrir, sans réfléchir qu'il tient sa chaise. — Ah?... Très heureux de vous recevoir?

Le Duc, prenant machinalement le côté droit du dossier. — Trop aimable! *(Ils secouent tous les deux la chaise comme s'ils échangeaient un shake-*

hand puis, tandis que Petypon lui laisse étourdi-
ment sa chaise dans la main, à part.) Je suis
l'amant... d'une femme du monde!

Petypon, qui déjà retournait au piano, reve-
nant. — Eh ben! mais... j'avais une chaise!

Le Duc. — Oh! pardon! distraction!

Il lui remet sa chaise.

Petypon. — Il n'y a pas de mal!

Il va porter la chaise à l'avant-scène droite,
cependant que le duc remonte, radieux, vers le
fond, au-dessus du piano. Pendant ce qui pré-
cède, les dames ont pris place sur les chaises ali-
gnées et sont assises dans l'ordre suivant :
madame Vidauban sur la bergère, puis, en sui-
vant, mesdames Sauvarel, Hautignol, Ponant,
Virette, la baronne, Claux, puis l'abbé, le général
et le duc. Sont restés debout derrière les dames :
Guérissac derrière madame Vidauban, puis à la
suite, Chamerot, sous-préfet, Vidauban, un offi-
cier, madame Tournoy, Tournoy, un officier,
invités. Domestiques dans le fond. Petypon sur
une chaise à gauche dans le cintre du piano.

La Môme, qui a fini de donner ses instructions à
la duchesse, descendant avec sa musique à la
main, pour aller se placer devant la caisse du
piano et, après avoir fait une révérence, annon-
çant. — « La Marmite à Saint-Lazare!... »

Tout le monde. — Ah!... Chut!... Chut! Ah!

Petypon, à part, sur les charbons. — Mon Dieu!
Qu'est-ce que c'est que cette romance-là?

La duchesse prélude.
La Môme, chantant.
Calme, ordonné, fait pour l' ménage,
Dans mon p'tit taudis.

'Vec ma marmit' pour tout potage
J'avais l' paradis.
Hélas! pourquoi, sur cette terre,
Le bonheur du *(respirer.)* re-t-il si peu?
Le mien devait être éphémère;
Voyez! il n'a pas fait long feu :
Ma pauv' marmit', la chèr' petite!
Faut-il que le mond' soy méchant!
Pour Saint-Lazar', v'là qu'on m' la prend,
Ma pauv' marmite!

Tout le monde, applaudissant. — Bravo! charmant! délicieux!

Petypon, à part. — Ah! ça va bien... ah! ça promet!

La Môme, annonçant. — Deuxième strophe! *(Chantant.)*
On s'inquièt' peu d' mon existence,
Comment j' m'en tir'rai?
A Saint-Lazare faut sa pitance,
Moi je turbin'rai!
Et, sans cœur, ils *(respirer.)* me l'ont bouclée!
Ell' qui f'sait l'orgueil des fortifs!
Ell' n'était pas matriculée
V'là c' qu'ils ont do *(respirer.)* nné comm' motif!
A Saint-Lazar', v'là qu'on l'abrite!
T'en as donc pas assez comm'ça,
Grand Saint, qu'i't faut aussi cell'-là,
Ma pauv' marmite?

Tous, applaudissant. — Bravo! bravo!

Guérissac, à mi-voix, à Chamerot, aussitôt la fin de l'accompagnement. — Dis donc! Ça me paraît plutôt poivré ce qu'elle chante là!

Chamerot. — Plutôt!

Madame Hautignol, à mi-voix à madame

Ponant. — Est-ce que vous comprenez quelque chose, vous?

Madame Ponant. — Moi? pas un mot!

Madame Hautignol. — Ah! bien, je ne suis pas fâchée de n'être pas la seule!

La Môme, qui est allée pendant ce qui précède jusqu'à la duchesse lui faire quelques petites recommandations, revenant à sa place et annonçant. — Troisième strophe! *(Troisiè... meus-trophe!)*

Tous, avec satisfaction. — Ah!

La Môme. — Couplet sentimental! *(Chantant.)*
Eh! bien, soit, je t'en fais l'offrande.
— Puisqu'y faut, y faut!
En priant que Dieu me la rende
Quelque jour là-haut!
Et j' f'rai trois crans, à ma ceinture
En attendant que j' trouv' un' peau
Pour m'assurer ma nourriture
Puisqu'hélas! on n' vit pas que d'eau.
Sois heureux a *(respirer.)* vec la petite!
Je m' sacrifi' le cœur bien gros!
Pour le bonheur et le repos
D' ma pauv' marmite!

Tout le monde, très ému, se lève et vient féliciter la Môme : on entend des. — « Ah! bravo! bravo! ah! quelle délicieuse diseuse!... Ah! comme c'est chanté!... »

Le Général, descendant. — Bravo, ma nièce!

Petypon, se levant. — Mon Dieu! heureusement qu'ils n'y ont rien compris!

Le Duc, qui est descendu entre les dames et la Môme. — Ah! merci, madame! Vous m'avez fait un plaisir...

La Môme, se rapprochant de lui et pâmée, à mi-voix. — C'est vrai... duc?

Le Duc. — Oh! oui, madame!

La Môme, même jeu. — Ah! tant mieux, duc! tant mieux!

Petypon, vivement, la rappelant à l'ordre en la tirant par sa robe. — Allons, voyons! allons, voyons!

La Môme, sur le même ton pâmé à Petypon, tandis que le duc, en arrondissant devant les invités, remonte fond droit. — La ferme, toi!

La Duchesse, qui s'est levée, descendant (1) devant le coin gauche du piano, à la Môme (3) par-dessus Petypon (2) affalé sur une chaise dans le cintre du piano. — Ah! madame, je ne saurais vous dire l'émotion délicate que vous m'avez fait éprouver!... Ce cantique... est vraiment touchant!... C'est vrai : cet homme qui n'a qu'une marmite pour toute batterie de cuisine!... et qui l'offre en *ex-voto* sur l'autel de Saint-Lazare!

La Môme, (3), sur un ton de moquerie contenue. — N'est-ce pas, madame la duchesse?

La Duchesse. — C'est émouvant dans sa simplicité!... Seulement, il y a une chose qui me chiffonne dans la chanson!

La Môme (3). — Ah?... Quoi donc?

Les invités curieusement se rapprochent un peu.

La Duchesse. — C'est ceci : voilà un homme qui fait l'offrande de sa marmite; et il dit que pour la remplacer il va chercher... une peau!

La Môme qui ne voit pas où la duchesse veut en venir. — Eh ben?

La Duchesse. — Eh bien! c'est un pot qu'il devrait dire!

La Môme, n'en croyant pas ses oreilles. — Hein!...

Approbation des invités : « Mais oui, c'est juste!... c'est que c'est vrai!... Elle a raison!... » *Les officiers, qui eux sont à la « coule »,* remontent en riant.

La Duchesse, achevant d'exposer son idée. — Une marmite; c'est un pot!... Ce n'est pas... une peau!

La Môme. — Hein? Quoi?... *(Prise d'un rire convulsif.)* Ah! ah! ah! Elle est bien bonne!... Un pot pour remplacer la marmite! Ah! ah! ah! La duchesse qui s'imagine!... Ah! ah! ah! c'est à mourir!

Tout le monde, gagné par le rire. — Qu'est-ce qu'elle a? Mais qu'est-ce qu'elle a?

Petypon, à part, dans les transes. — Mon Dieu!...

La Môme, de même. — Ah! ah! ah! ah!... Ah! non c'est trop drôle! Ah! Ah! ah!... Ah! ah! ah! ah! *(Dans l'épuisement du rire.)* Ah!... meeerde!

Sursaut général.

Petypon, qui s'est dressé d'un bond et reste cloué sur place. — Oh!

Parmi les invités, le rire s'est figé sur toutes les lèvres! un silence glacial règne! l'on se regarde et, peu à peu, l'on entend des chuchotements. « Qu'est-ce qu'elle a dit?... Qu'est-ce qu'elle a dit?... »

Petypon, passant vivement devant la Môme et s'élançant face aux invités. — C'est la grrrande mode à Paris! Ç'a été lancé chez la baronne Bayard!...

Les invités, peu édifiés par ces arguments, tout en remontant. — Oui... Oh! ben!...

Petypon, s'apercevant de l'échec de son intervention, pour faire diversion, à pleine voix. — Là! eh bien! si on faisait quelque chose, à présent! On a fini de chanter, qu'est-ce qu'on pourrait faire?

Le Général, qui est derrière le piano. — Eh! ben, dansez, maintenant!

La Môme, bondissant à cette idée jusqu'au milieu de la scène. — Oh! c'est ça! C'est ça! dansons!... *(Pirouettant pour courir au piano.)* Un quadrille!

Tous, comme un écho. — Un quadrille!

Petypon, rattrapant la Môme. — Hein! Ah! non! non!

La Môme, se retournant. — Quoi? Je vais accompagner!

Petypon. — Ah! au piano? bon! bon! ça je veux bien!

La Duchesse, assise au piano, à la Môme qui est venue la rejoindre. — Tenez, madame, voilà justement un recueil de musique de danse!

La Môme, s'asseyant à sa droite. — Parfait!... Madame la duchesse, nous allons jouer à quatre mains!

Petypon, qui est venu jusqu'au piano également. — C'est ça, à quatre mains!

Il s'assied sur la chaise, avant-scène gauche.

Quelques personnes. — Un quadrille! un quadrille!

Chamerot, qui est au buffet avec un groupe d'invités, parmi lesquels Guérissac et le duc, se frappant

brusquement le front et descendant perpendiculai-
rement au buffet. — Ah! mon Dieu! Ce mot de
« quadrille »! quel éclair! *(Appelant.)* Guérissac!

Guérissac, descendant (1) à l'appel de Chame-
rot. — Chamerot?

Chamerot (2). — La ressemblance, j'ai trouvé!
La Môme Crevette!

Guérissac, regardant vivement dans la direction de
la Môme. — Ah!... c't épatant.

Chamerot, dévisageant également la Môme de
loin. — Hein? Crois-tu?

Guérissac, saisi d'un scrupule. — Mais non, c'est
pas possible! le docteur n'aurait pas épousé la
Môme Crevette!

Chamerot. — Il ne s'en doute peut-être pas!
Enfin, regarde : les façons; le mauvais genre!

Guérissac (1). — En tout cas. Môme ou non, elle
a une de ces tenues!

Le Duc, descendant du buffet et arrivant entre eux
pour entendre ces derniers mots. — Qui ça?

Chamerot (3), au duc (2). — Madame Petypon!
c'est une fille!

Le Duc, les toisant et sur un ton pincé. — Je ne
trouve pas, moi!

   Il leur tourne les talons et remonte derrière le
   piano. A ce moment, la duchesse et la Môme
   attaquent la ritournelle en quadrille.

Chamerot, riant. — Mazette! qu'est-ce qu'il lui
faut!

La Môme, aussitôt la fin de la ritournelle. — Eh
bien! c'est comme ça que vous dansez?

Chamerot et Guérissac. — Voilà! Voilà!

Ils courent rejoindre les danseurs déjà placés. La Môme et la duchesse recommencent les neuf premières mesures du quadrille qui forment ritournelle et pendant lesquelles danseurs et danseuses échangent des révérences.

La Môme, aussitôt l'accord final. — Vous y êtes?

Tous. — On y est!

La Môme et la duchesse attaquent la première figure qui commence en fait à la dixième mesure. Le quadrille principal, qui occupe le milieu de la scène, est composé comme suit : à gauche, de profil, Clémentine, avec à sa gauche le sous-préfet; en vis-à-vis, Guérissac et madame Ponant. A l'avant-scène milieu, dos au public, Chamerot et madame Vidauban, en vis-à-vis madame Claux et un officier. Sur la terrasse, s'il y a la place, autre quadrille d'invités. Au commencement de la figure, les messieurs, au milieu, se tenant par la main gauche, font un tour de promenade complet avec les dames dans le bras droit; puis, « en avant-deux » de madame Claux avec l'officier, puis de Chamerot et de madame Ponant. A ce moment, arrive de la terrasse Émile, qui semble chercher quelqu'un du regard. Apercevant Clémentine, et au moment où celle-ci commence son « en avant-deux », il en profite pour passer derrière elle et descendre à l'avant-scène gauche.

Émile, tout en exécutant le même pas à la suite de Clémentine toutefois à distance respectueuse, et parlant à très haute voix. — La couturière vient d'apporter la robe de mariée de mademoiselle. Mademoiselle n'a rien à lui faire dire?

Clémentine, tout en revenant à sa place à reculons

avec son cavalier et accompagnée dans ce mouvement par Émile. — Non, rien! C'est bien.

Madame Ponant, exécutant à son tour son « en avant-deux ». — Votre robe de mariée? Oh! est-ce qu'on pourrait la voir?

Les dames du quadrille. — Oh! oui! Oh! oui!

Clémentine, « en avant-deux ». — C'est facile! *(A Émile.)* Après la danse, vous irez chercher ma robe de mariée et vous la descendrez dans cette pièce!

Elle indique, par-dessus son épaule et tout en dansant, la porte gauche au-dessus du piano.

Émile. — Bien, mademoiselle!

Reprise de la promenade du commencement de la figure; Émile suit le mouvement et sort par la porte de droite.

La Môme, aussitôt la fin de la figure. — Deuxième figure!

Tous, en écho. — Deuxième figure!

Les danseurs se placent perpendiculairement à la scène, et vis-à-vis quatre par quatre : à gauche, Clémentine, le sous-préfet, madame Claux, l'officier : à droite, Guérissac, madame Vidauban, Chamerot, madame Ponant. Aussitôt que la Môme et la duchesse attaquent la deuxième figure, ils font un « en avant-quatre », mais très raides, très guindés.

La Môme, chantant, tout en jouant. — Tralala lalala lalala, lalaire...

Petypon, la rappelant à l'ordre. — Allons, voyons!

La Môme, à mi-voix, à Petypon. — Ta gueule!

Petypon. — Oh!

La Môme. — Tralala... oh! ce que je l'ai dansé, celui-là!... tralala lalala... (*Considérant tout en jouant la façon dont dansent les invités.*) Mais, allez donc! Chaud, chaud-là!...

Petypon, même jeu. — Je t'en prie!...

La Môme, à Petypon. — Zut! (*Aux danseurs.*) Vous avez l'air d'être en visite... Vous n'avez pas avalé votre parapluie?

Petypon, sur les charbons, à la Môme. — Je t'en prie! pas de commentaires!

La Môme. — Quoi? on ne peut plus parler! Oh! ce qu'ils sont mous! Aïe donc, là!... Oh! non, ce tas de ballots! (*N'y tenant plus, à la duchesse.*) Tenez, continuez toute seule! Voir des choses pareilles!...

> *Elle s'élance vers le quadrille.*

Petypon, la rattrapant par sa jupe. — J' t'en prie! je t'en prie!

La Môme, lui faisant lâcher prise d'un coup sec sur sa jupe. — Fiche-moi la paix!

> *Elle a bondi au milieu du quadrille, en séparant brusquement le sous-préfet de Clémentine, et exécute, jusqu'à la fin de la figure, un cavalier seul échevelé à la manière des bals publics.*

Tous, cloués sur place. — Oh!

Petypon, s'élevant (1) instinctivement vers la Môme (2) et, de ses deux mains écartant les basques de son habit pour se faire plus large, essayant de lui faire un paravent de son dos, tout en suivant malgré lui les pas de la Môme. — Assez! chose! euh! ma femme!... Je t'en prie! assez! assez!

A ce moment, sur la dernière note de la figure, la Môme a pivoté dos au public et, d'une envolée, rejetant ses jupes par-dessus sa tête, remonte ainsi vers le fond, au grand scandale de toute l'assistance.

Tous. — Oh!

Les dames surtout se choquent. Plusieurs messieurs ont l'air de trouver cela très piquant.

Petypon, s'affalant sur la chaise près du piano. — C'est la fin de tout! C'est la catastrophe! *(Grande agitation générale. On entend des :* « Ah! non, tout de même, elle va un peu loin!... Jamais on n'a vu danser comme ça... On ne nous fera pas croire que dans les salons!... », *etc. Petypon, s'élançant vers les dames, et avec l'énergie du désespoir.)* C'est la grrrande mode à Paris! Ç'a été lancé chez la princesse de...

Les dames, remontant. — Ah! non! non! A d'autres!

Petypon, interloqué. — Non? Non? Bon! bien! alors *(Comme diversion.)* la farandole! la farandole!

Il gagne l'avant-scène droite.

La Môme, qui est redescendue (1) extrême gauche en passant derrière la duchesse, toujours au piano. — C'est ça! la farandole!

Elle va feuilleter le recueil de musique qui est au pupitre du piano.

Tous. — La farandole!

Mouvement général : une partie des invités (quatorze ou seize) se mettent en place pour la farandole. Les autres remontent sur la terrasse. Le général gagne la droite, près de Petypon.

Chamerot, qui est descendu avec Guérissac devant le piano, à mi-voix, à Guérissac. — Eh bien? Tu me diras encore que ce n'est pas la môme Crevette?

Guérissac, même jeu. — Je reste confondu!

Chamerot. — D'ailleurs, j'en aurai le cœur net!

Tous. — La farandole!

La Môme, passant en gambadant devant les deux officiers rangés contre le piano. — La farandole!

Chamerot, vivement à mi-voix, au moment où la Môme passe devant lui. — Eh! La Môme!

La Môme, se retournant instinctivement. — Quoi?

Chamerot, à mi-voix, mais sur un ton de triomphe. — Allons donc!

La Môme, entre eux deux. — Oh! la moule!

Guérissac, émoustillé. — Aha!

La Môme, vivement et bas, serrée contre eux et en leur saisissant la main à la dérobée. — Oh! Pas de blagues! Au nom du ciel, pas de blagues!... A Paris, tout ce que vous voudrez! mais ici, pas de blagues!

Guérissac et Chamerot, bas. — A Paris? bon! bon!

La Môme, aussi à l'aise que si de rien n'était. — La farandole!

Tous. — La farandole!

Les deux officiers vont se placer parmi les farandoleurs.

La Môme, qui a traversé la scène pour aller au général. — Allons, mon oncle!...

Le Général. — Merci! Moi, je suis trop vieux!
*(Prenant Petypon par le bras et le faisant passer
devant lui.)* Tiens, Lucien! tu me remplaceras!

La Môme, happant Petypon au poignet. — C'est
ça!

Petypon, résistant. — Mais non! mais non!

Tous. — Si! Si!

> *On entraîne Petypon qu'on encadre dans les
> farandoleurs dont Guérissac prend la tête. A sa
> suite est la Môme, Petypon, Clémentine, Chame-
> rot, le reste* ad libitum. *La duchesse attaque la
> farandole dont tous les farandoleurs chantent
> l'air en dansant! « Ta ta ta ta, ta ta ta ta, ta ta ta
> ta, ta ta ta ta, etc. » Ils descendent ainsi jusqu'à
> l'avant-scène droite, passent devant le trou du
> souffleur et remontent toujours en chantant,
> pour disparaître par le côté gauche de la ter-
> rasse.*

*Le Général, qui est remonté à la suite des farando-
leurs, s'arrêtant à la baie de gauche de la terrasse.* — S'amusent-ils! sont-ils jeunes!... *(Se
retournant, apercevant Corignon, qui arrive du
fond droit.)* Ah! voilà le fiancé!

SCÈNE IX

*Le Général, la Duchesse, Corignon, puis
Clémentine, puis la Môme, puis Gabrielle*

*Corignon, arrivant baie du milieu et sur le seuil,
saluant militairement le général.* — Mon général!

Le Général, également dans la baie du milieu face

(1), Corignon (2). — Ah! ben, mon ami! vous arrivez un peu tard! Votre fiancée vient justement de partir en farandolant!

Corignon, avec un regret de pure convenance. — Vraiment! Oh!

Il salue la duchesse qui lui rend son salut, mais sans cesser de jouer.

Le Général, remontant sur la terrasse et appelant, dans la direction des farandoleurs. — Clémentine! Eh! Clémentine! *(Redescendant.)* Ah! ouiche! elle ne m'entend pas! *(A la duchesse.)* Dites donc, duchesse! pas besoin de vous fatiguer davantage les phalanges! Il n'y a plus personne!

La Duchesse, s'arrêtant de jouer. — Tiens, oui!

Elle se lève.

Le Général, lui tendant son bras. — Si vous le voulez, nous allons aller à la recherche de la future!

La Duchesse. — Volontiers!

Le Général. — Vous, le fiancé! attendez là! je vous envoie votre fiancée!... Je crois qu'elle vous ménage une petite surprise!... Je ne vous dis que ça! eh! eh!

Corignon (3). — Vraiment, mon général?

Le Général (2). — Je ne vous dis que ça! *(A la duchesse.)* Duchesse! En avant... arche!

Il sort de gauche avec la duchesse.

Corignon, maussade et tout en décrochant de la bélière, son sabre qu'il dépose contre la console de droite, après y avoir posé son képi. — Une petite surprise! une paire de pantoufles brodées par elle! quelque chose comme ça *(Descendant avant-scène droite.)* Ah! ce mariage! Vrai, j'aurais mieux fait de ne pas revoir la Môme avant-hier! *(Apercevant Clémentine qui arrive par la terrasse, côté gauche, en courant, et s'arrête, hésitante, au moment de franchir la baie du milieu.)* Ah! la voilà! *(Tout en allant à elle.)* Je vous attendais avec impatience, ma chère fiancée!

En lui baisant galamment la main il la fait descendre plus en scène.

Clémentine *(1), avec hésitation, puis brusquement.* — Ah! le... Ah! le voilà le gros Coco!

Corignon *(2), qui avait les lèvres sur sa main, se redressant et reculant, ahuri.* — Hein!

Clémentine, *toute confuse de son audace, baisse les yeux, puis se reprenant.* — Où c' t'y qu'il était donc, qu'il arrive si tard?

Corignon, *n'en croyant pas ses oreilles.* — Ah! mon Dieu!

Clémentine, *qui est allée prendre de la main droite la chaise qui est contre le piano et, tout en la posant plus en scène, tendant la main gauche à Corignon.* — Venez là!... *(Elle lui prend la main.)* qu'on vous regarde! *(Sans lâcher la main de Corignon, qui la regarde hébété et se laisse conduire, elle s'est assise sur la chaise. Brusquement, tirant à elle Corignon qui tombe assis sur ses genoux, elle face au public, lui dos côté cour.)* Ouh! le petit Ziriguy à sa Titine!

Corignon, *rejetant le corps en arrière.* — Ah! Mon Dieu!

Clémentine, *le ramenant à elle et le tenant de la main gauche par l'épaule, de la main droite par les genoux.* — Ouh! ma choute!

Elle l'embrasse dans le cou, près de l'oreille.

Corignon. — Ah! mon Dieu! mon Dieu!

Clémentine. — Oh! qu'il aimait donc bien qu'on le bécote à son coucou, le gros pépère!

Nouveau baiser dans le cou.

Corignon, *se dégageant et gagnant l'extrême droite.* — Mon Dieu! ces mots résonnent à mon oreille comme un refrain déjà entendu!

Clémentine, *se levant et gagnant un peu à gauche.* — Eh bien! je crois qu'on est à la coule, hein?... *(Se retournant et enjambant gauchement la chaise qu'elle vient de quitter.)* Eh! Allez donc! c'est pas mon père!...

Corignon (2), *à part, de plus en plus décontenancé.* — « Eh! allez donc! c'est pas mon père!... » Ah çà! suis-je fou? Ai-je des hallucinations? C'est comme un écho de la Môme Crevette!... *(A Clémentine.)* Clémentine! est-ce vous? Est-ce vous qui me parlez de la sorte?

Clémentine, *tout en allant à Corignon.* — Ah! Ah! Ça vous la coupe, ça, eh?... Bidon!

Corignon. — Est-ce possible? vous la pensionnaire naïve? Qui vous a transformée de la sorte?

Clémentine, *qui est tout près de Corignon, pivotant sur elle-même en manière de minauderie.* — Ah! voilà!... c'est ma cousine! *(Grâce à ce jeu de scène, apercevant la Môme Crevette qui a paru quelques secondes avant et s'est arrêtée dans l'encadrement de la baie pour écouter les propos des deux fiancés.)* ma cousine Petypon... que je vous présente!

Corignon (3), *sursautant d'ahurissement.* — La Môme Crevette!

La Môme, descendant au 1. — Eh bien! mon cousin?... Êtes-vous content de mon élève?

Corignon (3), en oubliant de dissimuler sa stupéfaction. — Vous!... Vous ici!

Clémentine. — Tiens, vous vous connaissez?

Corignon, étourdiment. — Oui *(Vivement.)* Non! *(Un temps.)* C'est-à-dire...

La Môme, avec un sérieux comique. — On s'est rencontré chez le photographe!

Corignon, prenant Clémentine par la main et tout en la conduisant vers le fond. — Je vous en prie, ma chère fiancée, laissez-nous un moment! il faut que je parle à... à votre cousine.

Clémentine, au seuil de la baie du fond. — Oh! allez-y!

Corignon. — Merci!

Clémentine, faisant un rond de jambe au moment où Corignon lui quitte la main. — Eh! allez donc! c'est pas mon père!

Corignon, avec découragement. — Oh!

Clémentine, à part, au moment de s'en aller. — Je crois qu'il doit être content de ma transformation!

   Elle se sauve terrasse côté jardin.

Corignon attend que Clémentine se soit éloignée, puis descendant carrément à la Môme qui, pendant ce qui précède, est descendue (3), et la tournant brusquement face à lui. — Qu'est-ce que tu fais là?

La Môme (2), sans se déconcerter. — Eh ben! et toi?

Corignon (1). — Moi! moi!... Il ne s'agit pas de moi!... Est-ce que c'est ta place ici? Dans une famille honnête!...

La Môme, avec une moue comique. — T'es encore poli, toi! Ça m'amusait d'assister à ton mariage! *(Bien sous le nez de Corignon.)* Après tout, quoi? Tu es venu rejoindre ta fiancée? Moi, je suis venue accompagner mon amant!

Corignon, rageur, frappant du pied. — Ah!... tais-toi!

Il dégage légèrement à gauche.

La Môme, se rapprochant de lui, et les yeux dans les yeux. — Qu'est-ce que ça te fait?... tu n'es pas jaloux, je suppose?

Corignon. — Jaloux? Ah! ah! Certainement non, je ne suis pas jaloux! Mais, enfin... je t'ai aimée; et rien que pour ça, si tu avais un peu de délicatesse!...

La Môme, sous son nez. — J'ai pas de délicatesse, moi! J'ai pas de délicatesse!

Corignon, même jeu. — Non, t'as pas de délicatesse! Non, t'as pas de délicatesse!

Il lui tourne à moitié le dos.

La Môme. — Ah ben! celle-là!... *(Retournant Corignon face à elle.)* Dis donc! est-ce que je t'en ai jamais parlé, de mes amants, tant que tu étais avec moi, hein?... *(Se détachant un peu à droite.)* Mais aujourd'hui que tu ne m'aimes plus!...

Corignon, sur un ton maussade, et les yeux fixés sur son doigt qu'il promène sur le dossier de la chaise. — Ah! je ne t'aime plus... je ne t'aime plus!... Je n'en sais rien, si je ne t'aime plus!...

La Môme, retournant le couteau dans la plaie. — Puisque tu te maries!

Corignon, se retournant, rageur, en frappant du pied. — Ah! et puis ne m'embête pas avec mon mariage! *(Il remonte.)* C'est vrai, ça! plus j'en approche et plus je recule!...

La Môme, le dos à demi tourné à Corignon, malicieusement et en sourdine. — Eh! allez donc! c'est pas mon père!

Corignon, brusquement, descendant vers la Môme et la faisant virevolter face à lui. — Écoute! Te sens-tu encore capable de m'aimer?

La Môme, avec une moue comique, les yeux baissés. — On pourrait!

Corignon (1), lui prenant les deux mains. — Vrai? Eh! bien, dis un mot! dis! et j'envoie tout promener!

La Môme (2), retirant ses mains, d'un petit air sainte nitouche. — Oh! tu ne voudrais pas faire une crasse à cette petite!

Corignon, haussant les épaules en remontant vers le fond. — Ah! si tu crois qu'elle m'aime! *(La main dans la direction par laquelle Clémentine est sortie, et comme s'il l'indiquait.)* Elle m'épouse comme elle en épouserait un autre!... parce que son oncle lui a dit!

La Môme, bien catégorique. — Ça... c'est vrai.

Corignon, ahuri, se retourne à blanc, puis. — Comment le sais-tu?

La Môme, avec un sourire très aimable. — Elle me l'a dit.

Corignon, vexé. — C'est charmant!

  Il redescend.

La Môme. — Je lui ai demandé si elle avait de

l'amour pour toi, elle m'a répondu : *(L'imitant.)*
« Mais non! l'amour ne doit exister que dans le
mariage! Et comme je ne suis pas encore
mariée!... Eh! allez donc! c'est pas mon père! »

Corignon. — Est-elle bête!

*La Môme, avec une petite inclination de la
tête.* — Ah ben!... tu es bien le premier mari qui
aura reproché de pareils principes à sa femme!

Corignon. — Non, je te demande : quel bonheur
peut-on espérer d'un mariage où il n'entre
d'amour ni d'un côté ni de l'autre?..

La Môme. — Le fait est!...

*Corignon, la reprenant par les deux
mains.* — N'est-elle pas plus morale, l'union
libre de deux amants qui s'aiment, que l'union
légitime de deux êtres sans amour?

*La Môme, courbant la tête contre la poitrine de
Corignon et avec un ton d'humilité
comique.* — Mon passé est là pour te répondre!

Corignon, avec transport. — Va! Va! Nous pouvons encore être heureux ensemble! Ne réflé-
chissons pas! ne discutons pas! laissons-nous
aller à l'élan qui nous pousse l'un vers l'autre!
veux-tu encore être à moi?

*La Môme, lui campant ses deux mains sur les
épaules.* — Tu veux?

Corignon. — Oui, je veux! Oui, je veux!... Et tu
me seras fidèle?

La Môme, se dérobant comiquement. — Ah! et
pis quoi?

Corignon, lui rattrapant les mains. — Si! si! tu
me seras fidèle! partons, veux-tu? Je t'enlève!
partons!

La Môme. — Eh ben! soit!

Corignon, radieux, lui lâchant les mains. — Ah!

La Môme. — Je passe une mante! je mets une dentelle sur ma tête... et nous filons!

Elle remonte vers le fond.

Corignon, qui est remonté parallèlement à la Môme. — C'est ça! C'est ça! *(S'arrêtant ainsi que la Môme sur le seuil de la baie.)* Moi, j'écris un mot au général, pour lui rendre sa parole!

La Môme. — Et moi, je fais dire à Petypon de me renvoyer mes malles!

Corignon. — Où y a-t-il de quoi écrire?

La Môme, indiquant la porte de droite premier plan. — Par là! *(S'élançant d'un bond dans les bras de Corignon qui l'enlève dans ses bras et lui ceinturant la taille de ses jambes.)* Ouh! le petit Ziriguy à sa Mômôme!

Corignon, pivotant sur lui-même de façon à déposer la Môme à terre au 1. — A la bonne heure! avec toi, ça sonne juste! Chez la petite, ç'avait l'air d'une tradition dans la bouche d'une doublure!

La Môme (1). — A tout à l'heure!...

Corignon. — A tout à l'heure!

La Môme, se retournant au moment de sortir et avec un rond de jambe. — Eh! allez donc, c'est pas mon père!

Elle sort par la porte de gauche.

Corignon, descendant vers la pointe du piano. — Ah! ma foi, c'est le ciel qui le veut! il ne m'aurait pas envoyé la tentation pour que j'y résiste ! Il doit me connaître assez pour ça. *(Tout en parlant, il est allé prendre machinalement le képi du général qui est posé la visière en l'air sur le piano, s'en coiffe et fait volte-face dans la direction de la porte de droite. A peine a-t-il fait quelques pas, qu'il a la sensation que le képi est bien large pour lui : il agite sa tête, pour s'en assurer, puis, édifié, retire le képi, fait « Oh ! » en constatant son erreur, va respectueusement reposer le képi à sa place, mais cette fois bord et visière en bas, recule de deux pas, réunit les talons, salue militairement, fait demi-tour, remonte à la console, prend son képi dont il se coiffe et gagne vers la porte de droite, tout en raccrochant son sabre à sa bélière. Au moment où il s'apprête à sortir, il va donner dans Gabrielle qui, affolée, fait irruption par la porte de droite.)* Oh ! pardon, madame !

Gabrielle, s'accrochant désespérément à lui en le tenant par un des boutons de sa tunique, et le forçant ainsi à reculer. — Oh ! monsieur ! par quelle émotion je viens de passer !

Corignon (1). — Ah ! vraiment, madame ? Je vous demande pardon, c'est que !...

Il fait un pas de côté vers le lointain dans l'espoir de gagner la porte.

Gabrielle (2), qui a exécuté en même temps le même mouvement que lui et continue ainsi à lui barrer la sortie. — Figurez-vous, monsieur ! j'étais entrée dans ma chambre en fermant simplement ma porte sans toucher à la serrure...

Corignon, n'ayant d'autre objectif que la porte, mais ne sachant s'il doit passer à droite ou à gauche de madame Petypon qui contrarie toujours ses mouvements (2). — Oui, madame, oui ! c'est que !...

Gabrielle, sans lui laisser le temps de placer un mot. — Et quand j'ai voulu sortir, monsieur, elle était fermée à double tour!

Corignon, passant. — Oui, madame! oui!...

Gabrielle, le rattrapant au passage par le bras droit, sans cesser de parler. — La clef avait tourné toute seule! et voilà une demi-heure que je crie sans que personne entende! *(Lui lâchant le bras.)* Enfin, heureusement, tout à l'heure...

Corignon, lui coupant nettement la parole et avec le salut militaire, les pieds réunis, — la phrase bien scandée en trois fractions. — Madame! J'ai bien l'honneur de vous saluer.

> *Il fait demi-tour et sort militairement du pied gauche, laissant Gabrielle bouche bée.*

Gabrielle, après un temps, au public. — Ça n'a pas l'air de l'intéresser, ce que je lui dis là!... *(Descendant milieu de la scène.)* Ah! le général a beau dire que les revenants n'existent pas!... c'est égal, il y a de ces mystères!... Allons, ne nous mettons pas martel en tête!... Qu'est-ce que je suis venue chercher?... Ah! oui! les clefs de mes malles... *(Elle va jusqu'à la pointe du piano et cherche sur la caisse.)* Eh ben?... Ma sacoche?... Je l'avais posée là sur le piano!... Elle est peut-être tombée!...

> *Appuyée du bras droit sur le piano, côté public, elle se baisse complètement pour chercher sous l'instrument; sa croupe seule émerge de la pointe du piano.*

SCÈNE X

*Gabrielle, Petypon, puis Émile, puis tout
la farandole, puis le Général*

*Petypon (1), arrivant par le côté gauche de la ter-
rasse, entrant première baie et descendant en scène
tout en parlant.* — Ah! quelle soirée, mon Dieu!
quelle soirée! *(Se trouvant, nous ne dirons pas
nez à nez, mais c'est tout comme, avec la croupe
débordante de sa femme.)* Nom d'un chien! on l'a
relâchée!

> *Il saute sur le bouton de l'électricité, à gauche de
> la console, le tourne et la lumière s'éteint par-
> tout.*

Gabrielle, faisant un bond en arrière. —
Qu'est-ce que c'est que ça?

Petypon, à part. — Filons! *(Il s'élance pour
s'éclipser par la terrasse extrême gauche, mais
s'arrête brusquement et fait volte-face en se voyant
en pleine lumière de la lune.)* Oh! sapristi, la
lune!

> *Il réintègre le salon en se baissant.*

*Gabrielle, qui a gagné le milieu de la
scène.* — Ah! mon Dieu! je n'y vois plus clair!
Que signifient ces ténèbres qui soudain m'envi-
ronnent?

Petypon, à mi-voix. — Derrière le piano, en me
baissant, on ne me verra pas!

> *Il se dirige à pas de loup, en longeant le mur,
> dans la direction du clavier du piano.*

Gabrielle. — Ah! suis-je sotte!... c'est un plomb
de l'électricité qui aura fondu!... Il n'y a pas de
quoi s'alarmer. *(S'armant de courage, elle se dirige*

vers le piano. A ce moment, Petypon trébuche dans le tabouret de piano qu'il n'a pas vu et, en cherchant à se rattraper, applique quatre accords violents sur le piano. Gabrielle, bondissant en arrière en poussant un cri strident.) Ah!

Petypon, *à part.* — Oh! maudit tabouret!

Il se dissimule derrière le piano en s'accroupissant, de façon à ce que sa tête soit au niveau du clavier.

Gabrielle, *au milieu de la scène, terrifiée, et d'une voix tremblante.* — Qui... est là?... *(Silence de Petypon.)* Au piano, qui est là?... Personne ne répond?... J'ai bien entendu, cependant!... *(Se faisant violence.)* Allons! voyons! voyons, Gabrielle! *(Avec décision, elle reprend le chemin du piano. Ce que voyant, Petypon toujours accroupi, lève ses deux mains au-dessus de sa tête et applique à nouveau deux ou trois coups de poing sur le clavier. Gabrielle, bondissant en arrière.)* Ah!... *(Petypon, voyant que son truc a réussi, se met, toujours à croupetons, à jouer l'air « des côtelettes » sur le piano.)* Dieu! le piano qui joue tout seul! Le piano est hanté!

Elle se sauve éperdue, et se précipite dans la pièce de droite. Elle n'a pas plus tôt disparu que, dans cette même pièce, on entend pousser un grand cri d'effroi, et Gabrielle reparaît affolée, reculant, les mains en avant, comme pour se protéger, devant l'apparition blanche qui s'avance sur elle. Les bras tendus, la tête courbée, en poussant des petits cris d'effroi, elle vient, par un mouvement arrondi, s'affaler à genoux devant le trou du souffleur, tandis qu'Émile paraît à la porte de droite, portant, à hauteur de sa propre taille et bien face au public, un mannequin d'osier revêtu de la robe de

mariée à longue traîne de satin qui le dissimule
complètement et qui au rayon de lune semble un
gigantesque revenant. Émile, sans même se
rendre compte de l'émoi qu'il cause, traverse la
scène et sort de gauche deuxième plan, cepen-
dant que toute la théorie des farandoleurs, qui a
fait le tour du parc et dont on entend depuis un
moment les chants éloignés à la cantonade
droite, fait irruption en scène, toujours dansant,
et remplaçant la musique absente par des « tata-
tata tatatata », sur l'air de la farandole du
départ. Elle pénètre par la baie du milieu, des-
cend jusqu'à droite de madame Petypon qui
crie : Grâce! Grâce! *décrit un demi-cercle au-*
dessus d'elle, de façon à ce qu'elle soit toujours
visible du spectateur, puis, faisant un crochet,
remonte vers le fond gauche et, comme le vent,
franchit la baie du milieu pour disparaître.

Gabrielle, côté jardin, pendant tout ce jeu de
scène. — Grâce! Grâce! messieurs les revenants!

A peine le dernier farandoleur a-t-il franchi la
baie que Petypon bondit vers la cloche, en prend
la gaine et, s'élançant vers sa femme toujours à
genoux, lui couvre la tête avec. Celle-ci, en rece-
vant la gaine, pousse un petit cri de détresse.

Petypon (1), de la main gauche maintenant la
gaine sur la tête de sa femme, de l'autre main se
faisant un écran auprès de sa bouche afin d'éloi-
gner sa voix. — Gabrielle! Gabrielle! je suis ton
bon ange! Écoute ma voix et suis mes conseils!

Gabrielle (2), à genoux. — L'ange Gabriel!

Petypon, même jeu. — Sous cette égide dont je
couvre tes épaules, tu peux braver la malignité
des esprits! Mais, pour éviter un malheur, quitte

à l'instant ce château ensorcelé!... Emporte ta
malle! et pars sans regarder en arrière!

Gabrielle. — Oh! merci, mon bon ange!

Petypon. — Va!... et remercie le ciel!

> *Il relève sa femme et, sans changer de numéro,
> la dirige vers le fond, elle, la tête toujours recou-
> verte de la gaine.*

Voix du Général, cantonade gauche. — Eh! bien,
oui, bon! Quoi! c'est bon! Je vais voir.

*Petypon, pivotant sur les talons à la voix du géné-
ral et courant se cacher à gauche du piano, derrière lequel il s'accroupit.* — Sapristi! le général!

*Le Général, arrivant par la première baie
gauche.* — Eh ben?... Qu'est-ce qui a éteint
l'électricité, donc? *(Il tourne le bouton électrique
qui rend la lumière partout. Apercevant Gabrielle
qui, sous sa gaine, semble jouer toute seule à
colin-maillard au milieu de la scène.)* Qu'est-ce
que c'est que ça? *(Reconnaissant Gabrielle à sa
tournure.)* Hein! encore la folle! *(A Gabrielle.)* Ah
çà! qu'est-ce que vous faites là-dessous, vous?

> *En ce disant, il veut lui enlever la gaine qu'il a
> saisie par le pompon ou l'anneau du sommet.*

*Gabrielle, défendant sa gaine en la maintenant des
deux mains par le bord.* — Laissez-moi! Laissez-
moi!

Le Général, tirant à lui par le pompon. — Mais,
jamais de la vie!

Gabrielle, retirant à elle par les bords. — Laissez-
moi!

Le Général, même jeu. — Mais non! Mais non!
Elle emporte ma gaine, à présent! Voulez-vous
me rendre ça?

Gabrielle, qui d'une volte du corps est passée au 1 par rapport au général (2), ceci sans lâcher la gaine ni l'un ni l'autre. — Non!... c'est l'ange Gabriel qui me l'a mise sur la tête! C'est l'ange Gabriel qui me l'a mise sur la tête!

Elle se sauve par la gauche de la terrasse, avec le général à ses trousses.

Petypon, sortant de sa cachette et traversant toute l'avant-scène jusqu'à l'extrême-droite. — Enfin! j'en suis débarrassé! Mon Dieu! je n'ai plus qu'un précipice au lieu de deux! Sauvez-moi du second!

Pendant cette dernière phrase, on a vu arriver de droite sur la terrasse, Mongicourt, qui s'avance ainsi un peu plus loin que la baie du milieu, semblant chercher des yeux dans le parc. A ce moment, en se retournant, il aperçoit Petypon.

SCÈNE XI

Petypon, Mongicourt

Mongicourt, descendant, essoufflé, par la baie du milieu, après avoir aperçu Petypon. — Ah! te voilà!

Petypon (2). — Hein! toi ici?

Mongicourt (1). — Dieu soit loué! J'arrive à temps! Ah! mon cher! Je viens de faire deux cent cinquante kilomètres... — je ne le regrette pas! — pour t'avertir qu'un grand danger te menace!

Petypon (2), courbant l'échine, sur un ton épuisé. — Allons, bon! qu'est-ce que c'est encore? Parle! Je suis prêt à tout.

Mongicourt, ménageant bien son coup de théâtre. — Ta femme... est ici !

Il gagne la gauche comme soulagé d'une mission pénible.

Petypon, relève la tête, le regarde d'un air ahuri, puis. — Oh ! que c'est bête de me faire des peurs comme ça !

Mongicourt, n'en croyant pas ses oreilles. — Hein ?

Petypon. — Non, vrai, si c'est pour ça, tu aurais aussi bien fait de ne pas te déranger !

Mongicourt, revenant à Petypon. — Comment ! tu le savais ?

Petypon. — Mais, voilà une heure qu'elle est ici ! Ce que j'ai eu de la peine à m'en débarrasser !

Mongicourt. — J'en ai eu le pressentiment ! C'est fait, alors ? Ah ! tant mieux !... *(S'épongeant le front avec un mouchoir.)* Mais, n'est-ce pas, je ne savais pas, moi ! Quand j'ai appris que ta femme partait, je me suis dit : « Il faut que j'aille prévenir Petypon ! » J'ai couru à la gare ; j'ai demandé à quelle heure le premier train ; j'ai sauté dedans, en me disant : « Ça y est. J'arriverai avant elle ! » Malheureusement, je n'ai pas réfléchi que le premier train était un omnibus, tandis que le second était un express ; de sorte que c'est le second qui arrivait le premier ! Comme dans l'Évangile : « les premiers seront les derniers ! »

Petypon. — Ah ! non ! pas de mots, hein ? je t'en prie !

Mongicourt. — Enfin, puisque tout s'est bien passé !...

Petypon. — Comment, « tout s'est bien passé ! »

Et la Môme que tu oublies! qui fait pataquès sur pataquès! Ah! il n'y a que toi qui puisses me tirer de là! Va trouver le général; dis-lui que tu es venu me chercher pour une opération qui ne souffre aucun retard! J'invoque l'urgence; j'emmène la Môme; et pour le reste, je m'en charge! *(Le poussant vers le fond.)* Va! va!... et tu me sauves!

Mongicourt, se laissant conduire. — Entendu! Où est le général!

Petypon, sur le seuil de la baie du milieu. — Par là! Dans le jardin! avec ses invités!

Mongicourt. — J'y cours! *(Au moment de s'en aller.)* Ah! tu avais bien besoin de te mettre dans ce pétrin-là!

Il sort rapidement terrasse côté jardin.

SCÈNE XII

Petypon, puis Corignon, la Môme

Corignon, l'air affairé, arrive de droite premier plan; il tient une lettre à la main. — Voyons! il n'y a pas un valet de pied pour faire porter ma lettre?

Petypon (1), descendant. — Monsieur Corignon!

Corignon (2). — Monsieur Petypon?

Petypon, comme Mongicourt précédemment. — Ah! monsieur, que je vous avertisse! je crois que c'est mon devoir : la Môme... est ici!

Corignon, souriant. — Allons donc!

Petypon. — Comme je vous le dis!

Corignon. — Eh bien! mon Dieu! grand bien lui fasse.

Petypon. — Et ça ne vous effraie pas?... Ah! Dieu!... je voudrais la voir à cent lieues d'ici, moi!

Corignon, sur un ton énigmatique. — Le ciel vous fera peut-être cette surprise!

Petypon. — Le ciel vous entende!

Corignon, remontant, en cherchant des yeux. — Mais je vous demande pardon, je suis un peu pressé... *(Redescendant.)* Oh ben! puisque vous êtes là! voulez-vous me rendre un petit service?

Petypon. — Moi!

Corignon. — Je suis obligé de partir brusquement; voulez-vous remettre cette lettre au général quand vous le verrez?

Petypon (2), prenant la lettre et redescendant extrême droite. — Très volontiers!

Corignon (1). — Merci! *(Apercevant la Môme qui paraît, porte gauche, enveloppée dans une mante, la figure couverte d'un voile de dentelle. — S'élançant vers elle et à mi-voix.)* Ah! vous voilà! partons!

Il lui offre le bras droit.

La Môme, reconnaissant Petypon qui à ce moment se retourne de son côté. — Sapristi, Petypon! *(Elle se courbe comme une petite vieille et prenant le bras de Corignon, d'une voix tremblotante.)* Au revoir, monsieur!

Petypon, s'inclinant. — Au revoir, madame! *(A part, pendant qu'ils sortent par la terrasse, côté cour.)* Sa grand-mère, sans doute!

SCÈNE XIII

Petypon, le Général, puis Émile

Petypon. — Quelle drôle d'idée d'écrire au général puisqu'il est chez lui! Enfin, ça le regarde!

*Le Général (1), venant de la terrasse et entrant par
la première baie. Il tient à la main la gaine qu'il
repose en passant sur la cloche.* — C'est étonnant!... Tu n'as pas vu Corignon? Je ne peux pas
mettre la main dessus.

Petypon (2). — Mais, si fait! *(Déclamant.)* Voici
même une lettre, qu'entre vos mains, mon oncle,
il m'a dit de remettre!

> *Il remet la lettre et, discrètement, s'écarte un peu
> à droite.*

Le Général, décachetant la lettre. — A moi?
quelle drôle d'idée?... *(Après avoir parcouru la
lettre des yeux.)* Oh!

Petypon. — Quoi?

Le Général. — Mille tonnerres!

Petypon. — Qu'est-ce qu'il y a?

Le Général, s'emportant. — Le polisson! Il me
rend sa parole et m'écrit qu'il part avec sa maîtresse!... Nom d'un chien! Ah! il croit que parce
qu'il est mon filleul... Eh bien! je lui ferai voir!...
*(Remontant et appelant en voyant Émile qui,
venant du fond droit, est en train de traverser la
terrasse.)* Émile!

*Émile, faisant immédiatement demi-tour à l'appel
de son nom et accourant par la première baie côté
jardin, pour s'arrêter dans l'encadrement de la baie
centrale.* — Mon général?

Le Général. — Vous n'avez pas vu le lieutenant Corignon ?

Émile (1). — Si, mon général ! il montait en voiture avec madame Petypon.

Petypon (3). — Hein ?...

Le Général (2), bondissant. — Qu'est-ce que vous dites ?... avec madame Petypon ?... Corignon ?... *(Brusquement, faisant pirouetter Émile par les épaules et l'envoyant baller d'une tape du plat de la main.)* C'est bien ! allez ! *(Redescendant vivement, à Petypon, tandis qu'Émile se sauve par la porte de gauche.)* Tu as entendu ? Il a enlevé ta femme !

Petypon, a un sursaut des épaules, puis, joignant les mains, dans un transport de joie. — C'est vrai ?

Le Général, avec un recul de surprise. — « C'est vrai ! » C'est tout ce que tu trouves à dire : « C'est vrai » ? V'là tout l'effet que ça te fait ?... *(Volubile et énergique, en marchant sur Petypon.)* Oh ! mais, ça ne se passera pas comme ça ! Si tu es philosophe, moi je ne le suis pas !... Tu portes mon nom ; et tu sauras qu'il n'y a jamais eu de conards dans ma famille ! ce n'est pas toi qui commenceras ! *(Il est remonté à grandes enjambées jusqu'à la porte de gauche, l'ouvrant d'un coup de poing et appelant.)* Émile !

Émile, sortant de gauche deuxième plan. — Mon général ?

Le Général, qui est revenu dans le mouvement jusqu'à la console de gauche. — Vite ! préparez ma valise et celle de M. Petypon et descendez-les !

Il fait pirouetter Émile et l'envoie d'une poussée

jusqu'à la porte de gauche par laquelle celui-ci disparaît.

Émile, tout en se sauvant. — Bien, mon général.

Petypon, au général qui revient à lui. — Mais pourquoi ?

Le Général (3), bondissant à la question de Petypon. — « Pourquoi ! » *(Saisissant Petypon au collet et le secouant comme un prunier.)* Tu penses que je vais les laisser filer sans que nous courions après ?... *(L'envoyant au 1 près du piano.)* Attends-moi ! *(Tout en prenant son képi dont il se coiffe.)* Je vais voir si par hasard ils n'ont pas encore eu le temps de partir. Et s'ils sont partis, je t'emmène et nous les rattraperons !

Tout en parlant il remonte au fond, et dans l'encadrement de la baie, il rencontre Gabrielle qui, après avoir fait le tour du parc, arrive de droite de la terrasse.

Gabrielle, toujours palpitante. — Ah ! général !...

Le Général, sans s'arrêter. — Oh ! vous, la folle, foutez-moi la paix !

Il sort terrasse côté cour.

SCÈNE XIV

*Petypon, Gabrielle, puis le Général,
puis Mongicourt*

Gabrielle (2), apercevant son mari. — Ah ! Lucien !

Petypon (1), descendant. — Nom d'un chien ! La v'là revenue !

Gabrielle (2), courant à lui. — Toi! toi ici!

Petypon. — Oui! Oui! je t'expliquerai!...

Gabrielle, haletante. — Ah! Lucien! Lucien! ne me quitte pas! sauve-moi! le château est possédé du démon!

Petypon, la poussant vers la sortie (terrasse baie du milieu). — Ben oui! Ben oui! Calme-toi! là! nous allons partir! va devant! va devant! *(Arrivé à la baie, apercevant le général revenant côte droit terrasse.)* Nom d'un chien! le général!

> *Instinctivement, il donne à sa femme une dernière poussée qui l'envoie près du buffet, en même temps qu'il descend jusque devant le piano.*

Le Général, descendant carrément. — Ça y est! ils sont partis! *(A Petypon.)* Lucien, madame Petypon est une drôlesse!

Gabrielle, bondissant. — Qu'est-ce qu'il a dit? *(Elle descend vers le général, le saisit par l'arrière bras de façon à lui faire faire demi-tour face à elle et, prenant du champ, lui envoie un soufflet retentissant.)* Tiens!

Le Général (2), se cabrant au soufflet. — Mille tonnerres!

Petypon (1), comme s'il avait reçu le soufflet lui-même. — Oh!

Gabrielle, remontant. — Ah! madame Petypon est une drôlesse!

> *Elle sort furieuse par la porte premier plan droit.*

Le Général, traversant la scène et gagnant l'extrême droite. — Mort de ma vie! C'est la première fois qu'une femme ose porter la main sur moi... pour un pareil motif!

Mongicourt (2), qui a apparu à gauche sur la ter-
rasse sur ces derniers mots, apercevant le général
et descendant à lui, la bouche enfarinée. — Ah!
vous voilà, général! Je vous cherchais!

Le Général (3). — Ah! vous arrivez bien, monsieur!... vous êtes responsable des actes de votre
femme : V'lan!

> *Il lui applique un soufflet retentissant qui*
> *l'envoie tomber sur la chaise près du piano.*

Mongicourt, s'affalant sur la chaise. — Oh!

Le Général. — Je suis à vos ordres, monsieur! *(A*
Petypon, tout en remontant vers la terrasse d'un
pas accéléré.) Viens, toi! courons après eux!

Petypon, passant dans un mouvement arrondi
devant Mongicourt pour courir à la suite du géné-
ral. A Mongicourt, tout en passant. — Oh! ça se
gâte!... ça se gâte!...

> *Il sort vivement, tandis que Mongicourt reste à*
> *se frotter la joue d'un air abruti.*

RIDEAU

ACTE III

MÊME DÉCOR QU'AU PREMIER ACTE

Les meubles sont aux mêmes places où on les a
laissés à la fin du premier acte. (Le pouf, inutile
pour l'acte, peut être supprimé.)

SCÈNE PREMIÈRE

Gabrielle, Étienne

Gabrielle, dans son costume de voyage du
second acte (chapeau et cache-poussière), entre de

droite, suivie d'Étienne qui porte son sac de nuit et sa couverture de voyage.

Gabrielle (1), descendant en scène. — Comment, monsieur n'est pas là?

Étienne (2). — Non, madame, monsieur est sorti! je l'ai vu tout à l'heure, avec son chapeau sur la tête.

Gabrielle. — Comme c'est agréable! il aurait bien pu se dispenser, à une heure où il devait bien se douter que j'allais arriver... *(On sonne.)* Tenez, c'est peut-être lui! Allez ouvrir.

Étienne, posant les deux colis à terre, au fond. — Oui, madame!

Il sort de droite en laissant la porte ouverte.

Gabrielle. — Non, vraiment, je ne comprends rien à la conduite de mon mari!... *(S'asseyant sur le canapé.)* Il en use vis-à-vis de moi avec une désinvolture!... Hier, il me voit chez son oncle; il assiste à la scène qui s'est passée!... et au lieu de partir avec moi, justement indigné, il me plante là et il prend le train avec le général! C'est d'un manque d'égards! *(Se levant en voyant Étienne qui rentre de droite.)* C'est monsieur?

Étienne (2). — Non, madame, c'est un jeune homme qui...

Gabrielle (1). — A moins que ce ne soit absolument urgent, je n'y suis pour personne.

Étienne. — Bien, madame!

Il ressort par où il est venu.

Gabrielle, au-dessus du canapé, se dirigeant vers sa chambre. — Ah! non, merci! j'ai bien la tête à recevoir des visites!
Elle sort de gauche deuxième plan.

SCÈNE II

Étienne, le Duc

Étienne, emboîtant le pas au duc qui entre vivement avec un bouquet de fleurs à la main, et s'arrête au milieu de la scène, l'œil inquisiteur et l'air impatient. — Mais je répète à monsieur que madame arrive à l'instant de voyage; et, après une nuit de chemin de fer, monsieur comprendra qu'à moins qu'il ne s'agisse d'une affaire très urgente!...

Le Duc, parlait saccadait. — Oh! oui!... très urgente!... Dites seulement à madame que c'est le duc de Valmonté et vous verrez!

Il gagne la gauche.

Étienne. — Le duc de...?

Le Duc, par-dessus l'épaule. — ... Valmonté.

Étienne, ne pouvant réprimer un sifflement d'admiration. — Ffuie!

Le Duc, se retournant. — Vous dites?

Étienne, vivement. — Rien, monsieur! rien!

Le Duc. — Allez! Madame doit m'attendre.

Il s'assied sur le canapé.

Étienne. — Ah! pour ça non, monsieur.

Le Duc. — Non?

Étienne. — Madame m'a dit qu'elle n'y était pour personne.

Le Duc, avec un sourire de fatuité. — Eh! ben!...
vous voyez bien qu'elle m'attend!

Étienne, étonné. — Ah?

*Le Duc, se levant et lui mettant dans la main une
pièce de cinq francs.* — Tenez!

   Il passe au 2.

*Étienne, regardant la pièce qu'on vient de lui don-
ner.* — Oh! merci, monsieur! *(A part.)* Oh! ces
grands seigneurs! comme ils savent donner de la
valeur à leurs moindres gestes! *(Haut, en avançant la chaise qui est près du canapé.)* Je dirai que
c'est urgent!

   Il prend les deux colis et sort de gauche.

Le Duc. — C'est ça! *(Arpentant un instant la
scène, puis s'arrêtant en posant la main sur son
cœur comme pour se comprimer les battements.)*
Je suis très ému! *(Posant ses bouquet et chapeau
sur la table et tirant de la poche à mouchoir de son
veston une petite glace de poche, se mirant avec
complaisance.)* Pas mal! En physique! *(Se regardant de plus près.)* Aïe! j'ai un bouton sur le nez!
c'est embêtant, moi qui n'en ai jamais! Il faut
que précisément aujourd'hui!... C'est l'émotion!
*(Il remet le miroir dans sa poche, puis, reprenant
son chapeau et son bouquet.)* Je suis très ému!

Voix de Gabrielle, en coulisse. — Mais, enfin,
voyons, je vous avais dit que je n'y étais pour personne!

SCÈNE III

Le Duc, Gabrielle, Étienne

*Le Duc, s'élançant radieux vers la porte en la
voyant s'ouvrir.* — Ah! *(Pivotant sur les talons et*

avec désappointement en voyant paraître Gabrielle.) Zut! c'est son amie!

Il redescend.

Étienne, à mi-voix, à Gabrielle qu'il suit. — Il paraît que c'est très urgent, madame! très urgent!

Gabrielle, grognement de mauvaise humeur. — Ah!

Étienne sort de droite, en adressant au duc, en passant, des signes d'intelligence, tandis que Gabrielle descend par la gauche du canapé. Gabrielle, surmontant sa mauvaise humeur, s'incline légèrement à la vue du duc.

Le Duc, s'inclinant poliment, mais froidement. — Madame!

Gabrielle. — Le duc de Valmonté?

Le Duc. — Lui-même, madame!

Gabrielle, lui indiquant la chaise près du canapé. — Ah! parfaitement, oui, oui!... *(Elle s'assied sur le canapé tandis que le duc, faisant contre mauvaise fortune bon cœur, s'assied sur la chaise, — un temps d'embarras réciproque.)* C'est bien vous, monsieur, qui étiez à la soirée du général Petypon du Grêlé quand je suis arrivée?

Le Duc, s'inclinant légèrement. — En effet, madame! c'est là que j'ai eu l'honneur de vous voir! *(Ils échangent une petite inclination de la tête, puis silence gêné de part et d'autre. Le duc regarde à droite et à gauche derrière lui, visiblement préoccupé de tout autre chose que de la présence de madame Petypon. Celle-ci ne comprenant rien à l'attitude du duc, promène un œil étonné du duc au public et du public au duc. Brusquement,*

ce dernier, à Gabrielle.) Et... et madame Petypon
va bien?

Gabrielle. — Pas mal, merci! Un peu fatiguée
par le voyage, et en plein dans l'aria des malles.

*Le Duc, regardant dans la direction de la porte de
gauche où il suppose que doit être celle pour qui il
vient.* — Oh! comme c'est ennuyeux!

*Gabrielle, intriguée par l'attitude du duc, regar-
dant dans la direction où il regarde et à
part.* — Qu'est-ce qu'il regarde comme ça?

Le Duc, brusquement. — Mais, enfin, elle n'est
pas souffrante?

Gabrielle, se retournant vers le duc. — Qui?

Le Duc. — Madame Petypon?

Gabrielle. — Ah? *(A part.)* Quelle drôle de façon
de parler à la troisième personne, comme un
valet de chambre. *(Haut.)* Non! merci bien!

Le Duc. — Ah! tant mieux! tant mieux!

*Nouveau regard dans la direction de la porte.
Nouvel étonnement de Gabrielle. A un moment,
leurs regards se rencontrent, ils échangent une
petite salutation avec un petit rire contraint:
« Eh! eh! eh! eh! eh! » puis, détachant leur
regard l'un de l'autre, ils reprennent chacun leur
attitude première.*

*Gabrielle, au bout d'un instant, dans un mouve-
ment d'impatience.* — Mais, pardon, monsieur...
je suis un peu pressée, et si vous voulez bien?...

*Le Duc, se levant et, tout en parlant, remontant
entre la chaise et le canapé.* — Mais allez donc,
madame... allez donc! ne vous occupez pas de
moi! je serais désolé!

Il pivote sur les talons et tourne le dos à madame Petypon, sans plus s'occuper d'elle.

Gabrielle, *interloquée, se levant.* — Hein?... Mais non, du tout! Ce n'est pas ce que je veux dire! Seulement, je n'ai que quelques instants à vous accorder, et alors, vous comprenez!...

Le Duc, *qui dans ce jeu de scène a fait en quelque sorte le tour du dossier de sa chaise, redescendant à droite de celle-ci, sur un ton pincé.* — C'est bien aimable à vous! *(S'asseyant.)* Je n'en abuserai pas!

Gabrielle, *se rasseyant également.* — Vous m'excusez, n'est-ce pas?

Le Duc, *pincé.* — Mais comment donc! *(Moment de gêne de part et d'autre. Quand leurs regards se rencontrent, ils échangent une petite salutation accompagnée d'un sourire forcé. Après un temps, et pour dire quelque chose.)* Bien charmante soirée, n'est-ce pas, chez le général.

Gabrielle, *le regarde avec étonnement, puis.* — Charmante, en effet!

Un temps.

Le Duc. — Quel beau pays que la Touraine!

Gabrielle, *de plus en plus étonnée.* — Ah! oui!... mais...

Le Duc. — Le verger de la France!

Gabrielle, *interloquée.* — Ah?

Le Duc, *à part.* — Si elle croit que ça m'amuse de bavarder comme ça avec elle. *(Brusquement, à Gabrielle, en tendant machinalement son bouquet vers elle.)* Voulez-vous me permettre, madame...

Gabrielle, *qui croit qu'il lui offre le bouquet.* — Oh! merci!

Le Duc, ramenant vivement son bouquet qui vient lui fouetter l'épaule gauche. — Non!

Gabrielle, ahurie. — Ah?

Le Duc. — ... de vous poser une question?

Gabrielle. — Mais... certainement.

Le Duc. — Est-ce qu'il faut longtemps pour défaire des malles?

Gabrielle, sentant la moutarde lui monter au nez. — Hein! Mais je ne sais pas! ça dépend! quand on n'est pas dérangé... *(Brusquement, en se levant.)* Mais, pardon, monsieur! Je ne suppose pas que vous soyez venu pour me parler de la Touraine et du temps qu'il faut pour défaire des malles.

Le Duc, qui s'est levé en même temps que Gabrielle. — Oh! non, madame!

Gabrielle. — Le valet de chambre m'a dit que c'était pour une chose très urgente!...

Le Duc. — Oh! oui, madame! très urgente!

Gabrielle, s'asseyant. — Eh bien! parlez, monsieur! de quoi s'agit-il?

Le Duc. — De quoi?... euh!... *(Brusquement, pivotant sur les talons.)* J'peux pas vous le dire!

Il remonte à droite.

Gabrielle, se levant, absolument ahurie. — Comment?

Le Duc, se retournant vers Gabrielle. — Non, madame, non! ne m'interrogez pas! parlons de ce que vous voudrez; mais quant à vous dire l'objet qui m'amène, n'y comptez pas!

Il remonte fond droit.

Gabrielle. — Hein? *(A part.)* Eh bien! en voilà un original! *(Haut.)* Mais, pardon, monsieur... alors, pourquoi êtes-vous ici?

Le Duc. — Ça, madame... *(Pirouettant sur lui-même, et sur un ton malicieux.)* c'est mon affaire!

Gabrielle, bouche bée. — Ah?

Le Duc, brusquement et sur un ton assez précipité. — Mais le temps passe! Je vois que madame Petypon est occupée; je ne veux pas la déranger le moins du monde! je reviendrai.

Gabrielle, même jeu. — Ah?

Le Duc. — Au revoir, madame! je reviendrai!... je reviendrai! *(A part, sur le pas de la porte.)* Plus souvent que je lui raconterai pour qu'elle aille faire des points! Ah! ben!

Il sort de droite en remportant son bouquet.

Gabrielle, reste un temps comme médusée, puis, tout en reposant la chaise au-dessus du canapé. — Mais, qu'est-ce que c'est que ce toqué-là?... *(Remontant vers la porte de droite laissée ouverte par le duc.)* Il vient me déranger pour me dire que la Touraine est le verger de la France! Il en a un toupet!

Elle referme la porte.

SCÈNE IV

Gabrielle, Petypon

Petypon, surgissant de la tapisserie du fond. — Qui est-ce qui a sonné tout à l'heure?

Gabrielle, se retournant à la voix de son mari. — Lucien!

Petypon (1), au fond. — Toi!... Ah! çà, depuis quand es-tu arrivée?

Gabrielle (2), au fond. — Mais depuis dix minutes! Étienne m'avait dit que tu étais sorti.

Petypon. — Moi, pas du tout!... C'est-à-dire que j'étais sorti pour remettre une lettre à un commissionnaire. Mais il y a vingt-cinq minutes que je suis rentré. *(Brusquement, la prenant par le poignet et la faisant descendre à l'avant-scène.)* Ah! te voilà!... eh bien, tu en as fait de belles!

Gabrielle, ahurie. — Moi! Où ça? Quand ça? Comment ça, de belles?

Petypon. — Mais, là-bas, chez mon oncle!

Gabrielle. — Ah! non, celle-là est raide! C'est bien à toi à me faire des reproches!

Petypon. — Mais, évidemment! Te permettre de lever la main sur mon oncle!

Gabrielle. — Tu aurais peut-être voulu que j'acceptasse de sang-froid ses insultes!

Petypon, avec un haussement d'épaules. — Mais il n'a jamais eu l'intention de t'insulter!

Gabrielle, remontant et, par un mouvement arrondi, au-dessus de Petypon, gagnant jusque derrière le canapé. — Ah! très bien! Si tu trouves que ce qu'il m'a dit était une gracieuseté!

Petypon. — Enfin, quoi?... Qu'est-ce qu'il t'a dit?

Gabrielle, au-dessus du canapé. — Rien, rien. C'est entendu!... *(Brusquement, venant s'appuyer sur le dossier du canapé comme sur la rampe d'un balcon.)* Et à Mongicourt, hein? ce pauvre Mongicourt qui ne lui avait rien fait... — Oh! il en a ragé pendant tout le voyage! — c'est peut-être aussi par gracieuseté qu'il lui a appliqué la main sur la figure?

Elle est redescendue par la gauche du canapé sur lequel elle vient s'asseoir.

Petypon, haussant les épaules. — « Une gracieuseté »! Évidemment non, ce n'est pas une gracieuseté; mais, enfin, quand on a reçu une gifle, on éprouve le besoin de la rendre. C'est humain, ça.

Gabrielle. — Eh ben!... Tu étais là, il n'avait qu'à te la rendre.

Petypon. — A moi?

Gabrielle. — Dame! c'était plus logique que de la donner à Mongicourt!... Tu es mon mari; ça te revenait!

Petypon, avec une révérence. — C'est ça, comment donc!... j'aurais même dû offrir ma joue?

Gabrielle, se levant. — Ah! là là! J'aurais mieux fait de ne pas y mettre les pieds, dans son sale château!... *(Gagnant la gauche.)* Tout ça pour arriver à me faire traiter de drôlesse.

Petypon. — Pourquoi as-tu pris ça pour toi?... Il parlait peut-être d'une autre personne! Il y a plus d'une femme à la foire qui s'appelle... Martin!

Gabrielle. — Mais qui?

Petypon, écartant de grands bras, tout en gagnant la droite. — Ah! qui? qui? est-ce que je sais, moi?

Gabrielle, brusquement. — J'y suis!

Petypon, étonné, se retournant à l'exclamation de Gabrielle. — Tu y es?

Gabrielle, en ponctuant chaque syllabe. — Il parlait de ta tante!

Petypon, faisant deux pas vers Gabrielle. — De ma?... *(Saisissant la balle au bond.)* Oui! oui! Voilà! *(A part, les yeux au ciel.)* Pardonne-moi, pauvre tante, si tu m'entends là-haut!

Il gagne la droite.

Gabrielle. — Oh! je suis désolée! Qui aurait cru ça? Une femme si charmante!... *(Un temps.)* C'est vrai que je l'avais trouvée tout de même un peu drôle!

Petypon, ahuri, revenant vers Gabrielle. — Comment, « tu l'avais trouvée »? tu ne l'as jamais vue!

Gabrielle. — Moi? si!

Petypon, de plus en plus étonné. — Quand?

Gabrielle. — Hier!

Petypon, même jeu, très large. — Hein?

Gabrielle, s'asseyant sur le canapé. — Le général nous a présentées!

Petypon. — Il vous a...! *(A part, ahuri, tout en gagnant l'extrême droite.)* Ah! çà, voyons, voyons! Je n'y suis plus, moi! *(Récapitulant.)* — Elle a vu ma tante, qui n'est plus depuis huit ans! *(Un temps.)* et c'est mon oncle qui la lui a présentée??? *(Haut à Gabrielle, en allant vers elle.)* Voyons, tu es bien sûre que mon oncle?...

SCÈNE V

Les mêmes, Étienne

Étienne, le bouquet du duc et une lettre à la main. — Voici un bouquet et une lettre pour madame!

Gabrielle (1), se levant, étonnée. — Pour moi?

Petypon (2), prenant bouquet et lettre des mains d'Étienne et passant la lettre à Gabrielle. — C'est ta fête?

Gabrielle. — Pas que je sache!

Étienne (3), près de Petypon. — C'est le jeune homme de tout à l'heure qui m'a dit de remettre ces fleurs en main propre à madame, avec ce mot qu'il vient d'écrire.

Gabrielle. — A moi! mais qu'est-ce qu'il me veut encore?

Petypon. — Qu'est-ce que c'est que ce monsieur?

Gabrielle. — Je ne sais pas; un jeune toqué!

Étienne. — M. le duc de Valmonté.

Petypon, ne faisant qu'une volte sur lui-même et allant fouetter de son bouquet la poitrine d'Étienne, à part. — Nom d'un chien!

Étienne, recevant le bouquet dans le creux de l'estomac. — Oh!

Petypon, lui laissant le bouquet dans les bras et le faisant virevolter en le poussant par les épaules vers la sortie. — C'est bien, allez!

Étienne, sortant, avec le bouquet. — Je vais le mettre dans l'eau!

Petypon, redescendant vivement vers Gabrielle. — Attends, donne! Je vais te lire...

Gabrielle, qui a déjà décacheté la lettre, écartant celle-ci de la portée de son mari. — Pourquoi ça? Je lirai bien moi-même!

Petypon, à part, tout en gagnant la droite. — Mon Dieu! Quelle nouvelle tuile?...

Gabrielle, exclamation de surprise. — Ah!

Petypon, se retournant vers elle. — Quoi?

Gabrielle. — Mais il est fou! regarde-moi ce qu'il m'écrit, cet imbécile!

Petypon, se rapprochant. — Quoi donc?

Gabrielle, lisant en exagérant le côté lyrique de la lettre. — « Ah! madame! Depuis que votre voix enchanteresse m'a dit des paroles d'amour, mon cœur est plein de vous. »

Petypon. — Hein?

Gabrielle. — Des paroles d'amour, moi! Ce toupet! *(Lisant.)* « Hélas! pourquoi faut-il que ma sotte timidité ait paralysé ma langue? Vous étiez bien encourageante, cependant! »

Petypon, sur un ton théâtral, tout en lui enlevant d'un geste rapide sa lettre des mains. — Qu'est-ce que tu dis?

Gabrielle. — Mais, c'est de la folie! mais, jamais!...

Petypon, continuant de lire. — « Je vous écris ceci pour brûler mes vaisseaux; et quand je reviendrai tout à l'heure, vous verrez que mon éloquence sera à la hauteur de votre amour. Je vous embrasse à pleine bouche!... » *(Sur un ton scandalisé.)* Oh!

Madame Petypon. — L'impertinent!

Petypon, prenant du champ vers la droite pour donner plus d'ampleur à son jeu. — Oh! Gabrielle!... à ton âge!

Madame Petypon, abasourdie. — Quoi?

Petypon, gagnant vers madame Petypon et jouant

l'indignation. — Tu as détourné le jeune duc de Valmonté! toi!

Madame Petypon, de toute son énergie. — Moi! mais tu es fou! A peine si je lui ai dit deux mots chez ton oncle! et quels mots : *(Se tournant à demi vers la gauche pour parler à un être imaginaire qui serait censé être au 1.)* « Le général n'est pas là?... Non? Je vais en profiter pour voir si on monte mes malles! » *(Se tournant vers Petypon.)* Je ne vois pas dans ces paroles?...

Petypon, énergiquement sentencieux. — Les paroles ne signifient rien! C'est l'intonation qui fait tout!... *(Changeant de ton.)* Tu lui as peut-être dit ça d'un air provocant! *(La voix douce-reuse, l'œil en coulisse, imitant censément sa femme.)* « Je vais voir... *(Œillade raccrocheuse.)* si on monte mes malles... » *(Nouvelle œillade à blanc, puis, voix ordinaire.)* On peut tout dire avec la voix!... Et c'est souvent quand on ne dit rien que l'on dit le plus de choses!

Madame Petypon, presque larmoyante. — Mais je t'assure que rien dans ma voix!...

Petypon, grandiloquent. — Allons donc! comme il n'y a pas de fumée sans feu... il n'y a pas de feu sans allumage!

Madame Petypon, même jeu. — Je te jure, Lucien, que je n'ai rien allumé!

Petypon, avec un geste de clémence. — Eh! bien! c'est bien!... *(Mettant la lettre dans la poche inté-rieure de sa redingote.)* Je veux bien admettre que c'est inconsciemment! Mais, en tout cas, je te défends, tu m'entends? je te défends de revoir le duc! Quand il reviendra, j'exige que tu fasses dire que tu ne reçois pas!

Madame Petypon, tendant la main pour prêter ser-ment. — Oh! ça, sur ta tête!

Petypon. — C'est bien! Ma tête n'a rien à faire là-dedans! *(A part et bien scandé, tout en descendant vers la droite.)* En voilà un de réglé!

SCÈNE VI

Les mêmes, Étienne, Mongicourt

Étienne, entrant de droite et annonçant. — Monsieur Mongicourt!

Petypon, avec découragement. — Ah! voilà l'autre, maintenant!

Il remonte vivement à l'entrée de Mongicourt.

Mongicourt, très nerveux, descendant (3). — Petypon! Ah! Je ne suis pas fâché de te voir, toi!

Petypon, avec humeur, à Mongicourt. — Eh! bien, oui! bon, bien, quoi? Tout à l'heure! *(Tout miel, à Gabrielle, tout en la prenant amicalement par les épaules.)* Veux-tu me laisser avec Mongicourt, ma chère amie?

Gabrielle, se laissant conduire par son mari. — Oui, mon ami!... *(A Mongicourt, qui arpente nerveusement la pièce.)* A tout à l'heure, monsieur Mongicourt!

Mongicourt, sur un ton rageur. — A tout à l'heure, madame!

Gabrielle sort par la gauche.

Petypon, qui a accompagné sa femme — une fois celle-ci sortie — se retournant à la pointe gauche du dossier du canapé. — Eh! bien, quoi? Qu'est-ce qu'il y a?

Mongicourt (2), bondissant à cette question. — Comment, « qu'est-ce qu'il y a »! tu en as de bonnes, toi! *(Déposant son chapeau sur la chaise qui est derrière le canapé.)* Ah! çà, as-tu oublié ce qui s'est passé entre le général et moi?

Petypon, sur un ton détaché et avec un geste d'insouciance. — Ah!... oh!

Mongicourt. — Quoi, « ah! oh! » Comment! ton oncle, à propos de rien, sans provocation de ma part, m'administre une paire de gifles!...

Petypon, l'arrêtant net. — Pardon! tu as mal compté! une seule!

Mongicourt, s'asseyant sur le canapé. — Oh! une! deux!...

Petypon. — Oui! C'est pas le nombre qui fait.

Mongicourt, se retournant vers Petypon. — Et tu t'imagines que ça va en rester là?

Petypon, appuyé nonchalamment sur le dossier du canapé. — Alors, quoi?... un duel?

Mongicourt, écartant les bras comme devant une chose inéluctable. — Eh!... Un duel.

Petypon, descendant, avec une moue des lèvres et un hochement de tête significatifs. — Oh! c'est embêtant!... Ah! c'est embêtant!

    En ce disant, il a passé dos au public et par un mouvement en demi-cercle, devant Mongicourt, et se trouve de ce fait au 2 à droite du canapé.

Mongicourt. — A qui le dis-tu?

Petypon, après un temps. — Écoute, mon cher, je regrette vivement que l'affaire ait eu lieu avec le général, parce que tu comprends, étant donné le lien de famille, je ne peux vraiment pas te servir de témoin.

Mongicourt (1), relevant la tête. — Comment, « de témoin » ?

Petypon. — Eh! ben, oui! *(Sur un ton facétieux.)* Tu ne comptes pas te battre sans témoins!

Mongicourt. — Me battre? Mais où as-tu pris que je voulais me battre?

Petypon. — Dame! qui dit : « duel »!... Tu voudrais un duel sans te battre?

Mongicourt. — Mais c'est à toi à te battre! c'est pas à moi!

Petypon. — Hein! Tu veux que je me batte avec le général? Moi?

Mongicourt. — Évidemment!

Petypon. — Parce qu'il t'a giflé?

Mongicourt. — Il m'a giflé... à cause de ta femme!

Petypon. — Oui! mais parce qu'il croyait que tu étais son mari.

Mongicourt (1), se levant. — Eh! bien, justement! J'en ai assez de ce rôle! et je vais aller trouver ton oncle pour lui dire toute la vérité.

Il fait mine de se diriger vers la porte.

Petypon, l'arrêtant et sur ton autoritaire. — Ah! non, mon ami! non! je t'en prie, hein? Ne complique pas!

Mongicourt, ahuri par son cynisme, redescendant même numéro. — Qu'est-ce que tu dis?

Petypon, allant et venant. — C'est vrai ça! Je me donne un mal énorme pour sortir de ce pétrin! Dieu merci, jusqu'ici, il n'y a pas eu d'éclat!...

Mongicourt, se frottant la joue, encore sous le

coup de la gifle qu'il a reçue. — Ah! Tu trouves qu'il n'y a pas eu d'éclat?

Petypon. — Enfin, il n'y a pas eu d'éclat... qui me touche!... Toi, tu es en dehors!... Ma femme ne se doute de rien; le général est toujours confit dans son erreur; actuellement j'ai pris mes dispositions pour que rien ne vienne modifier la situation : j'ai écrit ce matin au général que je pardonnais à ma femme et que pour sceller la réconciliation je partais ce soir avec elle en Italie.

Mongicourt. — Toi!

Petypon, avec des petits yeux malicieux. — Dans une heure je recevrai de Rome une dépêche du docteur Troudinelli ainsi conçue : « Êtes prié venir en consultation auprès du Saint-Père qui réclame vos lumières. Troudinelli! »

> *Scander ce nom ainsi : « Trou » — un temps, puis d'une traite « dinelli ».*

Mongicourt, le regardant, ahuri. — Comment le sais-tu?

Petypon, d'un ton malicieusement détaché. — C'est moi qui l'ai rédigée.

Mongicourt. — Hein?

Petypon. — Même d'abord j'avais mis « Vittorio Emanuelo » : Mais j'ai réfléchi qu'aujourd'hui les rois, avec leur manie de déplacements!... tandis que le Pape!... je suis bien sûr au moins qu'il ne bougera pas du Vatican!

Mongicourt, dégageant un peu à gauche. — Tu es machiavélique!

Petypon, revenant à la charge. — Et c'est ce plan si bien combiné que tu voudrais démolir, en allant manger le morceau auprès de mon oncle!

Mongicourt, retournant à Petypon. — Mais enfin, tu ne peux pourtant pas me demander, pour t'être agréable, de mettre ma gifle dans ma poche avec mon mouchoir par-dessus !

Il remonte.

Petypon. — Mais est-ce que je te demande ça ?

Mongicourt, redescendant pour s'asseoir sur le canapé. — Non, vraiment, quand je pense que j'ai fait *(Accompagnant chaque chiffre d'un coup de poing sur le siège du canapé.)* deux cent cinquante kilomètres pour encaisser une gifle !

Petypon, facétieux. — Oui, ça... c'est un peu loin !

Mongicourt, avec amertume. — Un peu !

Petypon, se montant. — Ah ! mais, aussi, tu es étonnant à la fin !

Mongicourt, interloqué. — Hein ?

Petypon. — La France est assez grande, cependant ! Il faut que tu ailles juste là-bas, dans un petit pays perdu ! à La Membrole ! qui est-ce qui connaît La Membrole ? au moment où il y a une gifle dans l'air ! Tu l'as cueillie... Il y a des gens qui ont la figure malheureuse ! Tu n'avais qu'à ne pas venir !

Mongicourt. — Ah ben ! non, tu sais !...

Petypon. — En tout cas, ce n'est pas une raison pour trahir un ami ! *(Avec mépris.)* Tout ça pour éviter de recevoir quoi ? Un petit coup d'épée.

Mongicourt, vivement, en se levant. — Pourquoi ce serait-il moi qui le recevrais ?

Petypon, du tac au tac. — Quoi ? c'est ce qui te fait reculer ! Car si tu étais sûr de le donner, ça te serait bien égal d'aller sur le terrain !

Mongicourt. — Moi!

Petypon. — Évidemment, parce qu'alors ce ne serait plus un duel; cela reviendrait à une opération chirurgicale : tu serais à ton affaire!... Et c'est à ça que tu t'arrêtes?

Mongicourt, suffoquant littéralement. — Oh!

Petypon. — Tu regardes à quoi? *(Avec un superbe dédain.)* à ta peau!... Ah! fi!... *(Impérieusement.)* Non!... non! tu ne parleras pas... Tu fais profession d'être mon ami, dis-tu?... eh bien! j'invoque le secret professionnel : tu ne parleras pas!

Mongicourt, qui n'entend pas de cette oreille. — Oui, eh bien! c'est ce que nous verrons!

 Bruit de voix à la cantonade.

Petypon, imposant silence à Mongicourt. — Chut! tais-toi!

Mongicourt. — Qu'est-ce qu'il y a?

Voix du Général, à la cantonade. — Mon neveu est chez lui? Oui?

Petypon, bondissant. — Nom d'un chien, mon oncle! *(Entraînant Mongicourt.)* Viens! Viens! voilà le général!

Mongicourt (1), se dégageant. — Eh bien! il arrive bien! je vais lui dire...

Petypon, vivement, en rattrapant Mongicourt. — Non, pas toi!... Je lui dirai, moi!... viens!... viens!

Mongicourt, prenant son chapeau sur la chaise derrière le canapé. — Bon! mais, alors, tu te charges d'arranger tout?

Petypon. — Oui, oui! J'arrangerai tout! viens! viens!

Ils sortent tous deux par le fond. Au même moment entre Étienne qui introduit la Môme et le général.

SCÈNE VII

Le Général, la Môme, Étienne, puis Gabrielle

Le Général (2), qui tient sous son bras deux épées enveloppées dans leur fourreau. — C'est bon! Eh bien! maintenant, allez prévenir le docteur que le général le demande.

Étienne, précisant. — Le général... et madame!

Le Général. — Non!... non! ne parlez pas de madame! Dites le général tout simplement.

Étienne, reluquant avant de sortir la paire d'épées que le général tient maintenant par les poignées, les pointes à terre. — Quel drôle de parapluie!

Il sort par la droite.

Le Général, tout en posant ses épées contre la chaise à droite de la baie. — Et maintenant, nous allons tout arranger!

Il pose son chapeau sur la table.

La Môme. — Oui, oh! ben!... Si vous croyez qu'il tient tant que ça à me voir!

Le Général. — Mais si! Mais si! Mais, au fait, il vaut peut-être mieux que je lui parle avant!... Tenez! entrez donc par là, dans le petit salon. Je vous appellerai au moment voulu.

Il la fait passer au 2.

La Môme, au général qui la conduit jusqu'à la porte de droite. — C'est ça, mon oncle! vous m'appellerez!

Elle sort.

Le Général, descendant à droite de la table. — Ah! bien, il va en avoir une surprise! *(On frappe à la porte de gauche, deuxième plan.)* Entrez!

Gabrielle, passant la tête par la porte entrebâillée. — La conférence est terminée?

Le Général, à part. — Sapristi! la folle!

Gabrielle, à part. — Le général!

Le Général, à part. — Mais qu'est-ce qu'elle fiche toujours chez mon neveu, celle-là?

Gabrielle, gagnant, toute sautillante, jusqu'à la gauche de la table. — Ah! général! que je suis heureuse!...

Le Général, frappant la table d'un violent coup du plat de la main, ce qui arrête net l'élan de Gabrielle. — Ah! je vous en prie, madame! Après ce qui s'est passé entre nous!...

Gabrielle, minaudant. — Quoi, général, vous y pensez encore?

Le Général. — Comment, si j'y pense!... Ma parole, vous ne me paraissez pas avoir la moindre conscience de la gravité de vos actes.

Il descend un peu à droite.

Gabrielle, de même. — Oh! si, mon oncle!

Le Général, se retournant et flanquant une nouvelle tape sur le coin de la table. — Ah! et puis,

ne m'appelez pas « mon oncle » ! *(Un temps.)*
Appelez-moi « général ».

*Il s'assied dans le fauteuil à droite de la table et
face à elle.*

Gabrielle, de même. — Quoi ? vous ne voulez pas
que je sois votre nièce ?

Le Général. — Non !... *(Prononcer « nan ».)*
Avant l'incident, j'ai bien voulu me prêter !...
mais maintenant !...

Gabrielle, au milieu. — Vous êtes donc intrai-
table ! Ah ! si vous saviez combien je regrette ce
qui s'est passé.

Le Général. — Il est bien temps, madame !

Gabrielle. — Mais, vous savez, j'étais déjà très
énervée par l'apparition de tous ces revenants !

*Le Général, avec un grand coup de poing sur la
table qui fait sursauter Gabrielle.* — Ah ! non,
hein ! Je vous en prie ! *(Se levant.)* Ne faisons pas
intervenir des blagues dans les choses sérieuses !

Gabrielle. — Des blagues ! mais, général, je vous
jure !...

Le Général. — Tenez, voulez-vous que je vous
donne un bon conseil ? Eh ! bien, quand il vous
arrivera d'en voir encore, des apparitions, prenez
donc une bonne trique ; et flanquez-lui une roulée à votre apparition ; vous verrez ce qu'il en restera !

Gabrielle, gagnant légèrement la gauche. — Oh !
général, pouvez-vous blasphémer !

Le Général. — Parfaitement ! *(Tout en venant à
elle.)* Ça vous édifiera sur la valeur de vos
croyances, et évitera pour l'avenir de vous faire

commettre des actes... que vous déplorez ensuite.

Gabrielle, avec élan. — Oh! oui, général, de tout mon cœur! et je vous en demande bien sincèrement pardon.

Le Général, promène un instant sur elle un regard de côté, puis sur un ton radouci. — Allons! soit, madame! *(Lui donnant une petite tape amicale sur la joue.)* devant l'expression de vos regrets...

Gabrielle, même jeu. — Ah! général!...

Le Général, l'arrêtant court. — Mais ceci, bien entendu, à la condition que votre mari confirme vos excuses en y ajoutant les siennes!

Il passe au 1 devant Gabrielle.

Gabrielle. — Oh! si ce n'est que ça, il vous les fera.

Le Général. — Vous comprenez, moi... j'ai giflé votre mari!

Gabrielle. — Hein! aussi? Il ne me l'avait pas dit.

Le Général. — Tiens, parbleu! il ne s'en est pas vanté! *(Remontant fond droit.)* Moi, au fond, je ne lui en veux pas.

SCÈNE VIII

Les mêmes, Petypon

Petypon (1), surgissant du fond. — Ah! mon oncle! *(A part.)* Fichtre, ma femme!

Le Général (2), se retournant à la voix de Pety-

pon. — Eh! Arrive donc, toi! tu me fais attendre.

En ce disant, il descend obliquement vers la gauche en passant devant Petypon.

Gabrielle, qui est allée vivement à Petypon. — Ah! Lucien! Nous nous sommes expliqués avec le général. Il est bon! Il m'a pardonnée.

Petypon. — Oui?

Le Général, de l'extrême gauche et face au public. — Ah! oui, mais à condition que votre mari me fera des excuses.

Petypon. — Mais comment donc! Mais c'est entendu.

Le Général, entre chair et cuir. — Oui! Enfin ça... c'est son affaire!

Il s'assied sur le canapé.

Petypon. — Chère amie, j'ai à causer avec mon oncle, alors, si tu veux bien!...

Gabrielle, se dirigeant vers la porte de droite, accompagnée par Petypon. — Oui, oui! comment donc! (*Fausse sortie. Se retournant vers Petypon, et à voix basse.*) Dis donc! Tu ne m'avais pas dit que le général t'avait giflé.

Petypon, la suivant. — Hein! Moi? Quand ça donc?

Gabrielle. — C'est lui qui vient de me le dire...

Petypon. — Ah! oui!... Oh! j'étais tout petit!

Gabrielle. — Mais non, hier!

Petypon. — Ah! hier, oui! oui! oh! mais si gentiment.

Gabrielle. — Ah ?

Petypon. — D'un oncle, tu sais, c'est une taloche.

Gabrielle, peu convaincue par cette explication. — Oui ! Oui !

Petypon. — Allez ! va ! va !

Il la fait sortir et referme la porte.

Le Général, qui de son canapé n'a pas cessé de les observer d'un œil amusé. — Dis donc ! C'est pas possible ! T'en pinces pour elle !

Petypon, redescendant. — Hein ! Moi ? Pourquoi ?

Le Général. — Dame, chaque fois qu'on vient ici on la trouve !... Sais-tu que, si elle était un peu moins... blette, ça donnerait à jaser !

Il se lève.

Petypon, qui goûte peu ce genre de plaisanterie. — Oh ! mon oncle.

Le Général, se rapprochant de Petypon. — Comment s'appelle-t-elle déjà ? Tu me l'as présentée, mais je ne peux jamais me rappeler un nom !

Petypon, vivement. — Hein ?... Madame, euh !... *(S'arrêtant court, puis bien froidement.)* Madame Mongicourt.

Le Général. — Ah ! C'est ça !... Oui, oui ! « Mongicourt » ! *(Répétant.)* « Mongicourt » ! Je penserai à « gilet ».

Petypon (2), le regardant étonné. — A « gilet » ?

Le Général. — Oui !... « Mon-gilet-est-trop-court »... « Mon-gilet-est-court »... « Mon-gilet-court »... « Mongicourt ! » *(Un temps.)* J'arrive au nom comme ça.

Petypon. — Ah! oui!... *(Un temps.)* Maintenant, est-ce que vous ne croyez pas que vous auriez plus vite fait de vous rappeler « Mongicourt » tout bonnement ?

Le Général (1), dégageant à gauche. — Oh! là! là! Oh! non!... Non!... c'est trop compliqué!

Petypon. — Ah?

Le Général, revenant à Lucien. — Mais, je ne suis pas venu ici pour parler de ça! Lucien! je viens te prêcher la conciliation.

Petypon. — Comment ça?

Le Général. — Il ne s'est rien passé entre ta femme et Corignon!

Petypon, jouant le doute. — Oui, oh!...

Le Général, l'arrêtant du geste. — J'en ai eu la certitude... Donc, je viens te dire : « Oublie et pardonne! »

Petypon. — Ah! mon oncle! *(Lui prenant la main.)* c'est tellement mon avis, que je vous ai écrit ce matin pour vous annoncer que je pardonnais à ma femme; et que, pour sceller la réconciliation, je l'emmenais dès ce soir en Italie!

Le Général. — Oui? Ah! que je suis heureux! *(Brusquement le faisant virevolter par les épaules.)* Attends-moi! Attends-moi!

   Il se dirige précipitamment vers la porte fond droit en passant au-dessus de Petypon.

Petypon, abasourdi. — Hein? Quoi? Qu'est-ce?

Le Général. — Attends-moi!

   Il sort.

Petypon, abasourdi, gagnant la gauche devant le canapé. — Eh bien! où va-t-il? Qu'est-ce qui lui prend?... Ah! là! là! Quel bolide que cet homme! Heureusement que je ne suis pas fragile!

SCÈNE IX

Petypon, le Général, la Môme

Le Général, arrivant avec la Môme. — Venez, mon enfant! Venez!

Petypon, bondissant en reconnaissant la Môme. — Hein?

Le Général, poussant la Môme vers Petypon. — Et jetez-vous dans les bras de votre mari! il vous pardonne.

La Môme, entrant dans la peau du rôle, allant à Petypon les bras tendus. — Lucien!...

   Prononcer « Lucian ».

Petypon, hors de lui. — Ah! non! non! ça ne va pas recommencer! Emmenez-la! je ne veux plus la voir! emmenez-la!

Le Général, descendant. — Hein? Mais comment?...

Petypon, se réfugiant à l'extrême gauche. — Non, non! je l'ai assez vue, celle-là! *(Envoyant des ruades dans le vide dans la direction de la Môme.)* Emmenez-la, je vous dis! emmenez-la!

Le Général, descendant (2) entre la Môme et Petypon. — Mais, voyons! Mais tu perds la tête!

La Môme, commençant à sentir la moutarde lui

monter au nez. — Ah! et puis, zut, tu sais!...
Moi, ce que j'en fais c'est pour le général! mais je
m'en fiche, après tout! qu'il reste donc avec sa
vieille peau!

Le Général. — Hein!

Petypon. — Qu'est-ce qu'elle a dit?

La Môme. — Bonsoir!

*Elle remonte vers la porte comme pour s'en
aller.*

Le Général, la retenant. — Non, non, mon
enfant! Au nom du ciel! pas de coup de tête!
vous le regretteriez.

*La Môme, se laissant ramener par le géné-
ral.* — C'est vrai, ça! Je me mets en quatre pour
lui être agréable!... pour lui éviter des embêtements!

*Petypon, craignant les pieds dans le
plat.* — Hein? Oui, chut!

La Môme. — Il n'y a pas de « hein? oui!
chut!... ».

Le Général, cherchant à la calmer. — Mon
enfant! mon enfant!

La Môme. — Estime-toi bien heureux que je sois
bonne fille, parce que sans ça!...

Le Général (2). — Oui, oui! vous avez raison!
Tenez! Allez m'attendre dans le petit salon.

La Môme. — Oui, oh! ben, je l'ai assez vu, le
petit salon.

Le Général. — Si! Si! mon enfant, je vous en
prie! Je vous appellerai.

La Môme, se laissant amadouer. — Ah! ben,

c'est bien pour vous, allez!... Ah! là là!... *(Sur le pas de la porte, avant de sortir.)* A-t-on jamais vu! Ce vadrouilleur à la manque!

Elle sort.

SCÈNE X

Petypon, le Général, puis Étienne

Le Général (2), qui a accompagné la sortie de la Môme, revenant sur Petypon toujours extrême gauche. — Ah! çà, mais tu es fou? Qu'est-ce qu'il te prend?... Comment! tu me dis que tu lui pardonnes; que tu l'emmènes en Italie; et quand je la jette dans tes bras, voilà comment tu l'accueilles?

Petypon (1), devant le canapé, l'air contrit. — Je vous demande pardon, mon oncle! mais sur le moment, n'est-ce pas?... Après ce qui s'est passé!... un mouvement de révolte!...

Le Général, presque crié, comme s'il parlait à un sourd. — Mais puisque je te dis qu'il ne s'est rien passé!

Petypon (1). — Oui, vous avez raison, mon oncle, appelez-la donc et que tout soit fini!

Le Général, lui tapant amicalement sur l'épaule. — A la bonne heure! Voilà qui est bien parlé.

Petypon. — Oui!

Petypon, avec la moue d'un homme très ému, regarde le général, en le remerciant de la tête, puis brusquement, comme obéissant à l'élan de son cœur, lui tend la main droite.

Le Général, lui serrant énergiquement la main de sa main droite. — Mais, dame, voyons! *(Il fait mine de remonter vers la porte du fond. Petypon, qui n'a pas lâché sa main, le tire à lui. Le général, ramené contre Petypon.)* Qu'est-ce qu'il y a? *(Petypon, sans lâcher la main du général, tend sa main gauche, par-dessus son poignet droit. Le général, regardant la nouvelle main qu'il lui tend.)* Ah! *(Il lâche la main droite de Petypon, et de sa main gauche lui serre la main gauche.)* Mais oui, oui! *(Il fait de nouveau volte-face pour s'en aller, mais Petypon, qui ne l'a pas lâché, le ramène à lui comme précédemment et lui tend sa main droite par-dessus sa main gauche. Le général regarde cette troisième main, étonné, puis.)* Y en a plus?

Petypon, dans un reniflement d'émotion. — Non!

Le Général. — C't heureux!

Petypon, à part, tandis que le général remonte. — Je la ficherai à la porte dès qu'il sera parti, voilà tout!

Le Général, fausse sortie. — Ah! si je n'étais pas là pour tout arranger!

Étienne, paraissant à la porte sur le vestibule. — Monsieur, il y a deux messieurs qui sont déjà venus avant-hier.

Petypon. — Quels deux messieurs?

Étienne, descendant au-dessus et à gauche du fauteuil extatique. — Messieurs Marollier et Varlin. Ils disent qu'ils viennent de la part de monsieur Corignon.

Le Général, exclamation. — Ah!

Petypon. — Quoi?

Le Général. — Je sais!

Petypon. — Ah!

Le Général. — C'est pour ton duel!

Petypon, bondissant et remontant vers le général. — Comment, mon duel!

Le Général, catégorique. — Oui!... Tu te bats avec Corignon!... Je lui ai dit que tu attendais ses témoins.

Petypon, redescendant devant le canapé. — Hein! Mais pas du tout! Mais en voilà une idée!

Le Général, à Étienne. — Priez ces messieurs d'attendre au salon!... *(Au moment où Étienne fait demi-tour pour sortir, — brusquement.)* Non! *(Demi-tour d'Étienne en sens inverse.)* Madame y est!... Dans la salle à manger!...

Petypon, effondré. — Oh! là là! là là!

Le Général, rappelant Étienne qui déjà s'en allait. — Ah!... *(Étienne revient.)* et puis, dites à madame Petypon!... *(Répétant, pour bien préciser.)* à madame Petypon... que le général la prie de venir dans le cabinet de monsieur.

Petypon, vivement. — Hein! Mais non! mais non!

Le Général, à Étienne. — Mais si, mais si! quoi? Allez!

Étienne. — Oui, mon général!

Petypon, descendant devant le canapé. — Ah! ça va bien! Ah! ça va bien!...

Le Général, descendant avec les épées qu'il est allé prendre au fond. — Et maintenant, dis que je ne suis pas un homme de précaution.

Il tire une des épées hors de la gaine.

Petypon, se retournant. — Quoi? *(Manquant de s'embrocher.)* Oh!

Le Général (2), relevant l'épée. — Eh! là!... attention, que diable!... il est inutile de te blesser d'avance! *(Plaisamment.)* c'est l'ouvrage de ton adversaire!

Petypon (1). — C'est délicieux! *(Changeant de ton.)* Ah! çà mon oncle, ça n'est pas sérieux!

Le Général, sur les derniers mots de chaque phrase, fouettant l'air avec son épée de façon à raser le nez de Petypon qui est face au public, légèrement au-dessus de lui, et qui sursaute à chaque coup. — Comment ça, pas sérieux? Ce garnement mérite une leçon! *(Même jeu.)* Moi, comme général, je ne peux pas la lui donner! *(Même jeu.)* mais toi, comme mari offensé!...

Même jeu, après quoi il va poser les épées sur la table, les poignées du côté de l'avant-scène.

Petypon, descendant extrême gauche. — Mais, qu'est-ce qu'ils ont donc tous à vouloir que je me batte?

SCÈNE XI

Les mêmes, Mongicourt, puis Gabrielle

Mongicourt, passant la tête par l'embrasure des rideaux de la baie et appelant à voix basse. — Eh! Petypon?

Petypon, bondissant. — Nom d'un chien, l'autre! *(Se précipitant vers Mongicourt, et bas.)* Oui, oui! ça va bien! je suis en train! Va, je t'appellerai!

Mongicourt, à mi-voix. — Enfin, dépêche-toi!

Petypon. — Mais va donc! puisque je te dis que je suis en train!

Il le repousse dans la pièce du fond.

Le Général, qui rangeait les épées, se retournant. — Qu'est-ce que c'est?

Petypon, se retournant vivement en tenant les deux rideaux fermés derrière lui. — Rien!... un malade!... un malade qui s'impatiente!... Oh! il peut attendre!... c'est une maladie chronique!

Il redescend et gagne le 1 devant le canapé.

Voix de Gabrielle. — Dans le cabinet de monsieur? Le général? Bon!

Le Général, allant à Petypon. — Oh! on vient de ce côté!... Ça doit être ta femme. Tu ne vas pas recommencer comme tout à l'heure?

Petypon, voyant entrer Gabrielle. — Nom d'une pipe! Gabrielle! v'là ce que je craignais!

Le Général, se retournant et reconnaissant Gabrielle. — Allons, bon! encore la folle.

Gabrielle, allant, toute sautillante, jusqu'au général. — Vous m'avez fait demander, général?

Le Général, avec un haussement d'épaules, passant devant Gabrielle et gagnant la droite. — Mais non, madame! Mais non!

Petypon (2), faisant passer sa femme au 1. — Non, non! c'est une erreur!... Va dans ta chambre! va dans ta chambre.

Le Général (3), debout devant le fauteuil extatique, à part. — Ils se tutoient!

Gabrielle (1), à Petypon. — Mais non!... Étienne m'a dit que le général me priait de venir dans ton cabinet.

Le Général, éclatant de rire. — Non? Ah! quel idiot! *(Se laissant tomber sur le fauteuil extatique en se tordant de rire.)* Il m'envoie madame Mon... Mongiletcourt...

Petypon, voyant le général sur le fauteuil. — Oh!

Gabrielle, devant le canapé. — Qu'est-ce qu'il dit?

Le Général, tandis que Petypon en catimini s'élance derrière le fauteuil extatique. — ... quand je l'ai chargé de faire venir madame Pet...

> *Le général reçoit le choc électrique et reste figé et souriant : c'est que Petypon, vivement, a frappé sur le bouton du fauteuil et que le fluide opère.*

Petypon, à part, tout en s'éloignant, de l'air le plus détaché du monde. — Ouf!

> *Les pouces dans l'emmanchure du gilet, il gagne avec un air détaché jusqu'au-dessus du canapé et va s'asseoir sur le bras gauche de ce dernier.*

Gabrielle, qui n'a pas vu tout le manège de son mari, tournée qu'elle est vers l'avant-scène gauche, au bout de six ou sept secondes, étonnée de ne plus entendre le général, se retournant de son côté. — Ah! mon Dieu!... le général! vois donc!...

> *Tout en parlant, instinctivement, elle s'est élancée vers le général.*

Petypon, sans se retourner. — Quoi?

Gabrielle, à peine a-t-elle touché l'épaule du général, recevant la commotion. — Ah!

> *Elle reste figée, le sourire aux lèvres, la main gauche sur l'épaule du général, la droite en l'air, le corps bien face au public. Un temps de quatre ou cinq secondes.*

Petypon, sans se retourner. — Eh ben! quoi? que je voie quoi? *(N'obtenant pas de réponse, il se retourne et apercevant sa femme en état d'extase.)* Gabrielle! qu'est-ce que tu fais?

Il se précipite vers elle, instinctivement lui aussi, l'attrape par le bras, et, subissant le fluide, glisse à terre par la force de l'élan, et reste figé sur place, les jambes allongées parallèlement à la rampe, la main gauche tenant toujours le bras de sa femme, la main droite appuyée à terre. Huit ou neuf secondes se passent ainsi. Se baser pour cela sur l'intensité et la durée de l'effet, attendre le descrescendo du rire.

SCÈNE XII

Les mêmes, Étienne, Chamerot, puis Mongicourt

Étienne, au bout de ce temps, paraissant à la porte de droite et annonçant. — Monsieur Chamerot! *(Il attend trois ou quatre secondes qu'on lui dise : « Faites entrer ! », il regarde, étonné, du côté du groupe; ne comprenant rien à ce qu'il voit, il avance plus près. Avec stupeur.)* Ah!... mais qu'est-ce qu'ils ont? *(S'avançant jusqu'au-dessus du fauteuil, entre madame Petypon et le général.)* Monsieur!... Madame!... Ah!

Choc, extase; il a touché de la main droite l'épaule de madame Petypon et le courant a opéré. De nouveau huit secondes environ.

Chamerot, las de poser dans le vestibule, entrant carrément. — Eh ben! quoi donc, ma petite Môme! on fait attendre comme chez le dentiste? *(Descendant au milieu de la scène.)* Oh! sapristi, du monde!... Mon Dieu! le général! *(La main au képi, parlant au général.)* Mon général, excusez-moi!... J'allais chez mon oncle qui demeure au-dessus... je me serai évidemment trompé d'étage, et... Comment?... Oh! pardon, je croyais que mon général me parlait... *(Devant le silence général, regardant de plus près.)* Ah! çà, qu'est-ce qu'ils ont? Ils sont changés en statues! *(S'affolant.)* Ah! mon Dieu, mais ils sont pétrifiés! *(Courant jusqu'à la baie du fond, dont il écarte les rideaux, en passant, sans les ouvrir.)* Au secours! A l'aide! *(Sans s'arrêter, il est allé jusqu'à la porte de gauche qu'il entrouvre pour crier.)* Au secours! une catastrophe! au secours!

Mongicourt, accourant par la baie et se précipitant à la suite de Chamerot. — Qu'est-ce qu'il y a? Qu'est-ce qu'il y a?

Chamerot, qui, sans s'arrêter, a fait le tour du canapé, traversant la scène en courant dans la direction du groupe. — Je ne sais pas, monsieur! Là! là! regardez-les!

Il a saisi le bras de Gabrielle, et, toc! reste figé dans la position du coureur, une jambe en l'air, tandis que sa main droite vient coiffer du képi qu'elle tient, la tête de Petypon (visière du côté de la nuque.)

Mongicourt, devant le canapé. — Sapristi! ils ont oublié de mettre les gants! *(Se tordant.)* Le musée Grévin à domicile!... C'est à se tordre! et je n'ai pas d'appareil pour faire un instantané! *(Tout en se tordant, il a traversé la scène, pour remonter jusqu'au-dessus du fauteuil. Frappant sur le bouton de droite.)* Allez! debout, les dormeurs!

Il redescend au 1 devant le canapé. Choc simul-

tané chez les cinq dormeurs, sur l'arrêt brusque
de la machine, puis, chacun poursuivant son
rêve extatique.
*(Ensemble, pendant que Mongicourt (1) suit le
spectacle, amusé.)*
Petypon (2) dansant et chantant :
A la Monaco, l'on danse,
L'on y danse,
A la Monaco, l'on danse tout en rond !
(Boléro de la Cruche cassée.)
Trala lalala, lalala, lala, la, *etc.*

Il descend vers le canapé.
*Chamerot (3), avec des gestes d'amour, son képi
dans la main.*
Vous êtes si jolie.
O mon bel ange blond,
Que mon amour pour vous est un amour pro-
fond,
Que jamais on n'oublie, *etc.*
Le Général (4), devant la table.
As-tu vu la casquette, la casquette,
As-tu vu la casquette au père Bugeaud ?
Taratata, ratata, ratata, ratataire,
Taratata, ratata, ratata.
Gabrielle (4), amoureusement, à Étienne.
Oh ! parle encore,
Ah ! je t'adore.
Oui, près de toi, je veux mourir.
Ah ! oui, mourir, mourir !
*Étienne (5), enlaçant la taille de Gabrielle et chan-
tant sur un air à lui.*
Aglaé, ne sois pas farouche,
Aglaé, ne m' fais pas droguer,
Et donn'-moi ta bouche,
Ta bouche à baiser...

*Presque en même temps, le réveil s'opère chez
chacun des sujets.*

(Presque en même temps)

Petypon, à part. — Qu'est-ce qu'il y a eu donc?

Gabrielle, à part, dans les bras d'Étienne. — Où suis-je?

Chamerot, à part. — Eh! ben, mais, quoi donc?

Le Général, à part, descendant à droite. — Ah! çà, j' bats la breloque?

Tous, étonnés de se voir. — Ah!
Étienne, en retard sur le réveil général, bissant le dernier vers de la chanson.
... Ta bouche à baiser.

    Il embrasse Gabrielle sur les lèvres.

Gabrielle, complètement réveillée par ce baiser. — Étienne! ah! pouah!

    Elle le repousse.

Étienne. — N... de D...! la patronne!

    Il détale, poursuivi jusqu'à la porte par Gabrielle furieuse.

Chamerot, apercevant le général. — Le général ne m'a pas vu! filons!

    Il se précipite vers la porte de sortie qu'obstrue Gabrielle. Sans égard, il la fait pirouetter, l'envoie descendre avant-scène droite, et s'éclipse.

Gabrielle. — Oh! brutal!

Mongicourt, sur un ton moqueur, à Petypon. — Eh! ben, mon vieux!...

Petypon, qui, à peine revenu à lui, n'avait pas remarqué Mongicourt. — Sapristi, Mongicourt!

Mongicourt (1). — Et maintenant, puisque voici le général! (Au général.) Général!

Petypon, affolé en devinant son intention. — Non! non! Pas maintenant!

Le Général (3), devant la table. — Monsieur Mon... Mongilet trop court!...

Mongicourt, à Petypon. — Comment est-ce qu'il m'appelle?

Le Général, s'avançant milieu de la scène. — Nous n'avons rien à nous dire, monsieur!... que par l'entremise de nos témoins!

Mongicourt, s'avançant vers le général, dont il est séparé par Petypon. — Mais, permettez!...

Petypon, presque crié, en essayant de repousser Mongicourt. — Si! si! il a raison!

Le Général, à Petypon. — Toi! attends-moi!... je vais chercher ta femme!

Petypon, à pleine voix, de façon à couvrir la voix du général, sur « ta femme ». — Aha!... Oui, oui! je sais!... allez!

Le Général. — Je reviens.

Il sort de droite.

Gabrielle, aussitôt le général sorti, se rapprochant curieusement de Petypon. — Qu'est-ce qu'il a dit qu'il va chercher?

Petypon, vivement. — Rien, rien! sa pipe, il va chercher sa pipe.

Gabrielle. — Mais non, il a dit « ta femme ».

Petypon. — Parfaitement! « Taphame », c'est comme ça que ça s'appelle en Algérie! Ça veut dire pipe en arabe.

Gabrielle. — Ah?

Petypon. — On dit je fume ma « Taphame ».

(Cherchant à les entraîner dans la chambre de gauche.) Tenez! allons par là! Voulez-vous? Allons par là!

Mongicourt, résistant. — Ah! çà, mais tu ne lui as donc pas parlé?

Petypon, sur des chardons. — Mais si! mais si! Seulement, ça ne se fait pas si vite!...

Voix du Général, à la cantonade. — Mais oui, mon enfant, mais oui! Je vous en réponds!

Petypon, à part, bondissant. — Le voilà qui revient! *(Saisissant Mongicourt et Gabrielle chacun par un poignet et les ramenant tous deux l'un contre l'autre pour les pousser en paquet vers la pièce de gauche.)* Venez par là, venez par là!

(Ensemble)
Gabrielle. — Mais, pourquoi, pourquoi?

Mongicourt. — Mais non, mais non!

> *Bousculés et roulant l'un contre l'autre dans la poussée de Petypon.*

Petypon, poussant de plus belle. — Allez! Allez!

Le Général, paraissant à la porte de droite. — Ah! Lucien, mon garçon!...

Petypon. — Oui, oui, tout à l'heure! *(Envoyant une dernière poussée.)* Mais, allez donc!

> *Ils disparaissent tous trois derrière la porte, qui se referme.*

SCÈNE XIII

Le Général, la Môme

Le Général, ahuri. — Eh! bien, quoi? il s'en va au moment où nous arrivons! *(Se retournant pour faire entrer la Môme qui attend dans le vesti-bule.)* Venez, mon enfant, venez, je vais vous ramener votre mari aussi empressé et amoureux que par le passé.

La Môme, qui suit le général. — Ah! ben! c'est bien pour vous, général, ce que j'en fais!

Le Général (1), milieu de la scène, serrant la Môme affectueusement dans son bras gauche. — Allons, mon enfant, pas de nerfs surtout! pas de nerfs.

La Môme (2), appuyée langoureusement contre sa poitrine. — Ah! vous êtes bon, vous, général! *(Lui frisant sa moustache de la main droite.)* Vous me comprenez.

Le Général, bien culotte de peau. — Mais oui, je suis bon!... *(Se campant bien face au public, les jambes écartées, les genoux pliés, et les mains sur les genoux.)* Allons, ma nièce, embrassez votre oncle.

Il tend sa joue.

La Môme, langoureusement. — Ah! oui, mon oncle!... Avec joie!

Elle lui prend la tête entre les deux mains, la tourne face à elle au grand étonnement du général, et longuement lui promène ses lèvres sur les yeux.

Le Général, très troublé, entre chair et cuir. — Oh! nom d'un chien!... *(Plus fort.)* Oh! nom d'un chien! *(Se dégageant et gagnant la droite.)* Ah! nom d'un chien de nom d'un chien, de nom d'un chien!

La Môme, avec un lyrisme comique. — Ah! ce baiser m'a fait du bien!

Le Général, à part, avec élan, tout en revenant à la

Môme. — Ah! si elle n'était pas ma nièce! Cré nom de nom!

La Môme, langoureusement appuyée contre la poitrine du général, tout en lui caressant les cheveux. — Ah! C'est un homme comme vous qu'il m'aurait fallu, général! un homme... (*Lui introduisant furtivement l'index dans l'oreille, ce qui le fait sursauter.*) qui me comprît!... Ah! je vous assure qu'avec vous!...

Le Général, se dégageant si brusquement que la Môme manque en perdre l'équilibre. — Eh! Quoi?... Alors, mon neveu!... Il ne vous comprendrait pas?

La Môme. — Oh! pour ce que je lui suis!...

Le Général, revenant à elle et lui prenant les mains. — Est-il possible! Il vous délaisse!... Oh!... (*Brusquement, comme une trouvaille.*) Et pour une autre peut-être!

La Môme, courbant la tête. — Oh! ne parlons pas de ça!

Le Général. — Ah! nom de nom! Je comprends maintenant le pourquoi de votre coup de tête!

La Môme, laissant tomber sa tête contre l'épaule gauche du général. — Je n'en calculais pas la portée.

Le Général, la serrant dans son bras gauche et, par un mouvement circulaire de la main droite renversée, désignant la Môme, en lui dirigeant les extrémités de ses doigts dans le creux de l'estomac. — Ah! pauvre innocente!... que de ménages ainsi disloqués par l'incurie des maris!

Il lui donne un gros baiser.

La Môme, avec élan. — Ah! mon oncle!

Elle lui prend la tête comme précédemment et l'embrasse longuement sur les yeux.

Le Général, *émoustillé, tandis qu'elle l'embrasse.* — *Entre chair et cuir.* — Ah! nom de nom!... *(Un peu plus fort.)* Ah! nom de nom! *(Se dégageant et gagnant la droite en ramenant nerveusement un côté de sa redingote sur l'autre.)* Ah! nom de nom, de nom, de nom! *(Avec transport.)* Ah!... pourquoi faut-il qu'elle soit ma nièce! *(Revenant à elle et l'enlaçant fiévreusement de son bras gauche.)* Et c'est cette petite femme-là que son mari, par son indifférence, jetterait dans les bras d'un autre?... Non, non! *(Il l'embrasse sur la tempe droite.)* Je ne veux pas d'un autre!... *(Nouveau baiser.)* Un autre ne l'aura pas!... *(Nouveau baiser.)* Tenez, mon enfant. *(La conduisant au fauteuil extatique.)* asseyez-vous là! *(Tandis que la Môme s'assied, gagnant la gauche.)* Je vais lui parler, moi, à votre mari!... et nous verrons!... *(Revenant à la Môme.)* Ah! mais, si je m'en mêle, mille millions de tonnerres!... *(Il donne un grand coup de poing sur le bouton gauche du fauteuil; courant, — choc. La Môme est endormie. Le général, sans se rendre compte de l'effet de son geste, a gagné à grandes enjambées la porte de gauche; arrivé sur le seuil, il se retourne et avec un geste de la main.)* Bougez pas!

Il sort. — Un temps. — La porte de droite s'ouvre et Étienne paraît.

SCÈNE XIV

La Môme, endormie, Étienne, le Duc

Étienne, *annonçant.* — Le duc de Valmonté!

Il s'efface pour laisser passer le duc puis sort.

Le Duc, un nouveau bouquet à la main, allant droit au canapé et s'asseyant. — J'espère que cette fois je serai plus heureux!... Je ne la comprends pas! C'est elle qui m'a demandé de venir... je lui fais dire que je suis là, et elle m'envoie la vieille! Ah! non, ça!... *(Apercevant la Môme endormie.)* Eh! mais la voilà! *(Se levant.)* Ah! madame, vous étiez là! moi qui désespérais de vous voir!... Ah! je suis bien heureux! j'ai bien pensé à vous depuis hier, aussi je n'ai eu de cesse!... J'ai dit à maman que je venais chez vous... elle m'a chargé de vous exprimer tous ses bons souvenirs!... Alors, n'est-ce pas?... Mais qu'est-ce que vous regardez comme ça?... *(A part.)* Qu'est-ce qu'elle regarde? *(Haut.)* Madame! *(A part.)* Elle me fait une blague. *(Haut.)* Madame, je vous préviens que, si vous me faites une blague, je vais me venger!... Mais... en vous embrassant, madame... Oh! vous pouvez sourire!... Vous ne me connaissez pas, quand une fois je m'y mets!... Une fois? Deux fois? Vous ne voulez pas me répondre? Non? Eh bien! tiens!

Il se jette à genoux et l'embrasse. Immédiatement, contact, choc. Le duc, sa figure dans le cou de la Môme, son bouquet à la main, subit l'effet du fluide.

SCÈNE XV

Les mêmes, endormis, le Général et Petypon

Le Général, de la coulisse, tout en ouvrant la porte de gauche. — Viens, mon ami! *(Paraissant et entrant à reculons en train qu'il est de parler à*

Petypon qui le suit.) Viens la voir, l'image de l'Innocence! Regarde-la l'image de l'Innocence! *(Se retournant et apercevant le groupe endormi.)* Ah!

Petypon. — Allons, bon! qui est-ce qui a fait marcher le fauteuil!

Tout en parlant il passe devant le général et gagne jusqu'au fauteuil.

Le Général, descendant à droite du canapé. — Mais, qu'est-ce que c'est?

Petypon, pressant sur le bouton de droite du fauteuil. — C'est rien! Tenez!

Il remonte devant la porte de droite. Le duc et la Môme ont reçu le choc. — un temps, — puis :

(Ensemble dans les bras l'un de l'autre)
Le Duc. — Une femme du monde! Je suis l'amant d'une femme du monde! Oh! maman! maman!

La Môme. — Ouh! le petit Ziriguy à sa Momôme! Ouh! ma choute! Oh! mon lapin vert.

Ils s'embrassent.

Le Général. — Qu'est-ce qu'ils racontent?

Mais le réveil s'est produit de part et d'autre. Ils se regardent étonnés et se lèvent. La Môme descend devant la table, le duc à gauche du fauteuil. Tous deux ont encore le regard un peu égaré.

Le Duc. — Où suis-je?

La Môme. — Eh! bien, quoi?

Le Duc, revenu à lui tout à fait, apercevant le général. — Le général!

Il se précipite instinctivement vers la porte de sortie, va donner contre Petypon qui observe le passage, et, rebroussant chemin, se précipite dans la chambre du fond.

Le Général. — Hein! d'où sort-il, celui-là?

La Môme (3), *descendant à droite*. — Mais qu'est-ce que j'ai eu donc?

Petypon (2), *descendant à gauche du fauteuil extatique*. — C'est rien! rien!... C'est le fauteuil extatique: quand la bobine est en mouvement et qu'on s'assied, on s'endort.

Le Général (1). — Non?... Tout le monde?

Petypon, *descendant milieu de la scène*. — Tout le monde.

Le Général. — Ouida! ah! ben, moi... ça ne m'endormirait pas!...

Petypon, *sur un ton railleur*. — En vérité!

Le Général, *passant au 2 pour aller à la Môme*. — Mais c'est pas tout ça! Mes enfants, nous voilà en présence, pas d'explications et embrassez-vous!

Petypon, *à part*. — Ah! ma foi, puisqu'il n'y a pas moyen autrement!... *(Haut.)* Dans mes bras, ma femme!

Le Général, *la poussant vers Petypon*. — Allez-y, sa femme!

La Môme, *se jetant dans les bras de Petypon, dans un lyrisme comique*. — Lucien!

En s'embrassant ils pivotent lentement sur eux-mêmes de façon à prendre, la Môme le 1, Petypon, le 2.

SCÈNE XVI

Les mêmes, Gabrielle, puis Étienne

Gabrielle, surgissant brusquement de gauche et poussant une exclamation en voyant le tableau. — Ah!

Elle descend par la gauche du canapé.

Petypon, se dégageant vivement et à part. — Sapristi, ma femme!

Le Général, à part, gagnant la droite. — Ça y est! v'la la loufetingue!

Gabrielle, allant à la Môme, les bras tendus. — Oh!... Comment, c'est toi! C'est toi qui es là!

Petypon, à part. — Hein!

La Môme (2), embarrassée. — Mais oui, c'est... c'est moi!

Gabrielle (1), lui faisant fête. — Ah! que je suis contente de te voir!

Petypon (3), à part, ahuri. — Ma femme tutoie la Môme!

Gabrielle, qui tient la Môme par les mains, l'attirant à elle et l'embrassant. — Ah! ma tante!

Petypon, à part. — Qu'est-ce qu'elle dit?

Gabrielle, même jeu. — Ma chère tante!

Le Général (4). — Ça y est!... v'là la crise...

Gabrielle. — Ah! ce que je suis contente!... *(Passant au 2 et à Petypon.)* Ma tante! C'est ma tante! *(A la Môme.)* Oh! mais je ne t'ai pas dit. Je ne t'ai pas dit ce qui s'est passé à La Membrole!

La Môme, à moitié abrutie. — Non!...

Petypon, bondissant vers elle. — Non! non! C'est pas la peine! nous savons! nous savons!

Gabrielle. — Mais ma tante ne sait pas...

Petypon. — Oui, eh! bien, c'est pas le moment! pas ici! pas ici!

Gabrielle. — Ah! comme tu voudras! *(A la Môme.)* Eh! bien, alors, viens dans ma chambre; je te raconterai.

Petypon, voyant Gabrielle qui déjà remonte avec la Môme par la droite du canapé, essayant de s'interposer. — Mais non! mais non!

Gabrielle. — Mais si, quoi?... Je te laisse avec le général et j'emmène ma tante!... *(Avec élan.)* Viens, ma tante!... ma chère tante!

Petypon, les suivant. — Mais, voyons...

La Môme. — Oh! ce qu'elle m'embête, ma nièce!

   Elles sortent toutes deux par la gauche.

Petypon, qui a suivi jusqu'à la porte, redescendant extrême gauche. — Mon Dieu! Il me semble que je navigue dans un rébus!

   Tout en parlant, il a passé devant le canapé et s'assied sur le bras droit de ce dernier.

Le Général, riant encore de la scène qu'il vient de voir. — Ah! c'est pas pour dire, mais elle est vraiment marteau avec sa manie de parenté!...

Petypon, riant sans conviction. — Oui!... Oui! elle est un peu...

Le Général, allant vers Petypon. — Mais laissons cette échappée de cabanon...

Petypon, à part. — Oh!

Le Général. — ... et parlons de toi. Tu ne saurais croire combien je suis content de t'avoir ramené ta femme.

Petypon. — Ma f... Ah! et moi donc!

Le Général. — Quand on pense que tu délaisses une petite femme comme ça! Mais elle est adorable, idiot! *(Il lui envoie une bourrade au défaut de l'épaule.)* Elle est exquise, brute! *(Nouvelle bourrade.)* Mais tu veux donc qu'un autre te la souffle, daim!

Nouvelle bourrade plus forte qui fait basculer Petypon.

Petypon, assis, le corps sur le siège du canapé et les jambes sur le bras de ce dernier. — Eh! mais dites donc!... vous me paraissez bien emballé, mon oncle!

Le Général, avec élan. — Moi?... Ah! je ne le cache pas! Si elle n'était pas ta femme!... si elle n'était pas ma nièce!... Ah! ah-ah-ah-ah!... *(Ne sachant comment traduire mieux sa pensée.)* Et allez donc, c'est pas mon père!

Il pivote sur lui-même et remonte légèrement.

Petypon, toujours dans la même position. — Qu'est-ce que vous feriez donc?

Le Général, redescendant. — Ah!... je ne sais pas! Je crois, nom d'une brique! que je serais capable de t'avantager sur mon testament!

Petypon. — Non?... Votre parole?

Le Général. — Ma parole!

Petypon, à part, tout en se levant. — Mon Dieu, et moi qui me donnais tout ce mal!... *(Allant au général et bien lentement pour ménager son effet.)*

Eh bien! mon oncle, soyez heureux!... Elle n'est pas ma femme!

Le Général, le regardant bien en face. — En vérité!

Petypon. — Non!

Le Général, avec un hochement de tête qui semble approbatif, puis. — Elle est bonne!

Petypon. — Comment?

Le Général, comme au deuxième acte. — Elle est bonne! Elle est bonne! Elle est bonne!

Petypon. — Mais, mon oncle!...

Le Général, subitement pète-sec. — Ah! assez, hein? tu ne vas pas encore recommencer! Si tu dois me la faire comme ça tous les deux jours... Ah! non, non, ça ne prend plus!

Petypon. — Je vous assure, mon oncle...

Le Général, id. — Oui, eh bien! assez! J'aime pas les blagues.

Il remonte.

Étienne, paraissant à la porte de droite pan coupé. — Monsieur!...

Le Général (2), saisi d'une inspiration. — Ah! ça n'est pas ta femme! Eh bien! nous allons bien voir! (*Se campant, le poids du corps sur les genoux écartés et pliés, les deux mains étendues pour parer à toute communication d'un personnage avec l'autre. — à Étienne.*) Eh! vous!... je ne sais pas comment vous vous appelez... (*Bien posément, comme pour l'énoncé d'un problème.*) De qui madame Petypon est-elle la femme? (*Vivement, à Petypon.*) Chut!

Étienne (3), au-dessus, un peu à gauche du fauteuil extatique. — Mais... de monsieur Petypon.

Le Général, triomphant. — Là! je savais bien!

Étienne, à part. — Mais... il est bête!

Petypon, gagnant l'extrême gauche. — Ah! non, non! il est étonnant! Il n'y a que quand on lui ment qu'il vous croit, cet homme-là!

Étienne, de sa place à Petypon. — Monsieur! Ce sont les deux messieurs de tout à l'heure qui demandent si on ne les a pas oubliés?

Le Général. — Ah! c'est juste! Faites-les entrer.

Petypon, tandis qu'Étienne sort. — Ah! bon, les autres maintenant!

SCÈNE XVII

*Le Général, Petypon, puis le Duc, puis Étienne,
Marollier, Varlin, puis Gabrielle*

Le Général, descendant vers Petypon. — Ah! pour ta gouverne! afin de ne pas mêler ta femme à tout ça...

Petypon. — Bien, bien!

Le Général. — Quoi, « bien, bien »?... Tu ne sais pas ce que je vais dire... Il est convenu avec Corignon que le véritable motif de la rencontre resterait ignoré.

Petypon, s'en moquant complètement. — Bon, bon!

Le Général. — Même de ses témoins...

Petypon. — Entendu! Entendu!

Le Général. — Donc ils ne savent rien.

Petypon. — Bon, bon !

Le Général. — Le prétexte : n'importe quoi.

Petypon. — Oui, oui.

Le Général. — Vous vous battez... parce que tu aurais dit... ou qu'il aurait dit...

Petypon. — Entendu ! entendu.

Le Général. — Enfin à propos de potins... sans préciser davantage.

Il remonte.

Petypon. — Oui ! oui ! Tout ce qu'on voudra. *(A part, en gagnant l'extrême gauche.)* Ça m'est égal, je ne me battrai pas.

Le Général, au-dessus du fauteuil extatique. — Ah ! Diable, mais !...

Petypon. — Qu'est-ce qu'il y a encore !

Le Général. — Tu n'as pas de second témoin !

Petypon. — Ah !... non !

Le Général. — Je ne peux pas faire les deux témoins à moi tout seul.

Petypon. — Ah ! évidemment vous ne... *(Brusquement.)* Eh bien ! v'là tout ! On se battra une autre fois !

Il redescend.

Le Général. — Hein ! Mais pas du tout ! Mais tu en as de bonnes !

Le Duc, faisant une brusque apparition et virevoltant aussitôt en apercevant le général, pour disparaître par où il est venu. — Sapristi ! Encore là !

Le Général, qui a eu le temps de reconnaître le duc,

d'une voix bien étalée. — Le duc!... Mais le voilà, ton second témoin! *(Il remonte, écarte le rideau de droite et l'on aperçoit, à la tête du lit, le duc assis, la jambe gauche repliée sous la cuisse droite, et son bouquet toujours à la main. Au duc.)* Venez, duc! venez!

Le Duc, très troublé. — Hein! Général, c'est que...

Le Général, le faisant descendre. — Mais venez, je vous dis! N'ayez pas peur, quoi? On ne vous mangera pas! C'est vous qui êtes le second témoin.

Le Duc (2), même jeu. — Moi?

Le Général (3). — Vous.

Le Duc, même jeu. — C'est que...

Le Général. — Ne vous inquiétez pas. Vous n'avez qu'à me laisser parler et à opiner; par conséquent...

Le Duc. — J'opinerai, mon général! j'opinerai! *(A part, en allant s'asseoir sur le canapé.)* C'est pourtant pas pour ça que je suis venu!

Étienne, annonçant. — Messieurs Marollier et Varlin.

Le Général, debout à droite du canapé. — Veuillez entrer, messieurs!

Marollier et Varlin entrent.

Petypon, qui est remonté par l'extrême gauche et prend le milieu du fond de la scène, indiquant aux arrivants le général et le duc. — Mes témoins!

Marollier et Varlin descendent un peu. Échange de saluts entre les témoins tandis que Petypon, toujours par le fond, descend extrême droite, où

*il se tient à l'écart, adossé discrètement contre la
table. Le duc, indifférent à ce qui se passe, est
assis extrême droite du canapé, la jambe droite
repliée sous la cuisse gauche et le corps à demi
tourné dans la direction de la porte de gauche
par laquelle il espère toujours voir arriver celle
pour qui il est là.*

*Marollier (3), bien qu'en civil, faisant le salut mili-
taire au général (2).* — Mon général, c'est avec
orgueil que j'ai appris que j'avais à défendre les
intérêts de mon client avec un témoin de votre
importance. Aussi vous pouvez être sûr que je
ferai tout...

Le Général, l'arrêtant net. — Oh! je vous en prie,
lieutenant!... *(Un temps.)* Veuillez considérer,
pour la conduite de cette affaire, qu'il n'y a plus
ici un général et un lieutenant!... mais des man-
dataires, ayant mission égale et partant, des
droits égaux. Par conséquent!...

*Marollier, avec un sourire légèrement scep-
tique.* — Oui!... C'est très joli, mon général,
mais comme une fois l'affaire réglée vous rede-
viendrez le général; et moi le lieutenant!...

Le Général, même jeu. — Soit! Mais, en attendant, nous sommes témoins; restons témoins!

Marollier, s'incline, puis, présentant. — M. Varlin, le second témoin.

   Échange de saluts.

*Le Général, présentant le duc en l'indiquant de la
main, sans se retourner vers lui.* — Le duc de...

   *Le duc étant assis, reçoit la main du général en
   pleine joue.*

*Le Duc, qui précisément avait la tête tournée vers
la porte, se retournant vivement.* — Oh!

*Le Général, vivement et entre chair et cuir au duc,
en lui cinglant le gras du bras du revers de la
main*. — Mais levez-vous donc!

Le Duc. — Ah?... pardon!

Le Général, présentant. — Le duc de Valmonté,
le second témoin.

*Le duc, s'inclinant, en ramenant dans son geste de
révérence son bouquet, sur sa poitrine*. — Messieurs!

Le Général, au duc, vivement et bas. — Posez
donc votre bouquet!

Le Duc. — Comment?

Le Général, même jeu. — On ne règle pas une
affaire d'honneur avec un bouquet.

*Le Duc, déposant son bouquet à côté de lui sur le
canapé*. — Oui!

Varlin, malicieusement. — Monsieur croit peut-
être être témoin à un mariage.

*Marollier, vivement, à mi-voix, le rappelant à
l'ordre*. — Ah! non, hein! pas de mots! taisez-
vous! ne recommencez pas!

*Le Général, à Marollier et Varlin, tout en prenant
pour lui-même et l'apportant près du canapé, la
chaise qui est au-dessus dudit canapé*. — Si vous
voulez prendre des sièges, messieurs!

Marollier. — Parfaitement, mon général!

*Il va prendre la chaise qui est au fond droit et la
descend au niveau de celle du général.*

*Le Général, à Varlin qui cherche des yeux un siège,
lui indiquant le fauteuil extatique*. — Tenez,
vous avez un fauteuil qui vous tend les bras.

*Varlin, déclinant l'invitation avec un sourire iro-
nique.* — Merci!... merci bien!

*Il prend la chaise qui est au-dessus de la table et
l'apporte entre celle de Marollier et le fauteuil
extatique. Tout le monde s'assied, sauf le duc
dont la pensée est ailleurs.*

Le Général. — Vous êtes au courant, messieurs,
du... *(Apercevant le duc, toujours debout près de
lui, et lui cinglant comme précédemment le gras
du bras gauche.)* Asseyez-vous donc! *(A part, tandis que le duc, furieux et bougonnant intérieurement, s'assied en se frottant le bras avec humeur.)*
Quel cosaque! *(Haut aux témoins.)* Vous êtes, au
courant, n'est-ce pas? messieurs, du motif de la
rencontre? A la vérité, il n'est pas bien grave;
mais, pour des gens comme nous, la gravité des
causes importe peu. *(Les autres témoins
s'inclinent pour acquiescer.)* Votre client a dû
vous le dire : il s'agit de potins.

Marollier. — En effet, c'est bien ce que le lieutenant nous a dit : Monsieur Petypon ici présent
aurait affirmé que ce n'était pas le premier épicier de Paris.

*Le Général, qui écoutait dans une attitude concen-
trée, le coude gauche sur la cuisse, la nuque bais-
sée, redresse la tête, reste un instant interdit, puis
se tournant vers Marollier.* — Qui?

Marollier. — Potin.

Petypon, ahuri. — Moi!

Le Général, rêveur. — Pot...? *(Comprenant subitement.)* Ah! oui!... oui, parfaitement?... *(Changement brusquement de ton.)* Eh! ben mais... si
mon client maintenant n'a plus le droit de donner son avis en matière d'épicerie!... Je réclame
donc pour lui la qualité d'offensé.

Marollier, très déférent, en esquissant machinale-
ment des petits saluts militaires. — Je suis absolument de votre avis, mon général! absolument!
mais...

Le Général. — Mais, quoi?

Marollier. — Mais il me semble que c'est tout le
contraire.

Le Général. — Comment. «Vous êtes de mon
avis et c'est tout le contraire»?

Marollier. — Il me semble que cet avantage doit
revenir à mon client.

Le Général. — Et pourquoi ça, à votre client?

Marollier. — Dame, absolument, puisque c'est la
phrase prononcée par votre client, mon général,
qui a offensé le mien.

Le Général. — Eh! bien, tant pis pour lui! Il
n'avait qu'à ne pas s'offenser d'une phrase qui ne
s'adressait pas à lui; tandis que c'est lui en se
mettant en colère après mon client...

Marollier. — Ah! permettez, mon général...

Le Général. — Permettez vous-même!

Marollier. — Cependant!...

Le Général. — Il n'y a pas de cependant.

Marollier. — Mais...

Le Général, se dressant comme mû par un res-
sort. — Ah! et puis en voilà assez! *(Marollier,*
instinctivement, s'est levé et prend immédiatement
la position du « garde à vous ». Varlin se lève éga-
lement.) Je n'admets pas qu'un simple lieutenant
se permette de contredire son général.

Marollier, face au général, le petit doigt de la main

gauche sur la couture du pantalon, la main droite à la tempe. — Vous avez raison, mon général! vous avez raison!

Le Général, entre chair et cuir. — Je vous ficherai aux arrêts, moi!

Petypon, traversant l'avant-scène et allant jusqu'au général. — D'ailleurs, écoutez, c'est bien simple: si on veut, je la retire, moi, la phrase; par conséquent, ça arrange tout.

Le Général, le repoussant par les épaules de façon à le faire pivoter sur lui-même et à l'envoyer vers Marollier. — Ah! toi, on ne te demande rien! Mêle-toi de ce qui te regarde.

Marollier, à Petypon en le repoussant comme le général. — Mon général a raison! Mêlez-vous de ce qui vous regarde!

Varlin, même jeu, à Petypon. — Mêlez-vous de ce qui vous regarde, puisqu'on vous le dit!

Petypon, à part, après avoir roulé de l'un à l'autre. — C'est trop fort! il s'agit de mon existence; et ça regarde tout le monde excepté moi!

 Il va reprendre sa place à l'écart, contre la table.

Le Duc, toujours ailleurs. — Qu'est-ce qu'elle peut faire madame Petypon qu'on ne la voit pas!

Le Général, voyant que le duc est assis quand tout le monde est debout, le cinglant au gras du bras. — Levez-vous donc!

Le Duc, se relevant, l'air furieux et intérieurement (le mot seulement perceptible par le mouvement des lèvres). — Ah! m...e!

Le Général, faisant signe à Marollier et Varlin de s'asseoir. — Messieurs!... (*Une fois assis lui-*

même.) Je réclame donc pour... *(Apercevant le duc toujours debout, et le regardant avec un hochement de tête.)* C'est effrayant! *(Lui envoyant une tape plus forte que les autres.)* Mais asseyez-vous donc, sacré nom!

Le Duc, perdant l'équilibre et tombant sur son bouquet qu'il écrase. — Oh! mon bouquet!

Le Général, à Marollier et Varlin. — Je réclame donc pour mon client la qualité d'offensé.

Marollier, prêt à toutes les concessions. — Mais comment donc, mon général! si ça peut vous être agréable!...

Le Général. — J'y tiens d'autant plus que cette qualité nous donne le choix des armes, et nous permet d'écarter l'épée, qui, j'y réfléchis bien, mettrait mon client dans un état d'infériorité absolue! Le lieutenant Corignon l'embrocherait comme un poulet.

Petypon, à part, frissonnant. — Frrrou!

Marollier. — C'est évident!

Le Général, se tournant vers le duc. — N'est-ce pas votre avis, duc?

Le Duc, qui pendant tout ce que précède s'est évertué à remettre son bouquet en état. — *à part.* — Je ne pourrai jamais lui offrir ça!

Le Général, voyant que le duc ne l'écoute pas. — Duc!

Le Duc, comme si on le réveillait en sursaut. — Eh?

Le Général. — Quoi, « eh? » Je vous demande si c'est votre avis?

Le Duc. — Hein? Oh! pffut!

Il fait prouter ses lèvres.

Le Général, le regarde, puis. — Merci! *(A Varlin.)* Et vous, monsieur?

Varlin. — Oh! moi vous savez je m'en f...

Marollier, vivement, couvrant sa voix. — Oui!

Le Général. — Ah! nous sommes bien secondés! *(A Marollier.)* N'importe! je vois que nous sommes d'accord; nous choisirons donc le pistolet.

Il se lève.

Marollier et Varlin, se levant également. — C'est ça, le pistolet!

Ils se disposent à reporter leurs chaises où ils les ont respectivement prises.

Petypon, de sa place. — Mais, il peut me toucher!

Le Général, sa chaise à la main. — Eh! naturellement, il peut; mais toi aussi! Tu n'imagines pas que nous allons te préparer un duel ou tu ne risques rien? *(Au duc.)* Vous pouvez vous lever, vous savez, duc! c'est fini!

Le Duc. — Ah?

Le Général, à Petypon, catégoriquement, tandis que le duc se lève. — Au pistolet!

Tous. — Oui, oui, au pistolet!

Chacun remet sa chaise à sa place primitive.

Petypon, gagnant jusqu'au milieu de la scène et énergiquement. — Oui? Eh bien! non!

Tous, redescendant. — Quoi?

Petypon, face aux témoins, dos au public. —

C'est trop fort à la fin! Vous disposez de moi, là!
vous y allez!... vous y allez!... *(Brusquement.)* Je
ne me battrai pas!

Il redescend à droite.

Tous. — Hein!

Petypon. — C'est vrai, ça! « l'épée; le pistolet! »
Vous en parlez à votre aise!... *(Revenant sur eux.)*
On veut que je me batte? Eh bien! soit! j'ai le
choix des armes? je prends le bistouri!

Il redescend à droite.

Le Général. — Mais tu es fou!

Marollier. — Il se moque de nous!

*Gabrielle, sortant de chez elle et descendant
extrême gauche.* — Que signifie ce tapage?

*Petypon, sans faire attention à sa femme, allant
(4) au général (3).* — Après tout, c'est moi qui
me bats, n'est-ce pas? Eh bien! je choisis mon
arme!

*Gabrielle, se précipitant (3) entre le général (2) et
Petypon (4) pour étreindre ce dernier.* —
Qu'entends-je? Tu as un duel! Lucien, je ne veux
pas! je ne veux pas que tu te battes!

*Petypon, essayant de se dégager de son
étreinte.* — Ah! toi, laisse-moi!

*Le Général, gagnant jusque devant le
canapé.* — Allons, bon, rev'là l'autre.

Gabrielle, s'agrippant à lui. — Lucien, je t'en
supplie! je ne veux pas! Songe à moi! à moi qui
t'aime!

Le Général, se frappant le front. — Ah! mon
Dieu!...

Marollier, à droite du groupe formé par Gabrielle et Petypon. — Mais non, madame, rassurez-vous! il n'y a pas de duel!

Le Général, à lui-même. — Mais oui!

Varlin, à gauche de Gabrielle. — On causait amicalement.

Le Général, même jeu. — C'est bien ça!

Gabrielle. — Si, si, j'ai entendu! Lucien! mon Lucien!

Le Général, pendant que Gabrielle supplie son mari, et que les autres cherchent à la persuader. — Je comprends tout, maintenant, ses tutoiements, sa présence continuelle ici!... *(Au duc, 1.)* Et c'est pour des femmes comme ça que les maris délaissent le foyer conjugal! *(Appliquant brusquement sa main droite dans le dos du duc, et sa main gauche dans celui de Varlin, et projetant le premier contre l'estomac du second, de façon à les coller l'un contre l'autre.)* C'est bien, messieurs!

Le Duc, dont le bouquet se trouve écrasé dans la rencontre. — Oh! mon bouquet!

Le Général, poussant vers la porte les trois témoins qu'il a rassemblés en paquet. — Allez! nous reprendrons cet entretien ailleurs!

Varlin, Marollier, le Duc, roulés les uns contre les autres. — Oui, mon général!

Le Général. — Allez! Allez!

Il les pousse dehors tandis que Petypon, obsédé par Gabrielle qui le supplie, gagne l'extrême gauche, suivi de sa femme.

SCÈNE XVIII

*Le Général, Gabrielle, puis la Môme,
puis Mongicourt*

Le Général (3), du seuil de la porte, aussitôt la sortie des témoins, tout en gagnant à larges enjambées jusqu'au canapé. — Ah! je comprends tout, maintenant! Madame est ta maîtresse!

Petypon (1). — Hein?

Gabrielle (2). — Qu'est-ce que vous dites?...

Petypon, passant au 2. — Mais, mon oncle!...

Le Général. — Laisse-moi tranquille!

Il remonte jusqu'à la porte de gauche.

Gabrielle. — Moi, moi, sa maîtresse!

Petypon, à Gabrielle. — Hein? Oui! non! ne te mêle pas! ne te mêle pas!

Il gagne à droite.

Gabrielle. — Qu'est-ce que ça veut dire?

Le Général, qui est sorti de scène une seconde, reparaissant avec la Môme et descendant entre Gabrielle (1) et Petypon (4). — Venez, pauvre enfant, et apprenez à connaître ce que vaut celle que vous appelez votre amie!... Elle vous trompe avec votre mari!

La Môme (2), à part. — Aïe!

Gabrielle (1). — Moi! moi! Mais je suis sa femme!

Le Général (3), un peu au-dessus avec la Môme. — Vous!

Petypon, au général. — Je vous expliquerai!

Le Général. — Laisse-moi tranquille! *(Désignant la Môme.)* Ta femme, la voici!

Gabrielle. — Elle? mais c'est votre femme!

Petypon, vivement, se précipitant (2) vers Gabrielle et la poussant vers la gauche devant le canapé. — Hein! oui, chut!...

La Môme, s'écartant prudemment vers le fond, — à part. — Fichtre! ça se gâte!

Le Général. — Ma femme, elle! *(Courbé par le rire et se laissant tomber dans le fauteuil extatique.)* Ah! ah! laissez-moi rire!

Petypon, à qui ce jeu de scène du général n'a pas échappé. — Le fauteuil!

Il se précipite derrière le fauteuil pour presser le bouton, mais au moment où il fait fonctionner la bobine, le général se relève.

Le Général, redescendant, toujours en riant, jusque devant la table. — Ah! Ah! Ah!

Petypon, avec désespoir en redescendant à gauche du fauteuil. — Raté!

Gabrielle, gagnant le milieu de la scène. — Ah! çà, général! expliquez-vous!

Petypon, énergiquement, s'interposant. — Non, non! pas d'explications!

Mongicourt, qui est entré de gauche, descendant extrême gauche. — Ah!... Vous, général! Il faut que je vous parle!

Petypon, à part, en pleine détresse. — Mongicourt à présent!... Ah! tout est perdu!

Il se laisse tomber dans le fauteuil sans réfléchir que la bobine est en mouvement. Immédiate-

*ment, il reçoit le choc; un hoquet : « Youpp! » et
le voilà figé dans son attitude dernière, les yeux
ouverts, le sourire aux lèvres.*

Le Général, gagnant le milieu de la scène. — Non,
monsieur, non! pas d'explications!

Mongicourt. — Mais, permettez!...

Le Général. — Inutile, monsieur! après ce qu'a
fait votre femme!...

   Il remonte un peu.

Mongicourt. — Où ça, ma femme? Qui ça, ma
femme?

Le Général, désignant Gabrielle. — Mais...
Madame!

Gabrielle. — Moi!

Mongicourt. — Mais ça n'est pas ma femme!

Gabrielle. — Je suis la femme du docteur Petypon!

*La Môme, qui pendant ce qui précède s'est peu à
peu rapprochée de la sortie.* — V'là le grabuge,
caltons!

   Elle s'esquive par la porte droite.

Le Général. — Oui? eh! bien, ça ne prend pas!
vous pensez bien que je la connais! Je la connais
la femme de mon neveu! puisqu'il l'a amenée à
La Membrole avec lui.

Gabrielle. — Hein! il l'a amenée, lui!

Le Général. — Mais parfaitement! De même que
je sais bien que vous êtes la femme de M. Chose,
là, Machincourt.

Gabrielle et Mongicourt. — Quoi?

Le Général. — Mais c'est le genre, ici, de toujours prétendre que vos femmes ne sont pas vos
femmes !... à ce point que vous en arrivez à vouloir me faire croire que la femme de mon neveu
est ma femme ! vous comprenez que cela dépasse
les bornes !

Gabrielle, se prenant la tête à deux mains. —
Mais qu'est-ce qu'il dit ?

Le Général. — Allons, assez de blagues comme
ça !... Non, me persuader qu'elle est ma femme,
elle !... Eh bien ! où est-elle donc ? *(Appelant en
remontant.)* Ma nièce !... ma nièce !

(Ensemble)
Gabrielle, emboîtant le pas au général. — Mais
enfin, général !...

Mongicourt, à la suite de Gabrielle. — Général,
voyons !...

Le Général. — Allez, rompez ! *(Il sort de droite en
appelant.)* Ma nièce ! ma nièce !

*Mongicourt, descendant à droite au-dessus de la
table.* — Ah ! non, par exemple, celle-là...

*Gabrielle, descendant à gauche du fau-
teuil.* — Ah ! c'est trop fort ! *(A Petypon
endormi.)* Ah ! gredin, tu avais une maîtresse et
tu la faisais passer pour ta femme !... Ah ! tu !... *(A
Mongicourt.)* Non, mais regardez-le !... et il ose
sourire !... Ah ! bien, attends un peu !...

  Elle s'élance sur lui pour le souffleter.

Mongicourt, vivement. — Prenez garde ! Vous
n'avez pas de gants !

Gabrielle, allant au-dessus de la table. — Vous
avez raison. Où sont-ils les gants ?

Mongicourt, s'interposant. — Mais non ! Mais
non ! voyons !

Gabrielle, écartant Mongicourt et farfouillant sur la table, prenant la boîte et en tirant les gants. — Si! Si! Où sont-ils les gants? Ah! les voilà! *(Elle prend le gant de la main droite et l'enfile tout en redescendant à gauche du fauteuil.)* Ah! tu m'as trompée! Ah! tu as abusé de ma confiance! Eh! bien, tiens! *(Ayant pris un peu de champ, elle soufflette son mari du revers de la main droite. La figure de Petypon reste souriante et immobile.)* Ah! tu as une maîtresse! Eh bien! tiens! *(Nouveau soufflet du revers de la main droite.)* Ah! tu fais la fête! Eh bien! tiens! tiens! tiens!

Un soufflet, toujours du revers, à chaque « Tiens! ».

Mongicourt, se précipitant au-dessus du fauteuil et appuyant sur le bouton de droite. — Assez! assez! grâce pour lui!

Il redescend jusqu'au canapé. A la pression du bouton, Petypon a reçu le choc du réveil. Il se lève, descend de biais, en trois pas de théâtre, jusque devant le trou du souffleur, puis :

Petypon (2), la main sur le cœur, chantant.
Il pleut des baisers,
Piou! Piou!

Gabrielle. — Quoi?

Petypon. — Il pleut des caresses...

Gabrielle (3). — Ah! je vais t'en donner, moi, des caresses! Tiens!

Elle lui envoie une maîtresse gifle.

Petypon, complètement réveillé par la douleur. — Oh!

Gabrielle. — Tu l'as sentie, celle-là!

Elle quitte le gant et le remet sur la table.

Petypon. — Gabrielle !...

Gabrielle. — Arrière, monsieur ! Le général m'a tout dit !... Désormais, tout est fini entre nous ! Je reprends ma vie de jeune fille !

Petypon. — Gabrielle, voyons !

Gabrielle, descendant vers lui. — Il n'y a pas de « Gabrielle, voyons » ! Je vous dicte mes volontés ; vous n'avez qu'à vous soumettre !

Petypon, jouant la résignation. — C'est bien !

Gabrielle. — Je quitte cette maison !

Petypon, même jeu. — Bon !

Gabrielle. — Nous divorçons !

Petypon, même jeu. — Bon !

Gabrielle. — Je reprends ma fortune !

Petypon, même jeu. — Bon ! *(Relevant la tête.)* Oh ! tout, alors ?

Gabrielle, d'un geste large. — Tout ! *(Remontant pour lui faire la place et lui indiquant la porte.)* Et maintenant, sortez ! que je ne vous voie plus !

Petypon, avec une résignation comique. — Bon ! *(L'échine pliée, d'un pas lourd, il gagne théâtralement la porte de droite. Arrivé sur le seuil, il se retourne et mélodramatiquement.)* Je retourne chez ma nourrice !

Il sort.

Mongicourt, qui était assis sur le canapé, se levant, et allant à Gabrielle. — Ce pauvre Petypon ! vous avez été dure pour lui !

Gabrielle. — Jamais trop ! Si vous croyez m'apitoyer sur son sort!... *(Marchant sur Mongicourt qui recule à mesure.)* Ah! il veut faire le gandin à son âge! Ah! je ne lui suffis pas! Eh bien! qu'il aille se faire consoler ailleurs!

Elle remonte.

SCÈNE XIX

*Gabrielle, Mongicourt, Étienne, puis le Duc,
puis Petypon, puis le Général*

Étienne, paraissant à la porte de droite et annonçant. — Le duc de Valmonté!

Gabrielle. — Lui! Ah! bien, il arrive bien!

Le Duc, entrant d'une traite, tandis qu'Étienne sort aussitôt le duc passé. — J'espère que cette fois... *(Se trouvant nez à nez avec Gabrielle et pivotant aussitôt sur lui-même pour filer.)* Nom d'un chien! encore elle!

Gabrielle, le rattrapant au vol et le faisant descendre, peu rassuré, milieu de la scène. — Venez, duc, venez! Ah! vous pouvez vous vanter d'arriver au moment psychologique!

Le Duc (3) et Mongicourt (1), chacun dans un sentiment différent. — Hein!

Gabrielle (2). — Vous m'avez écrit que vous m'aimiez?

Le Duc, de toute son énergie. — Moi!

Gabrielle, le rassurant. — Ne vous en défendez pas! Je ne serai pas cruelle!

Le Duc, terrifié. — Qu'est-ce qu'elle dit?

Mongicourt, à part, en riant sous cape. — Ah! le malheureux!

   Il se laisse tomber en riant sur le canapé.

Gabrielle. — Et d'abord... (*Saisissant de la main gauche la main du duc qui tient le bouquet, et, de la main droite, farfouillant dans les fleurs.*) Cette fleur de votre bouquet à mon corsage...

Le Duc, défendant son bouquet. — Non! non!

Gabrielle, arrachant la plus belle fleur. — ... comme emblème d'amour!

   Elle la met à son corsage.

Le Duc, furieux, son bouquet contre la poitrine. — Oh! mais, madame, vous m'abîmez mon bouquet.

Gabrielle, dessinant un léger « par le flanc droit ». — Et maintenant, (*Plongeant sur elle-même dans cette position pour se donner un élan.*) emmenez-moi, duc! (*Se laissant tomber sur la poitrine du duc dont elle écrase ainsi le bouquet.*) je suis à vous!

Le Duc, faisant une rapide volte-face. — Hein! Ah! mais non! ah! mais non!...

Gabrielle, le rattrapant par le bas du derrière de son veston, puis lui entourant la taille de ses bras. — Venez, duc! venez! C'est une femme qui a soif de vengeance qui vous le demande!

Le Duc, se débattant et entraînant Gabrielle, toujours agrippée à lui, jusqu'à la porte. — Laissez-moi! Au secours! Maman! Maman!

   D'un coup de reins il arrive à se dégager et se sauve éperdu.

Gabrielle, sur la porte. — Hein! quoi? Il se sauve!

*Mongicourt, assis sur le canapé, d'un ton bla-
gueur.* — On dirait!

Gabrielle, descendant. — Les voilà, les hommes,
tenez! Diseurs de belles paroles et quand on les
prend au mot!...

> *Elle complète sa pensée en faisant craquer
> l'ongle de son pouce contre ses incisives supé-
> rieures.*

*Voix de Petypon, venant du fond, lointaine et éthé-
rée.* — Gabrielle!... Gabrielle!...

Gabrielle, arrêtée net à l'appel de son nom. — Qui
m'appelle?

Petypon, même jeu. — C'est moi! ton bon ange!

Mongicourt, à part. — Hein?

*Gabrielle, tout émue, descendant la tête courbée,
les bras tendus, jusque devant le fauteuil.* — Ah!
mon Dieu! l'ange Gabriel! Je reconnais sa voix!

> *Mongicourt, intrigué, est allé tirer le rideau du
> fond, et l'on aperçoit, debout sur le lit, Petypon
> enveloppé d'un drap, le visage éclairé par en des-
> sous, comme la Môme au premier acte.*

*Mongicourt, à part, avec un sursaut en
arrière.* — Petypon!

Petypon, à mi-voix, à Mongicourt. — Chut!

*Mongicourt, redescendant par la gauche du
canapé.* — Eh! bien, il en a un toupet!

*Petypon, de sa voix céleste, à Gabrielle qui se tient
prosternée face au public.* — Gabrielle!
Gabrielle!

Gabrielle. — Je t'écoute, ô mon bon ange!

Petypon. — Gabrielle, tu es en train de faire

fausse route! tu as le meilleur des maris!... Tu...
(Apercevant le général qui surgit de droite.) Nom
d'un chien! mon oncle!

   *Il dissimule vivement son visage derrière son
coude gauche relevé.*

Le Général, descendant extrême gauche. — Mille
tonnerres, on s'est moqué de moi!... *(Apercevant
l'apparition sur le lit.)* Ah!

Petypon. — Ça y est! pigé!

   *Dans l'espoir d'intimider le général, il se met à
faire des moulinets avec son drap, à la façon de
la Loïe Fuller.*

Le Général, ahuri. — Qu'est-ce que c'est que ça?

Gabrielle, se redressant. — Le général! Ah! il
arrive bien! *(A l'apparition, mais sans se retourner vers elle.)* Pardonne-moi ce que je vais faire, ô
ange Gabriel! mais c'est pour convaincre un
hérétique!

   *D'un geste large, sur la table, elle saisit par la
poignée une des deux épées et la brandit au-
dessus de sa tête.*

Petypon, inquiet. — Qu'est-ce qu'elle fait?...

Gabrielle, le glaive en l'air, au général. — Regardez, général! et soyez converti!

   *Elle pivote sur elle-même et remonte vers le lit,
l'épée tendue.*

Mongicourt, se tenant les côtes de rire. — Oh! là!
là! oh! là! là!

*Petypon, affolé, en voyant sa femme foncer sur
lui.* — Gabrielle! une épée! eh! là! eh! là!

Gabrielle, reconnaissant Petypon. — Ah!

Petypon, même jeu. — Gabrielle! pas de bêtises!

Gabrielle, s'élançant pour le pourfendre. — Ah! c'est toi, misérable! toi qui te moques de moi!

Petypon, bondissant hors du lit par le côté opposé à Gabrielle. — Gabrielle!... Gabrielle!...

Gabrielle, grimpant à moitié sur le lit pour essayer d'atteindre Petypon. — Attends un peu! attends un peu!

Petypon, profitant de la position de Gabrielle pour filer par la pointe du lit et détalant en scène, toujours entouré de son drap qui flotte au vent. — Au secours! Au secours!

Gabrielle, s'élançant à sa poursuite. — Attends un peu! Ah! gueux! Ah! scélérat!

Poursuite à travers la scène. Descente par l'extrême gauche, traversée devant le canapé; Petypon trouve sur son passage Mongicourt, riant, dos à lui; il le saisit, le retourne face à la pointe de sa femme : « Eh! là! eh! là! » crie Mongicourt en se dérobant. Petypon remonte vers la droite, trouve le général, le retourne comme précédemment. Petypon, face à la pointe de sa femme, descend extrême droite puis, traversant obliquement la scène, disparaît porte de gauche avec Gabrielle à ses trousses.

SCÈNE XX

Mongicourt, le Général

Mongicourt, assis sur le canapé, et riant encore. — Ah! ah! ah! ce pauvre Petypon!

Le Général, assis sur la chaise qui est à la tête du

lit. — Ah! ah! ah! je crois qu'elle doit être édifiée sur ses apparitions!

Mongicourt. — Ah! ah! je n'ai pourtant pas envie de rire!

Le Général. — Ah! monsieur mon neveu, vous voulez mystifier le monde!... Mais tout finit toujours par se découvrir; vous venez d'en avoir la preuve!... *(Descendant et à Mongicourt.)* Et à ce propos, monsieur, je vous fais toutes mes excuses!

Mongicourt, se levant. — A moi, général?

Le Général (2), sévèrement. — Je sais tout!... Cette chère petite enfant m'a tout dit; *(Émoustillé.)* elle est délicieuse! Figurez-vous qu'elle ne connaît pas l'Afrique! *(Brusquement, de nouveau sévère.)* Vous n'êtes pas le mari de madame Mongicourt?

Mongicourt. — Mais non, général, puisqu'elle est la femme de Petypon!

Le Général. — Bien oui, je le sais bien! mais, hier, n'est-ce pas? j'ignorais! alors, je vous ai envoyé une...

　　Il esquisse le geste du soufflet.

Mongicourt, vivement, comme s'il le paraît. — Oui!

Le Général. — Qu'est-ce que vous voulez? Je sais bien qu'une gifle est une gifle!... Mais l'insulte n'est pas dans le fait, mais dans l'intention!... Ici, elle ne s'adressait à vous, que du moment que vous étiez le mari de la femme qui m'avait...

Mongicourt, même jeu. — Oui!

Le Général. — Vous ne l'êtes pas... Cette gifle

n'est donc pas un affront! Ce n'est qu'une commission.

Mongicourt, ne voyant pas où il veut en venir. — Comment ça?

Le Général, bien lentement. — Le vrai destinataire est mon neveu Petypon; *(Avec un petit geste d'offrande.)* vous n'avez qu'à la lui faire parvenir.

Il remonte.

Mongicourt, ravi, à cette idée. — Mais... c'est vrai!

En parlant il passe extrême droite, devant la table.

SCÈNE XXI

Les mêmes, Petypon, Gabrielle, puis la Môme

Le Général, voyant entrer Petypon. — Lui!

Petypon, à part sur le pas de la porte. — Mon Dieu! pardonnez-moi ce dernier mensonge, il le fallait, pour convaincre ma femme!... *(A Gabrielle, encore hors de vue.)* Viens, Gabrielle!

Il la prend par la main et la fait entrer en scène.

Le Général, au milieu de la scène, sévèrement à Petypon. — Ah! te voilà, toi! Je sais tout! Tu m'as menti.

Petypon (2), au-dessus du canapé. — Hein?

Gabrielle (1). — Qu'est-ce qu'il y a encore?

Le Général (2). — La chère enfant que tu m'as présentée pour ta femme n'a jamais été ta femme! Ta femme, c'est madame!

Gabrielle. — Évidemment!

Petypon, venant au général. — Mais c'est ce que je me tue à vous répéter.

Le Général. — Ah! tu t'es moqué de moi! C'est très bien! Je t'ai donné ma parole que je ne te déshériterais pas, je la tiendrai!

Petypon, ravi de cette idée. — Oui?

Le Général, l'arrêtant du geste. — Mais c'est fini entre nous! Je ne te reverrai de ma vie!

Petypon, à part. — Je n'en demande pas davantage *(Haut.)* Oh! mon oncle!

Le Général, descendant. — Non! Non!

Gabrielle, devant le canapé. — Général, pardonnez-lui! Sachez que c'est par abnégation qu'il a fait passer cette femme pour la sienne. Il savait qu'elle était la maîtresse de monsieur Corignon et c'est pour éviter un scandale et empêcher la rupture du mariage qu'il a fait ce pieux mensonge.

Le Général. — Je ne sais qu'une chose: il s'est moqué de moi, ça suffit.

Tout le monde, voyant la Môme qui entre et s'arrête sur le pas de la porte. — Ah!

La Môme, au général, descendant au 4. — Eh bien! y es-tu?

Le Général, empressé. — Voilà, bébé, je te suis!

   Il remonte vers elle.

Tous, étonnés. — Ah!

Mongicourt, passant à Petypon. — Quant à moi, je me suis expliqué avec le général, tu sais, pour l'affaire.

Petypon. — Ah!

Mongicourt. — Oui, il a trouvé un arrangement qui concilie tout : c'est de considérer la gifle, non comme un affront, mais comme une commission.

Petypon, sans comprendre. — Excellente idée!

Mongicourt. — Vraiment?... Alors... tu souscris?

Petypon. — Mais, comment donc, tu penses!

Mongicourt. — Oui?... Ah! bien, alors... *(Il s'éloigne pour prendre du champ et lui envoie un formidable soufflet.)* V'lan!

Petypon, bondissant en arrière. — Oh!

Le Général, qui pendant ce qui précède a été prendre les épées et son chapeau sur la table, tout en se dirigeant vers la Môme qui a gagné près de la porte. — Touché!

Petypon, se frottant la joue. — Nom d'un chien!

Gabrielle, se précipitant vers son mari. — Lucien!

Mongicourt, s'effaçant pour montrer le général et bien lentement. — C'est de la part du général!

Le Général, à la Môme. — Je suis à tes ordres.

Petypon, inquiet. — A moi?

Le Général, offrant son bras gauche à la Môme tout en l'indiquant de la main droite. — Non! je parle à madame.

La Môme. — Et allez donc ! *(Donnant une petite tape amicale sur la joue du général.)* c'est pas mon père !

Elle sort avec le général.

RIDEAU

ON PURGE BÉBÉ!

PERSONNAGES

Adhéaume Chouilloux . . . . . MM. Germain

Follavoine . . . . Marcel Simon

Horace Truchet . . . . Choisy

Julie Follavoine . . . . Mmes A. Cassive

Rose . . . . Jenny Rose

Clémence Chouilloux . . . . . Delys

Toto, 7 ans . . . . La petite Leseigne

LE CABINET DE TRAVAIL DE FOLLAVOINE

Le décor est à pan coupé, à gauche; à pan droit, à droite. Au premier plan, à gauche, porte donnant sur la chambre de Follavoine. Dans le pan coupé de gauche, porte donnant chez madame Follavoine. Au fond, au milieu, porte donnant sur le vestibule. De chaque côté de la porte au fond, une bibliothèque vitrée, ou grillagée, avec chaque battant tendu d'un plissé de taffetas de façon à dissimuler l'intérieur; (le battant gauche de la bibliothèque de droite doit être fixe; c'est derrière ce battant que seront placés dans ce meuble les deux vases de nuit, de façon à ce qu'ils soient invisibles au public lorsqu'on aura à ouvrir la bibliothèque). A droite, tenant la presque totalité de ce côté du décor, une grande fenêtre à quatre vantaux; (brise-bise et rideaux). A droite, milieu de la scène, une grande table-bureau face aux spectateurs; sur la table, des dossiers, livres, un dictionnaire, des papiers épars et une boîte contenant des rondelles de caoutchouc. Dans le tiroir de droite par rapport à l'acteur, une boîte avec des pastilles de menthe. Sous la table, un panier à papier. Derrière la table, un fauteuil de bureau. Devant la table, à son extrémité droite, un fauteuil. A gauche de la scène, un canapé légèrement de biais. A gauche du canapé, un petit guéridon bas. A droite et au-dessus du canapé, une chaise.

AVIS. — *Derrière la toile de fond du vestibule, placer perpendiculairement une planche, un praticable quelconque, et insérer entre des « pains » de fonte placés sur le tranchant de façon à opposer un corps dur à l'envoi des vases de nuit, ceci afin d'être sûr qu'ils se briseront.*

SCÈNE PREMIÈRE

Follavoine, puis Rose

Au lever du rideau, Follavoine, penché sur sa table de travail, la jambe gauche repliée sur son fauteuil de bureau, la croupe sur le bras du fauteuil, compulse son dictionnaire.

Follavoine, son dictionnaire ouvert devant lui sur la table. — Voyons : « Iles Hébrides ?... Iles Hébrides ?... Iles Hébrides ?... » *(On frappe à la porte. — Sans relever la tête et avec humeur.)* Zut ! entrez ! *(A Rose qui paraît.)* Quoi ? Qu'est-ce que vous voulez ?

Rose, arrivant du pan coupé de gauche. — C'est madame qui demande monsieur.

Follavoine, se replongeant dans son dictionnaire et avec brusquerie. — Eh ! bien, qu'elle vienne !... Si elle a à me parler, elle sait où je suis.

Rose, qui est descendue jusqu'au milieu de la scène. — Madame est occupée dans son cabinet de toilette ; elle ne peut pas se déranger.

Follavoine. — Vraiment ? Eh bien, moi non plus ! Je regrette ! je travaille.

Rose, avec indifférence. — Bien, monsieur.

Elle fait mine de remonter.

Follavoine, relevant la tête, sans lâcher son dictionnaire. — *Sur le même ton brusque.* — D'abord, quoi? Qu'est-ce qu'elle me veut?

Rose, qui s'est arrêtée à l'interpellation de Follavoine. — Je ne sais pas, monsieur.

Follavoine. — Eh! bien, allez lui demander!

Rose. — Oui, monsieur.

Elle remonte.

Follavoine. — C'est vrai ça!... *(Rappelant Rose au moment où elle va sortir.)* Au fait, dites donc, vous...!

Rose, redescendant. — Monsieur?

Follavoine. — Par hasard, les... les Hébrides...?

Rose, qui ne comprend pas. — Comment?

Follavoine. — Les Hébrides?... Vous ne savez pas où c'est?

Rose, ahurie. — Les Hébrides?

Follavoine. — Oui.

Rose. — Ah! non!... non!... *(Comme pour se justifier.)* C'est pas moi qui range ici!... c'est madame.

Follavoine, se redressant en refermant son dictionnaire sur son index de façon à ne pas perdre la page. — Quoi! quoi, « qui range »! les Hébrides!... des îles! bougre d'ignare!... de la terre entourée d'eau... vous ne savez pas ce que c'est?

Rose, ouvrant de grands yeux. — De la terre entourée d'eau?

Follavoine. — Oui! de la terre entourée d'eau, comment ça s'appelle?

Rose. — De la boue?

Follavoine, haussant les épaules. — Mais non, pas de la boue! C'est de la boue quand il n'y a pas beaucoup de terre et pas beaucoup d'eau; mais, quand il y a beaucoup de terre et beaucoup d'eau, ça s'appelle des îles!

Rose, abrutie. — Ah?

Follavoine. — Eh! bien, les Hébrides, c'est ça! c'est des îles! par conséquent, c'est pas dans l'appartement.

Rose, voulant avoir compris. — Ah! oui!... c'est dehors!

Follavoine, haussant les épaules. — Naturellement! c'est dehors.

Rose. — Ah! ben, non! non je les ai pas vues.

Follavoine, quittant son bureau et poussant familièrement Rose vers la porte pan coupé. — Oui, bon, merci, ça va bien!

Rose, comme pour se justifier. — Y a pas longtemps que je suis à Paris, n'est-ce pas...?

Follavoine. — Oui!... oui, oui!

Rose. — Et je sors si peu!

Follavoine. — Oui! ça va bien! allez!... Allez retrouver madame.

Rose. — Oui, monsieur!

   Elle sort.

Follavoine. — Elle ne sait rien cette fille! rien! qu'est-ce qu'on lui a appris à l'école? *(Redescendant jusque devant la table contre laquelle il s'adosse.)* « C'est pas elle qui a rangé les Hébrides »! Je te crois, parbleu! *(Se replongeant dans son dictionnaire.)* « Z'Hébrides... Z'Hébrides... » *(Au public.)* C'est extraordinaire! je trouve zèbre, zébré, zébrure, zébu!... Mais de Zhébrides, pas plus que dans mon œil! Si ça y était, ce serait entre zébré et zébrure. On ne trouve rien dans ce dictionnaire!

Par acquit de conscience, il reparcourt des yeux la colonne qu'il vient de lire.

SCÈNE II

Follavoine, Julie

Julie, surgissant en trombe par la porte pan coupé. Tenue de souillon: peignoir-éponge dont la cordelière non attachée traîne par-derrière; petit jupon de soie, sur la chemise de nuit qui dépasse par en bas; bigoudis dans les cheveux; bas tombant sur les savates. — Elle tient un seau de toilette plein d'eau à la main. — Alors, quoi? Tu ne peux pas te déranger? Non?

Follavoine, sursautant. — Ah! je t'en prie, n'entre donc pas toujours comme une bombe!... Ah!...

Julie, s'excusant ironiquement. — Oh! pardon! *(La bouche pincée et sur un ton sucré.)* Tu ne peux pas te déranger? Non?

Follavoine, avec humeur. — Eh bien! et toi? Pourquoi faut-il que ce soit moi qui me dérange plutôt que toi?

Julie, avec un sourire pointu. — C'est juste! c'est juste! nous sommes mariés, alors!...

Follavoine. — Quoi? Quoi? Quel rapport?...

Julie, de même. — Ah! je serais seulement la femme d'un autre, il est probable que!...

Follavoine. — Ah! laisse-moi donc tranquille! je suis occupé, v'là tout!

Julie, posant le seau qu'elle tient à la main au milieu de la scène, et gagnant la gauche. — Occupé! Monsieur est occupé! c'est admirable!

Follavoine. — Oui, occupé! *(Apercevant le seau laissé par Julie.)* Ah!

Julie, se retournant à l'exclamation de Follavoine. — Quoi?

Follavoine. — Ah ça! tu es folle? Tu m'apportes ton seau de toilette ici, à présent?

Julie. — Quoi, « mon seau »? Où ça, « mon seau »?

Follavoine, l'indiquant. — Ça!

Julie. — Ah! là! c'est rien *(Le plus naturellement du monde.)* C'est mes eaux sales.

Follavoine. — Qu'est-ce que tu veux que j'en fasse?

Julie. — Mais c'est pas pour toi! C'est pour les vider.

Follavoine. — Ici?

Julie. — Mais non, pas ici! Que c'est bête ce que tu dis là! Je n'ai pas l'habitude de vider mes eaux dans ton cabinet de travail; j'ai du tact.

Follavoine. — Alors, pourquoi me les apportes-tu?

Julie. — Mais pour rien! Parce que j'avais le seau en main pour aller le vider quand Rose est venue me rapporter ta charmante réponse: alors, pour ne pas te faire attendre...

Follavoine. — Tu ne pouvais pas le laisser à la porte?

Julie. — Ah! et puis tu m'embêtes! Si ça te gêne tant, tu n'avais qu'à te déranger quand je te demandais de venir; mais monsieur était occupé! à quoi? Je te le demande.

Elle a arpenté jusqu'au fond.

Follavoine, sur un ton bougon. — A des choses, probable!

Julie. — Quelles?

Follavoine, de même. — Eh! bien, des choses... Je cherchais « Iles Hébrides » dans le diction-naire.

Julie. — Iles Hébrides! T'es pas fou? Tu as l'intention d'y aller?

Follavoine, de même. — Non, je n'ai pas l'inten-tion!

Julie, d'un ton dédaigneux, tout en s'asseyant sur le canapé. — Alors, qu'est-ce que ça te fait? En quoi ça peut-il intéresser un fabricant de porce-laine de savoir où sont les Hébrides?

Follavoine, toujours sur le ton grognon. — Si tu crois que ça m'intéresse! Ah! bien!... je te jure que si c'était pour moi!... Mais c'est pour Bébé. Il vous a de ces questions! Les enfants s'imaginent, ma parole! que les parents savent tout!... *(Imi-tant son fils.)* « Papa, où c'est les Hébrides? *(Reprenant sur un ton bougon, pour s'imiter lui-même.)* — Quoi? *(Voix de son fils.)* Où c'est les

Hébrides, papa?» Oh! j'avais bien entendu! j'avais fait répéter à tout hasard... *(Maugréant.)* «Où c'est, les Hébrides?» est-ce que je sais, moi! Tu sais où c'est, toi?

Julie. — Bien oui, c'est... J'ai vu ça quelque part, sur la carte; je ne me rappelle pas où.

Follavoine, remontant pour aller s'asseoir à sa table sur laquelle il pose son dictionnaire ouvert à la page qu'il compulsait. — Ah! comme ça, moi aussi! Mais je ne pouvais pas lui répondre ça, à cet enfant! Qu'est-ce qu'il aurait pensé! J'ai essayé de m'en tirer par la tangente: «Chut! allez! ça ne te regarde pas! Les Hébrides, c'est pas pour les enfants!»

Julie. — En voilà une idée! C'est idiot.

Follavoine. — Oui! Ah! c'était pas heureux; c'était précisément dans les questions de géographie que lui avait laissées mademoiselle.

Julie, haussant les épaules. — Dame, évidemment!

Follavoine. — Eh! aussi est-ce qu'on devrait encore apprendre la géographie aux enfants à notre époque?... avec les chemins de fer et les bateaux, qui vous mènent tout droit!... et les indicateurs où l'on trouve tout!

Julie. — Quoi? Quoi? Quel rapport?

Follavoine. — Mais absolument! Est-ce que, quand tu as besoin d'une ville, tu vas la chercher dans la géographie? Non, tu cherches dans l'indicateur! Eh! ben, alors!...

Julie. — Mais alors, ce petit? *(Se levant et ramassant son seau au passage.)* Tu ne l'as pas aidé? Tu l'as laissé dans le pétrin?

Follavoine. — Bédame! Comment veux-tu? C'est-à-dire que j'ai pris un air profond, renseigné; celui du monsieur qui pourrait répondre mais qui ne veut pas parler et je lui ai dit : « Mon enfant, si c'est moi qui te montre, tu n'as pas le mérite de l'effort; essaye de trouver, et si tu n'y arrives pas, alors je t'indiquerai. »

Julie, près de Follavoine, à gauche de la table. — Oui, vas-y voir!

Follavoine. — Je suis sorti de sa chambre avec un air détaché; et, aussitôt la porte refermée, je me suis précipité sur ce dictionnaire, persuadé que j'allais trouver! Ah! bien, oui, je t'en fiche! Nibe.

Julie, qui ne comprend pas. — Nibe?

Follavoine. — Enfin, rien!

Julie, incrédule. — Dans le dictionnaire? *(Elle pose son seau par terre à gauche de la table et, écartant son mari pour examiner le dictionnaire à sa place.)* Allons, voyons! voyons!...

Follavoine, descendant de l'extrême droite. — Oh! tu peux regarder!... Non! Vraiment, tu devrais bien dire à mademoiselle de ne pas farcir la cervelle de ce petit avec des choses que les grandes personnes elles-mêmes ignorent... et qu'on ne trouve seulement pas dans le dictionnaire.

Julie, qui s'est assise et depuis un instant a les yeux fixés sur la page ouverte du dictionnaire. — Ah ça! mais!... mais!...

Follavoine. — Quoi?

Julie. — C'est dans les Z que tu as cherché ça?

Follavoine, un peu interloqué. — Hein?... mais... oui...

Julie, haussant les épaules avec pitié. — Dans les Z, les Hébrides ? Ah ! bien, je te crois que tu n'as pas pu trouver.

Follavoine. — Quoi ? C'est pas dans les Z ?

Il contourne la table et remonte (1) près de Julie.

Julie, tout en feuilletant rapidement le diction-naire. — Il demande si c'est pas dans les Z !

Follavoine. — C'est dans quoi, alors ?

Julie, s'arrêtant à une page du diction-naire. — Ah ! porcelainier, va !... Tiens, tu vas voir comme c'est dans les Z. *(Parcourant la colonne des mots.)* Euh !... « Ébraser, Èbre, Ébré-cher... » C'est dans les E, voyons ! « ... Ébriété, ébroïcien, ébro... » *(Interloquée.)* Tiens ! Comment ça se fait ?

Follavoine. — Quoi ?

Julie. — Ça n'y est pas !

Follavoine, dégageant vers la gauche et sur un ton triomphant. — Ah ! ah ! Je ne suis pas fâché !... Toi qui veux toujours en savoir plus que les autres !...

Julie, décontenancée. — Je ne comprends pas : ça devrait être entre « ébrécher » et « ébriété ».

Follavoine, sur un ton rageur. — Quand je te dis qu'on ne trouve rien dans ce dictionnaire ! Tu peux chercher les mots par une lettre ou par une autre, c'est le même prix ! On ne trouve que des mots dont on n'a pas besoin !

Julie, les yeux fixés sur le dictionnaire. — C'est curieux !

Follavoine, s'asseyant sur le canapé et sur un ton pincé. — Tout de même, je vois que la « porce-

lainière » peut aller de pair avec le « porcelainier ».

Julie, sèchement. — En tous cas j'ai cherché
dans les E; c'est plus logique que dans les Z.

Follavoine, haussant les épaules. — Ah ! là, là !
« plus logique dans les E » ! pourquoi pas aussi
dans les H ?

Julie, vexée. — « Dans les H... dans les H... » !
Qu'est-ce que ça veut dire ça, « dans les H » ?
(Changeant insensiblement de ton.) Mais, au
fait... dans les H... pourquoi pas ?... mais oui :
« Hébrides... Hébrides », il me semble bien
que ?... oui ! *(Elle s'est précipitée sur le diction-
naire qu'elle feuillette d'une main fébrile.)* H !...
H... H...

Follavoine, la singeant. — Quoi, « achachache » ?

*Julie, parcourt rapidement la colonne des
mots.* — « Hèbre, Hébreux, Hébrides » ! *(Triom-
phante.)* Mais oui, voilà : « Hébrides », ça y est !

Follavoine, se précipitant vers sa femme. — Tu
l'as trouvé ? *(Dans son mouvement, il est allé donner du pied contre le seau qu'il n'a pas vu. Avec
rage.)* Ah ! là, voyons !

> Il ramasse le seau et ne sachant où le mettre, le
> pose sur le coin gauche de la table. Il reste ainsi
> les deux avant-bras appuyés sur le couvercle du
> seau.

Julie. — En plein : « Hébrides, îles qui bordent
l'Écosse au nord. »

*Follavoine, dégageant vers la gauche, et radieux,
comme si c'était lui qui avait trouvé.* — Eh ! bien,
voilà !

Julie. — Ah! et puis encore : « Nouvelles-Hébrides, îles de la Mélanésie. »

Follavoine, sur le même ton. — « Mélanésie », voilà! C'est bien ça! Tout à l'heure nous n'avions pas d'Hébrides du tout, et maintenant nous en avons trop! Voilà! C'est l'éternelle histoire! C'est la vie!

Julie. — Oui, mais lesquelles lui faut-il, maintenant, à ce petit!

Follavoine, à la « je m'en fiche ». — Oh! ben ça, ça m'est égal! Il choisira celles qu'il voudra! On avait besoin d'Hébrides; on en a, c'est l'essentiel! S'il y en a trop, on en laissera!

Julie. — Et dire qu'on cherchait dans les E et dans les Z...

Follavoine, se laissant tomber sur le canapé. — On aurait pu chercher longtemps!

Julie, se levant et passant son bras dans l'anse de son seau pour l'emporter. — Et c'était dans les H!

Follavoine, avec un aplomb touchant à l'inconscience. — Qu'est-ce que je disais!

Julie, ahurie de son toupet, se retourne vers lui, puis. — Comment, « ce que tu disais »!

Follavoine, le plus calme du monde. — Eh! ben, oui, quoi? C'est peut-être pas moi qui ai dit : « Pourquoi pas dans les H? »

Julie. — Pardon! Tu l'as dit!... tu l'as dit... ironiquement.

Follavoine, se levant et allant à elle. — Ironiquement! En quoi ça, ironiquement?

Julie. — Absolument! pour te moquer de moi :

(Contrefaisant sa voix.) « Ah! pourquoi pas aussi dans les H? »

  Elle passe au 1.

Follavoine. — Ah! bien, non, tu sais!...

Julie. — C'est moi alors qui, subitement, ai eu comme la vision du mot.

Follavoine, gagnant la droite au-dessus de la table. — « Comme la vision du mot »! c'est admirable! « Comme la vision du mot »! Cette mauvaise foi des femmes! Je te dis : « Pourquoi pas dans les H? » Alors tu sautes là-dessus, tu fais : « Au fait oui, dans les H, pourquoi pas? » Et tu appelles ça : « avoir la vision du mot »? Ah! bien, c'est commode!

Julie, furieuse, allant jusqu'au coin gauche de la table sur laquelle elle pose son seau. — Oh! c'est trop fort! Quand c'est moi qui ai pris le dictionnaire! quand c'est moi qui ai cherché dedans!

Follavoine, descendant par la droite de la table. Sur un ton persifleur. — Oui, dans les E!

Julie. — Dans les E... dans les E d'abord; comme toi avant, dans les Z; mais ensuite dans les H.

Follavoine, s'asseyant sur le fauteuil qui est à droite devant la table. — L'air détaché, les yeux au plafond. — Belle malice, quand j'ai eu dit : « Pourquoi pas dans les H? »

Julie, gagnant la gauche. — Oui, comme tu aurais dit : « Pourquoi pas dans les Q? »

Follavoine. — Oh! non, ma chère amie, non! si nous en arrivons aux grossièretés!...

Julie, se retourne ahurie, reste un instant inter-

loquée, puis. — Quoi? Quoi? Quelles grossièretés?

Follavoine. — Moi, je te préviens que je ne suis pas de force, alors!...

Julie, gagnant la gauche de la table. — Où ça, des grossièretés? Parce que je te tiens tête? Parce que je dis ce qui est? *(Secouant rageusement son seau de toilette sur la table tout en parlant.)* Mais oui, c'est moi qui ai trouvé! Oui, c'est moi qui ai trouvé!

Follavoine, se précipitant sur le seau de toilette pour le lui enlever des mains. — Eh! bien, oui, oui!... bon! c'est bon!

Il cherche à droite et à gauche où poser le seau.

Julie, voyant son jeu. — Quoi? Qu'est-ce que tu cherches?

Follavoine, avec rage. — Je cherche... je cherche... je cherche où mettre ça.

Julie. — Eh! bien, pose-le par terre.

Follavoine, le déposant au milieu de la scène. — Oui.

Julie, revenant à la charge. — Non, tu sais, avoir l'aplomb de prétendre!...

Follavoine, excédé. — Oh!... mais oui, là! Puisque c'est entendu! C'est toi qui as trouvé.

Julie. — Mais, parfaitement, c'est moi! Il ne s'agit pas d'avoir l'air de me faire des concessions.

Follavoine. — Ah! et puis, je t'en prie, en voilà assez, hein! avec tes E, tes Z, tes H et tes Q! c'est vrai ça! Tiens, tu ferais mieux d'aller t'habiller!

Julie, ronchonnant. — Me dire que je n'ai pas eu la vision!...

Elle s'assied sur le bras du canapé.

Follavoine. — Mais oui, là!... Il est près de onze heures et tu es encore à traîner en souillon...

Julie, tout en rajustant instinctivement son peignoir. — Oui, oh! change la conversation, va!... change!

Follavoine. — ... avec ton peignoir sale, tes bigoudis et tes bas qui traînent sur tes talons!

Julie, relevant ses bas avec brusquerie. — Eh! bien, sur lesquels veux-tu qu'ils traînent? Sur les tiens?

Follavoine. — Mais sur aucun talon du tout!

Julie. — Là! voilà, ils sont relevés!

Follavoine. — Oui! oh! si tu crois que ça va les empêcher de retomber, ce que tu fais. Enfin, tu ne peux pas les attacher?

Julie. — Avec quoi? J'ai pas de jarretelles.

Follavoine. — Ah bien! mets-en!

Julie. — A quoi veux-tu que je les accroche? J'ai pas de corset.

Follavoine, tout en gagnant la droite près du fauteuil devant la table. — Eh! bien, mets un corset que diable!

Julie. — Ah! puis zut! Dis tout de suite que tu veux que je me mette en robe de bal pour faire mon cabinet de toilette!

Tout en parlant, elle a ramassé son seau dans l'anse duquel elle a enfilé son bras droit, et remonte vers sa chambre.

Follavoine. — Mais, nom d'une brique! qui est-ce qui te demande de le faire, ton cabinet de toilette? On dirait que tu n'as pas de domestique! Tu as une femme de chambre, sacrebleu!

Julie, qui déjà était sur le pas de la porte, se retournant, comme piquée au vif par la réflexion de son mari, descendant jusqu'à lui à pas de fauve, et après s'être débarrassée de son seau de toilette en le déposant devant les pieds de Follavoine — les bras croisés, sous son nez. — Faire faire mon cabinet de toilette par ma femme de chambre!

Follavoine, pour se dérober à une nouvelle discussion, passant devant sa femme et gagnant la gauche. — Oh!...

Julie, ne lâchant pas prise et emboîtant le pas parallèlement au-dessus de lui. — Ah! bien merci! pour que tout soit cassé, ébréché! Non, non! Je fais ça moi-même.

Elle lâche son mari et, gagnant l'extrême droite, va s'asseoir sur le fauteuil devant la table.

Follavoine. — Alors, ce n'est pas la peine d'avoir une bonne, si elle ne te sert à rien.

Julie, tout en étendant sa jambe droite à moitié nue sur son seau comme un tabouret. — Je te demande pardon, elle me sert : elle est là!

Follavoine. — Ouais! Et qu'est-ce qu'elle fiche, pendant que tu fais son ouvrage?

Julie, un peu interloquée. — Eh! ben, elle... elle me regarde.

Follavoine. — C'est ça! voilà : Elle te regarde! Je paye une fille quatre cents francs par mois pour qu'elle te regarde!

Julie. — Oh! je t'en prie! ne parle donc pas tout le temps de ce que tu payes! C'est d'un parvenu!

Follavoine. — D'un parvenu tant que tu voudras! je trouve que du moment que je paye une femme quatre cents francs par mois!...

Julie, se relevant, sans même prendre la peine de retirer sa jambe étendue sur son seau, mais simplement la laissant glisser en avant du seau à terre, ce par quoi elle se remet sur pied, et gagnant jusqu'à Follavoine. — Non, mais dis donc! je ne te demande pas de gages, moi, n'est-ce pas? Eh! bien, dès l'instant que ça ne te revient pas plus cher, qu'est-ce que ça te fait que ce soit elle ou moi qui fasse l'ouvrage?

Follavoine. — Cela me fait... cela me fait... que j'ai une bonne pour qu'elle fasse le service de ma femme; et non une femme pour qu'elle fasse le service de ma bonne!... ou alors, si c'est ça, je supprime la bonne.

Julie, avec de grands gestes indignés. — Voilà! voilà! nous devions en arriver là! il me marchande une domestique!

Elle gagne l'extrême droite.

Follavoine, même jeu, gagnant l'extrême gauche. — Là! là! Je lui marchande une domestique, maintenant!

Julie, se retournant vers lui. — Mais absolument.

Follavoine, à bout d'arguments. — Ah! tiens, remonte donc tes bas, va! tu ferais mieux!

Julie, relevant ses bas avec brusquerie. — Oui, oh!... (Reprenant.) Tout ça parce que je préfère faire mon cabinet de toilette moi-même! *(Remontant, tout en parlant, par l'extrême droite, jusqu'au-dessus de la table de travail.)* Ah! tu es bien le premier mari qui reproche à sa femme de s'occuper de son ménage.

Follavoine. — Pardon! pardon, entre s'occuper de son ménage et...

Julie, nerveuse, rangeant machinalement les papiers sur la table de son mari. — Tu aimerais mieux, n'est-ce pas, que je fasse comme toutes ces dames que je vois?... Que je ne pense qu'à m'attifer, qu'à créer de la dépense?...

Follavoine, apercevant le jeu de scène de Julie et tremblant pour ses papiers. — Oh! là!... Oh! là!

Il se précipite pour les défendre.

Julie, de même. — Toujours debout: au Bois, aux courses, dans les grands magasins...

Follavoine, défendant ses papiers comme il peut. — Non, je t'en prie!... je t'en prie!...

Julie, continuant, sans se démonter. — ... Au skating le matin; au skating l'après-midi!

Follavoine, de même. — Je t'en prie, veux-tu...?

Julie, de même. — Quel joli but dans l'existence!

Follavoine, de même. — Non! Ça ne va pas là! laisse! laisse!

Il l'écarte vers la droite.

Julie. — Mais quoi?

Follavoine, tout en essayant de remettre ses papiers en place. — Mais mes papiers, cré nom d'un chien! Je ne t'ai pas demandé de ranger!

Julie. — Je ne peux pas voir une table en désordre.

Follavoine. — Eh! bien, ne la regarde pas! mais laisse-la tranquille.

Julie, redescendant par la droite. — Eh! je m'en fiche de la table.

Elle ramasse en passant son seau de toilette.

Follavoine. — Oui! Eh bien, prouve-le lui! et va ranger chez toi! *(Grommelé entre ses dents.)* Ce besoin de faire le ménage partout!

Il s'est assis à sa table.

Julie, *qui a contourné la table de façon à arriver au coin gauche. Revenant à la charge.* — Oui, enfin! voilà comment tu voudrais que je sois, hein!

Follavoine, *hors de ses gonds, presque crié.* — Quoi, « que tu sois »? que tu sois quoi? Je ne sais pas de quoi tu me parles.

Julie. — Comme ces femmes-là?

Follavoine, *exaspéré et tout en rangeant ses papiers.* — Est-ce que je sais? Je ne te demande que de ne pas fouiller dans mes papiers; c'est pas beaucoup!

Julie, *ne lâchant pas prise; gagnant la gauche avec des dandinements et des gestes de menuet, ce qui imprime au seau qu'elle tient à la main un balancement d'encensoir plein de menace pour le tapis.* — ... Une mondaine? Une madame Benoîton? *(Changeant de ton.)* Désolée, mon cher; mais je n'ai pas été élevée à ça.

Follavoine, *qui en a par-dessus la tête.* — Oui, bon! eh bien! tant mieux!

Julie, *revenant vers lui — coin gauche de la table — et déposant tout en parlant son seau sur des papiers à Follavoine juste au moment où celui-ci se dispose à les prendre.* — Tu sauras que ma famille...!

Follavoine, *empêché de retirer ses papiers par le poids du seau.* — Oh!... Allons, voyons!

Julie, tout en soulevant le seau, de façon à libérer les papiers. — ... que ma famille...

Follavoine, levant les yeux au ciel. — Oh!

Julie. — ... quand il s'est agi de mon éducation, n'a eu qu'une chose en vue : c'est faire de moi une femme d'intérieur!... et une bonne ménagère!

Follavoine. — Écoute, je t'assure, c'est très intéressant, mais il est onze heures et...

Julie, lui coupant la parole. — Ça m'est égal!... C'est ainsi qu'on m'a appris à faire tout par moi-même!... et à ne compter que sur moi! parce qu'on ne sait jamais, dans la vie, si on aura toujours des gens pour vous servir.

Elle gagne la gauche avec dignité.

Follavoine hausse les épaules, lève les yeux au ciel, puis. — Tes bas!

Julie. — Ah! Zut! *(Sans prendre la peine de s'asseoir, elle relève vivement ses bas en se mettant successivement sur une jambe et sur l'autre, puis reprenant.)* J'ai été dressée à ça toute petite; si bien que c'est devenu chez moi comme une seconde nature. *(S'asseyant sur le fauteuil à droite de la table.)* Maintenant est-ce un bien? Est-ce un mal? *(S'accoudant sur le rebord de la table, la tête appuyée sur la main.)* Je ne peux dire qu'une chose : je tiens ça de ma mère.

Follavoine, occupé à parcourir ses papiers et sans aucune intention. — Ah!... ma belle-mère.

Julie, la tête à demi-tournée vers Follavoine et sur un ton pincé. — Non!... « ma mère »!

Follavoine, de même. — Eh! bien, oui; c'est la même chose.

Julie, sur le même ton. — C'est possible! mais « ma mère », c'est tendre, c'est affectueux, c'est poli; tandis que « ma belle-mère », ça a quelque chose de sec, d'aigre-doux, de discourtois que rien ne justifie.

Follavoine, de même. — Oh! moi, tu sais, je veux bien.

Julie. — J'ai dit « ma mère »; eh! bien, c'est « ma mère ». Inutile de me corriger pour me dire : « ma belle-mère ».

Follavoine. — Je t'assure que si j'ai dit « ma belle-mère », c'est que vis-à-vis de moi...

Julie, se dressant comme mue par un ressort, et dos au public, les mains crispées au rebord de la table, le corps penché en avant comme pour dévorer son mari. — Quoi? Elle n'a pas toujours été correcte? Tu as quelque chose à lui reprocher?

Follavoine, le corps rejeté le plus en arrière possible au fond de son fauteuil, afin de se mettre hors de la portée de Julie. Avec véhémence. — Mais non! mais non! Qu'est-ce que tu vas chercher? Seulement, ça n'empêche pas, tout de même, que vis-à-vis de moi, ta mère...

Julie, qui a gagné le milieu de la scène, se retournant, et hautaine et tranchante. — Ah! Et puis, je t'en prie, hein? En voilà assez avec ma mère!

Follavoine, ahuri. — Quoi?

Julie. — C'est vrai ça! Cette façon de tomber toujours sur cette malheureuse!... de la cribler de lardons à tout propos...!

Follavoine. — Moi!

Julie. — Tout ça parce que j'ai eu le malheur d'apporter mon seau de toilette dans ton cabinet de travail!

Follavoine. — Ah! non, celle-là, par exemple...!

Julie, glissant son bras dans l'anse du seau qui est toujours sur la table de son mari. — Mais on va l'enlever, mon seau! Voilà, je l'enlève! il n'y a pas de quoi faire une histoire! Je l'enlève!

Follavoine, ronchonnant, tout en affectant de se plonger dans ses papiers. — Eh! ben!... C'est pas un mal.

Julie, bougonnant, tout en remontant vers la porte de sa chambre. — Non! faire une sortie pareille pour un misérable seau de toilette, vraiment, on aurait commis un crime!... *(Arrivée sur le seuil de la porte, elle s'arrête. Une réflexion a traversé son cerveau, elle fait volte-face, redescend jusqu'à la table, pose son seau dessus et à la même place que précédemment, puis.)* Seulement, tu sais! une autre fois, quand tu auras un reproche à me faire...

Follavoine, l'interrompant. — Non, pardon!... pardon!...

Julie, interloquée. — Quoi?

Follavoine. — Voilà le seau revenu!

Julie, entre les dents. — Idiot! *(Reprenant.)*... Quand tu auras un reproche à me faire, tu voudras bien me dire les choses en face!... et ne pas t'en prendre à maman!

   Elle descend légèrement en scène, laissant le
   seau sur la table.

Follavoine, hors de ses gonds, gagnant vers Julie. — Mais, nom d'un petit bonhomme! qu'est-ce que j'ai dit, sacrebleu?

Julie. — Oh! rien, rien. C'est entendu! Il ne te manque plus que de faire l'hypocrite!

Follavoine, excédé et impuissant à lutter. — Oh!

Il remonte fond gauche.

Julie, gagnant au-dessus de la table sur laquelle, machinalement, elle recommence son rangement, tout en parlant. — Comme si je ne comprenais pas toujours très bien ce que tu veux dire... quand tu ne dis rien!

Follavoine, se retournant. — Non! ça, c'est un comble! Comment! Je dis... *(Se précipitant en voyant sa femme farfouiller dans ses papiers.)* Ah! non, non! laisse mes papiers tranquilles à la fin des fins!... *(Il s'est substitué à Julie qu'il a fait passer à gauche de la table.)* Qu'est-ce que c'est que cette manie que tu as...?

Julie, sur un ton péremptoire. — J'aime l'ordre.

Follavoine, haussant les épaules. — Ah! « tu aimes l'ordre! tu aimes l'ordre »! *(Lui montrant le seau sur la table et le lui tendant.)* Regarde ça!

Julie, prenant le seau. — Eh ben! quoi?...

Follavoine, ronchonnant. — « Tu aimes l'ordre »! Tu ne ferais pas mal d'aller en mettre un peu dans ta toilette! *(Se levant.)* Je t'en supplie! tu avais eu un bon mouvement tout à l'heure; tu étais presque partie avec ton seau; il a fallu que tu me le rapportes...

Julie, lui coupant la parole et sur un ton péremptoire. — J'ai à te parler.

Follavoine, la poussant doucement dans la direction de sa chambre. — Oui, eh! bien, plus tard!

Julie. — Non, pas plus tard. Tu penses bien que si tout à l'heure, je t'ai fait demander...

Follavoine, près du canapé, ainsi que Julie. — Je

t'en prie, il est onze heures; tu n'as pas encore commencé à t'habiller; nous avons les Chouilloux à déjeuner...

Julie. — « Les Chouilloux! les Chouilloux! » Je m'en fiche, moi, des Chouilloux.

Follavoine. — Oui, mais pas moi! Chouilloux est un homme que j'ai le plus grand intérêt à ménager...

Julie. — Possible, désolée! mais il attendra. Il s'agit de Bébé, et, entre Bébé et Chouilloux, je crois qu'il n'y a pas à hésiter!

Follavoine, hors de ses gonds. — Oh! Mais quoi? Quoi, « Bébé »?

Julie, passant devant lui et gagnant la droite. — Ou alors dis que tu préfères Chouilloux!

　　Elle s'assied sur le fauteuil devant la table, avec le seau sur ses genoux.

Follavoine, presque crié. — Mais non, mais non! ça n'a rien à voir! Je ne mets pas Bébé et Chouilloux en parallèle; ça n'empêche pas que, quand on reçoit un étranger d'importance, on se met en frais pour lui; ça n'implique pas qu'on le préfère à sa famille! Chouilloux doit venir un peu avant le déjeuner pour conférer avec moi d'une grosse affaire que j'ai en vue...

Julie. — Eh! bien, conférez! Qu'est-ce que ça me fait?

Follavoine. — Mais il va arriver d'un instant à l'autre! Tu ne peux pourtant pas le recevoir avec ton peignoir sale, tes bigoudis, ton seau de toilette sur les genoux et tes bas qui tombent sur les talons!

Julie, déposant son seau avec humeur devant elle. — Oh! que tu m'embêtes avec mes bas! *(Debout, un pied sur son seau, se baissant déjà pour relever ses bas.)* Alors, quoi? Ton Chouilloux, il ne sait pas ce que c'est que des bas qui ne sont pas attachés? Non? Madame Chouilloux, quand elle se lève, elle est en grande toilette?

Follavoine, pendant que sa femme, nerveusement, relève ses bas. — Je ne sais pas comment est madame Chouilloux quand elle se lève, mais je dis que ta tenue n'est pas une tenue pour recevoir des gens que l'on a pour la première fois à déjeuner.

Il remonte au fond.

Julie, tout en farfouillant sur la table de Follavoine pour trouver un objet qu'elle cherche. — Eh bien! tu es en redingote; ça fait compensation.

Follavoine, se retournant à cette observation. — Moi, je suis correct! *(Voyant le jeu de scène de sa femme.)* Qu'est-ce tu cherches? Qu'est-ce tu cherches?

Julie, prenant dans une boîte des rondelles de caoutchouc. — Tes élastiques.

Follavoine, au-dessus de la table. — Quoi? quoi? Pourquoi?

Julie, reposant la boîte sur la table et se rasseyant sur son fauteuil. — Comme ça, tu me ficheras la paix avec mes bas!...

Elle se passe un élastique à chaque jambe.

Follavoine. — Mais c'est des caoutchoucs pour mes dossiers! ce n'est pas des jarretières!

Julie, tout en achevant de passer ses élastiques, chacun des « des » très appuyé. — Ce n'est pas des jarretières, parce qu'on n'en fait pas des jarretières; mais puisque j'en fais des jarretières, ça devient des jarretières.

Follavoine, gagnant la gauche avec découragement. — Ah! non! ce désordre!...

Julie, haussant les épaules. — « Tu es correct! » Si ce n'est pas grotesque : à onze heures du matin, se mettre en redingote!... pour monsieur Chouilloux!... ce cocu!...

Follavoine, regarde sa femme, étonné, puis. — Quoi? « ce cocu »?... Qu'est-ce que ça signifie : « ce cocu »? Qu'est-ce que tu en sais?

Julie, heureuse de mettre son mari dans son tort. — Ah!... c'est toi qui me l'as dit.

Follavoine. — Moi!

Julie. — Je ne l'ai pas inventé, n'est-ce pas? Je ne connais pas Chouilloux. Ce n'est pas un de mes amis; je n'ai donc pas de raison d'en dire du mal.

Elle passe devant Follavoine et gagne la gauche.

Follavoine, adossé au coin de sa table. — Chouilloux, cocu! Si on peut dire!

Julie, redescendant vers lui. — Faut croire qu'on peut, puisque tu me l'as dit.

Follavoine. — Je te l'ai dit, je te l'ai dit... quand je n'avais pas besoin de lui! mais maintenant que j'ai besoin de lui...

Julie, du tac au tac et nez à nez avec Follavoine. — Quoi? Il n'est plus cocu?

Follavoine. — Non!... Si!... Enfin, nous n'avons pas à le savoir!... Ce n'est pas comme tel que nous le recevons.

Il gagne l'extrême droite.

Julie. — En vérité!

Follavoine, remontant par l'extrême droite jusqu'au-dessus de sa table. — C'est un homme qui, actuellement, peut m'être très utile...

Julie. — En quoi?

Follavoine. — Pour une grosse affaire que je mijote; ce serait trop long à t'expliquer.

Julie, gagnant la droite. — Oui. Oh! je sais, tu as des idées larges, quand ton intérêt est en jeu!

Follavoine. — Enfin, quoi? Ça te gêne qu'il soit cocu?

Julie. — Ah! là, là, non! Il peut bien l'être dix fois plus! Mais ce qui me gêne c'est que tu m'amènes sa femme à déjeuner; ça oui!

Follavoine, côté gauche de la table. — Je ne pouvais pas inviter monsieur sans madame; ça ne se fait pas.

Julie. — Oui? Et son amant, monsieur Horace Truchet? Tu étais obligé d'inviter son amant!

Follavoine. — Mais évidemment! c'est l'usage, ma chère amie! On les invite partout comme ça. C'est-à-dire que si je n'avais pas convié monsieur Truchet, c'eût été un manque de tact! Chouilloux aurait pu même se demander ce que cela voulait dire! Enfin, quoi? Ça ne se fait pas!

Julie, adossée à la table, les bras croisés. — C'est admirable! Ce qui fait que nous les avons tous les trois! l'adultère au complet! Ah! c'est moral! *(Ramassant son seau et gagnant la gauche.)* Joli contact pour ta femme! et bel exemple pour Toto!

Follavoine, descendant en scène. — Oh! Toto... il a sept ans...!

Julie. — Il ne les aura pas toujours.

Follavoine. — Bien oui, mais, en attendant, il les a.

Julie. — Oh! Évidemment! évidemment! Sa santé morale, c'est comme sa santé physique : tu t'en soucies comme de l'an quarante!

Follavoine, les bras au ciel tout en remontant au-dessus de table. — Là! Là! Qu'est-ce que ça veut dire? Qu'est-ce que ça signifie encore ça?

Julie, déposant vivement son seau au milieu de la scène et remontant aussitôt rejoindre son mari qui s'est assis à sa table. — Mais... mais il n'y a qu'à voir : voilà une heure que j'essaye de te parler de Bébé; de t'entretenir de sa santé; et qu'il n'y a pas moyen de placer un mot! Chaque fois que j'ouvre la bouche, que je dis : « Bébé », tu me réponds : « Chouilloux »; il n'y en a que pour Chouilloux! « Chouilloux, Chouilloux », et toujours « Chouilloux »!

Follavoine, à bout de patience. — Mais enfin, quoi? Qu'est-ce qu'il y a? Qu'est-ce que tu as à me dire?

Julie, péremptoire. — J'ai à te parler.

Follavoine. — Eh bien! parle!

Julie. — Ah?... c'est pas trop tôt!

    Elle descend et va s'asseoir sur son seau comme sur un tabouret.

Follavoine, bondissant sur son siège et donnant un grand coup de poing sur la table en voyant sa femme sur le seau de toilette. — Ah! non! non!

Julie, ahurie. — Quoi?

Follavoine. — Tu ne peux pas te fourrer autre part que sur ton seau? Tu trouves qu'un seau de toilette est fait pour s'asseoir?

Julie. — Ça n'a pas d'importance! je suis très bien.

Follavoine. — Mais il ne s'agit pas de savoir si tu es bien! Un seau de toilette n'est pas un siège; je te prie de te mettre sur une chaise.

Julie, le toisant, puis détournant la tête avec dédain, tout en se levant. — Ah!... ce que tu es snob!

Follavoine. — Il n'y a pas de snobisme; tu peux faire un faux mouvement, me flanquer ton seau par terre, je n'ai pas envie d'avoir tes eaux sales sur mon tapis.

Julie. — Le beau malheur! ça le lessiverait.

Follavoine. — Merci, trop aimable! j'aime mieux autre chose. Enfin, quoi, « Bébé »? Qu'est-ce qu'il y a, « Bébé »?

Julie, avec une soumission dédaigneuse. — Ah!... je peux?

Follavoine, les nerfs à fleur de peau. — Bien oui, tu peux!

Julie, qui est allée chercher la chaise près du canapé, l'apportant près de la table à côté de son mari et s'asseyant. — Eh! bien, voilà : je suis très ennuyée.

Follavoine. — Ah!

Julie. — Je ne suis pas contente de Toto.

Follavoine. — Oui!... Qu'est-ce qu'il a fait?

Julie. — Il n'a pas été ce matin.

Follavoine, répétant comme un écho, sans comprendre. — Il n'a pas été !

Julie. — Non.

Follavoine. — Il n'a pas été... où ça ?

Julie, tout de suite soupe au lait. — Quoi ! « où ça » ? Nulle part ! « Il n'a pas été », un point, c'est tout. Il me semble que c'est clair.

Follavoine, comprenant. — Ah ! oui, au...

Julie, brutale. — Eh ! bien oui !... *(Changement de ton.)* Nous avons essayé...! quatre reprises différentes ! pas de résultat !... Une fois, oui ! Oh !... rien ! *(Tendant son petit doigt avec l'ongle du pouce contre l'avant-dernière phalange.)* Grand comme ça !...

Follavoine. — Ah !

Julie, levant les yeux au ciel. — Et dur !

Follavoine, hochant la tête. — Oui !... c'est de la constipation.

Julie, navrée. — C'est de la constipation.

Follavoine. — Oui !... Eh ! ben ?... Qu'est-ce que tu veux que j'y fasse ?

Julie, scandalisée. — Comment, « ce que je veux » !

Follavoine. — Dame ! Je ne peux pas aller pour lui.

Julie, se levant. — Oh ! c'est malin ! c'est malin, ce que tu dis là. Évidemment, tu ne peux pas aller pour lui !

Follavoine. — Alors ?...

Julie. — Ça me ferait une belle jambe, que tu ailles pour lui! Mais ce n'est pas une raison parce qu'on ne peut pas aller pour les gens, pour les laisser crever. *(Descendant à gauche.)* Vraiment, tu es d'une indifférence!

Follavoine, se levant à son tour et rejoignant sa femme. Avec bonhomie. — Enfin, tu ne veux pas pourtant que je me mette à pleurer parce que ce petit est un peu constipé.

Julie. — Pourquoi donc pas? Il ne faut jamais plaisanter, avec la constipation!...

Follavoine, incrédule. — Oh!

Julie, avec importance. — J'ai lu dans un livre qui s'appelle: « Les coulisses de l'histoire », qu'un bâtard de Louis XV avait failli mourir à sept ans des suites d'une constipation opiniâtre.

Follavoine. — Eh! bien oui! mais elle était opiniâtre et il était bâtard, ce qui n'est le cas de Toto ni d'un côté ni de l'autre.

Julie. — Oui, mais Toto a sept ans comme lui! et il est constipé comme lui!

Follavoine. — Eh! bien, mon Dieu! il n'y a qu'à le purger.

Julie, avec un air de pitié pour Follavoine. — Oh!... évidemment.

Follavoine. — Eh! bien, purge-le!

   Il gagne la droite.

Julie. — Merci! ce n'est pas ton autorisation que je demande! Seulement avec quoi le purger? Il y a les purgations minérales... et les purgations végétales.

Follavoine, qui est revenu près de sa femme. —

Donne-lui de l'huile de ricin; il la prend facile-
ment et ça lui réussit bien.

Julie, avec une horreur instinctive. — Ah! non!
non! L'huile de ricin, non! j' peux pas la suppor-
ter! je la rends immédiatement.

Follavoine. — Mais... il ne s'agit pas de te la
faire prendre à toi, c'est à ton fils.

Julie. — Oui, mais c'est la même chose! Rien
que de la voir, rien que d'en parler...! *(Elle a un
haut-le-corps.)* Ah! non!... D'ailleurs, je ne vois
pas pourquoi tu fais toutes ces complications!
Nous avons de côté, dans le placard à pharmacie,
une bouteille d'Hunyadi-Janos, je ne vois pas
pourquoi on ne l'utiliserait pas, parce que tu préfères l'huile de ricin!

Follavoine, ahuri. — Moi!

Julie, sur un ton sans réplique. — Il y a de
l'Hunyadi-Janos, Bébé prendra de l'Hunyadi-
Janos!

Follavoine, gagnant l'extrême droite. — Eh! bien,
donne-lui de l'Hunyadi-Janos!... Seulement, je
ne vois pas pourquoi tu es venue me consulter.

   Il remonte par l'extrême droite jusqu'à sa table.

Julie. — Pour savoir ce que j'avais à faire.

Follavoine. — Ah? bon! il n'y paraît pas!

   Il s'assied à sa table.

Julie. — C'est gai d'avoir à le purger, cet enfant!
Mais c'est toujours comme ça! Chaque fois que
je le confie à sa grand-mère...

*Follavoine, distrait, occupé qu'il est à jeter les yeux
sur un papier.* — Quelle grand-mère?

Julie, ton tranchant et sec. — Eh! bien... sa

grand-mère!... Il n'en a pas trente-six. Ta mère habite Dusseldorf, ça ne peut être que maman.

Elle s'assied sur le canapé.

Follavoine. — Ah! oui! oui!... ta mère.

Julie. — Eh bien, oui, ma mère. *(L'imitant.)* « Ta mère! *Ta* mère! » je le sais qu'elle est *ma* mère! Cette façon de dire : « *Ta* mère ». Tu as toujours l'air de me la reprocher.

Follavoine, ahuri. — Moi!

Julie, revenant à son antienne. — Non, mais c'est bien ça : toutes les fois qu'elle sort avec Bébé, ça ne manque pas; elle le bourre de gâteaux, de bonbons...!

Follavoine, tout en écrivant quelques notes. — Oh! bien!... toutes les grands-mères sont comme ça.

Julie. — C'est possible! mais elle a eu tort! Surtout que je l'avais priée de n'en rien faire.

Follavoine. — Oh! bien, elle n'a pas cru, la pauvre femme...

Julie, se montant. — « Elle n'a pas cru », c'est entendu! mais elle a eu tort tout de même.

Follavoine, indulgent. — Oh! ben...!

Julie, s'emballant. — Mais si! mais si! il n'y a pas d'« oh ben »!... C'est curieux, ça, cette affectation que tu mets à donner toujours raison à maman!... à prendre son parti contre moi! Je te dis qu'elle a eu tort : eh bien, elle a eu tort.

Follavoine, pour avoir la paix. — Bon!... Bon!

Julie. — Résultat : Bébé ne va pas et on est obligé de le purger.

Follavoine. — Eh! bien, oui, mon Dieu, c'est embêtant; mais il n'en mourra pas.

Julie, à ce mot, se dresse, révoltée. — Mais je l'espère bien! qu'il n'en mourra pas! Ah! bien, merci! *(Fonçant sur son mari et le secouant.)* Mais c'est monstrueux, ce que tu dis là!... « Il n'en mourra pas »! en parlant de ton fils! Mais c'est ton enfant, tu sais! Tu n'as pas l'air de t'en douter; il est de toi!

Follavoine. — Mais je l'espère bien!

Julie. — Je ne suis pas comme madame Chouilloux, moi! Je ne fais pas faire ton ouvrage par mes petits cousins!

Follavoine. — Ah! tiens, laisse-moi tranquille!

Julie, redescendant et gagnant la droite. — Quand j'ai un enfant, moi, il est de mon mari!

Follavoine. — Mais qui est-ce qui te dit le contraire?

Julie, s'asseyant sur le fauteuil devant la table. — Ah! c'est que c'est si peu d'un père, ta façon d'être! Tiens, tu mériterais qu'il ne fût pas de toi, ton fils!

Follavoine, haussant les épaules. — Oh! tu es bête!

Julie. — Tu mériterais que ce fût un bâtard, lui aussi!... Et que je l'aie eu... *(Ne trouvant pas de nom à mettre en avant.)* avec Louis XV!

Follavoine, riant sous cape. — Avec Louis XV!

Julie. — Oui, monsieur!

Follavoine. — Eh bien, n... de D... ça t'en ferait de la cave!

Julie. — Oh! je t'engage à rire, va! je t'engage à rire!

Follavoine, obsédé. — Ah! et puis écoute, hein? en voilà assez, je crois! l'incident est clos! C'est décidé qu'on purge Bébé; eh! bien, va purger Bébé!

Julie, la tête basse, le regard dans le vide et d'une voix navrée. — Ah! Ça va être un drame!

Follavoine, se levant. — Eh! bien, ça sera un drame; tant pis! Je t'en prie, maintenant, laisse-moi! j'ai à me recueillir avant l'arrivé de Chouilloux, pour savoir comment disposer mes batteries. Va! va!... va t'habiller!

Il remonte vers la bibliothèque qui est au-dessus de lui.

Julie, se levant avec effort et remontant vers sa chambre, tout en marmonnant, d'une voix désolée, des phrases entrecoupées. — Ah! ce pauvre petit!... quand je pense qu'il va falloir le purger... j'en suis malade d'avance...

Follavoine, qui, déjà, a ouvert le battant droit de la bibliothèque, en se retournant, apercevant le seau abandonné par Julie au milieu de la scène. Appelant. — Julie! Julie!

Julie, de la même voix dolente. — Quoi?

Follavoine, indiquant le seau. — Je t'en prie; ton seau!... Je t'assure, je l'ai assez vu!

Julie, furieuse, tout en redescendant chercher son seau. — Eh! quoi, « mon seau, mon seau »! toujours « mon seau »!... Chouilloux, mon seau!... mon seau, Chouilloux! » on n'entend que ça!

Follavoine. — Mais, sacristi! un cabinet de travail n'est pas un endroit pour promener des seaux de toilette!

*Tout en parlant, il a tiré de sa bibliothèque un
vase de nuit qu'il exhibe juste sur ces derniers
mots.*

*Julie, se calmant aussitôt et sur un ton gouail-
leur.* — Ah ! bien, non tu sais, tu as du culot ! Tu
me fais une scène pour mon seau et tu te balades
avec un pot de chambre !

Follavoine, sur un ton vexé. — Un pot de
chambre !

Julie. — Dame, à moins que ce ne soit une coif-
fure que tu lances.

Follavoine. — Un pot de chambre ! Tu oses
comparer ton seau de toilette... à ça ! Mais ton
seau de toilette, ça n'est que... ton seau de toilette ! c'est-à-dire un objet vil, bas, qu'on n'étale
pas, qu'on dissimule !... *(Avec l'admiration qu'on
aurait pour un objet d'art, tendant son vase en lui
faisant comme un socle de l'extrémité de ses cinq
doigts.)* Tandis que ça, c'est...

*Julie, lui coupant la parole et tout en redescendant
vers la droite.* — « C'est, c'est »... un pot de
chambre ! c'est-à-dire un objet vil, bas, qu'on
n'étale pas, qu'on dissimule.

*Follavoine, descendant près de sa femme et avec
lyrisme.* — Oui, pour toi, pour n'importe qui,
pour les profanes ; mais pour moi c'est quelque
chose de plus noble, de plus grand, que je ne rou-
gis pas d'introduire ici ! C'est le produit de mon
travail ! un échantillon de mon industrie ! ma
marchandise ! mon... gagne-pain !

*Julie, avec une petite révérence gouail-
leuse.* — Ah ! bien, mange, mon ami ! mange !

　　Elle gagne la droite.

Follavoine, allant déposer son vase sur le petit gué-

ridon à gauche du canapé. — Oui! Blague! Blague! Tu ne blagueras pas toujours! Quand nous nous en ferons trois cent mille livres de rente...!

Julie, adossée contre la table de droite et tout en faisant passer son seau de son bras droit fatigué à son bras gauche. — Trois cent mille livres de rente de pots de chambre?

Follavoine, allant rejoindre sa femme. — De pots de chambre, parfaitement! ça t'étonne et pourtant, si Dieu le veut... et Chouilloux! ça se fera!

Julie. — Quoi? Quoi? Qu'est-ce que c'est que cette histoire?

Follavoine. — Il n'y a pas d'histoire! Je ne t'en parlais pas, pour te réserver la surprise si je réussissais; mais puisque c'est comme ça...! Alors tu ne sais pas... tu ne sais pas qu'aujourd'hui le gouvernement n'a plus qu'un objectif : améliorer le sort du soldat! On le soigne, on le dorlote, on le met dans du coton; dernièrement on a été jusqu'à lui coller des pantoufles!

Julie. — Des pantoufles au soldat!

Follavoine. — Comme je te le dis.

Julie. — C'est martial.

Follavoine. — Et naturellement on ne veut pas en rester là. C'est comme cela que maintenant on vient de décider, afin que les hommes ne soient plus exposés à attraper froid en descendant la nuit par le vent, par la pluie, que désormais chaque soldat de l'armée française aurait son vase de nuit!

Julie, ébahie. — Non!

Follavoine. — Personnel et à son matricule.

Julie, bouche bée. — Ah!... ce que ça en fera!

Follavoine. — Conséquence : prochainement, adjudication de cette nouvelle... fourniture militaire; et moi, comme fabricant de porcelaine, j'ai décidé de soumissionner. Et c'est ici que Chouilloux apparaît comme le *Deus ex machina*!...

Julie. — Qu'ça veut dire?

Follavoine, interloqué. — Quoi?

Julie. — Chose, là!... « ta quina »?

Follavoine, avec un sourire indulgent. — Quoi? « tachina »?? *(Corrigeant.)* « machina »!

Julie, brusque. — Eh bien! c'est ce que je dis : ta quina! Je te demande ce que ça signifie?

Follavoine. — Ce que ça...!

Julie. — Oui!...

Follavoine. — Eh! ben, euh...!

Julie. — Eh bien! va!

Follavoine. — Ah! c'est pas facile à dire.

Julie. — Pourquoi? c'est cochon?

Follavoine, riant. — Mais non, c'est pas cochon! *Deus ex machina*, c'est... c'est une expression comme ça! Les Grecs... les Grecs employaient cette locution pour désigner un gros bonhomme!... un gros manitou.

Julie, résumant. — Un obèse!

Follavoine. — Mais, non, un homme de grosse influence.

Julie. — Ah! un... C'est au figuré!

Follavoine. — C'est au figuré. Eh! bien, Chouilloux, c'est ça! Chouilloux, c'est le président de la commission d'examen, chargée par l'État d'adopter le modèle qui sera imposé comme type à l'adjudicataire. Comprends-tu maintenant l'intérêt qu'il y a à se le ménager? J'ai le brevet de la porcelaine incassable, n'est-ce pas? Que par l'influence de Chouilloux la commission adopte la porcelaine incassable; ça y est! l'affaire est dans le sac et ma fortune est faite!

Julie reste un instant songeuse, hochant la tête, puis. — Oui!... et ça te mènera à quoi, ça?

Follavoine, avec emballement. — A quoi? Mais si je réussis, c'est le pactole! Je deviens du jour au lendemain le fournisseur exclusif de l'armée française.

Julie. — Le fournisseur des pots de chambre de l'armée française?

Follavoine, avec orgueil. — De tous les pots de chambre de l'armée française!

Julie, fronçant le sourcil. — Et... on le saura?

Follavoine, de même. — Mais naturellement qu'on le saura!

Julie. — Oh! non... Oh! non, non, non, non, non, non!... je ne veux pas être la femme d'un monsieur qui vend des pots de chambre.

Follavoine. — Hein!... Mais en voilà des idées! Mais songe que c'est la fortune!

Julie. — Ça m'est égal! c'est dégoûtant!

Elle gagne l'extrême droite.

Follavoine. — Mais, nom d'un chien! qu'est-ce que je fais donc d'autre, aujourd'hui? J'en vends des vases de nuit! j'en vends tous les jours!... pas sur ce pied-là; mais j'en vends!

Julie, revenant devant la table. — Oh! « tu en vends, tu en vends »... comme tu vends d'autres choses; tu es fabricant de porcelaine, c'est tout naturel que tu vendes les articles qui relèvent de ton industrie; c'est normal, c'est bien! mais te spécialiser! devenir le monsieur qui vend exclusivement des pots de chambre! Ah! non, non! même pour le compte de l'État, non!

Follavoine, déconcerté et affolé. — Mais tu es folle! mais réfléchis!

Julie, adossée à la table et les bras croisés. — Oh! c'est tout réfléchi! Tu es bien aimable; mais je n'ai pas envie de marcher dans la vie, auréolée d'un vase de nuit! je n'ai pas envie d'entendre dire, chaque fois que j'entrerai dans un salon : « Qui est donc cette dame? — C'est madame Follavoine, la femme du marchand de pots de chambre! » Ah! non! non!

Follavoine, de plus en plus affolé à la perspective de voir tout son échafaudage s'écrouler. — Ah! bien, par exemple! Ah! bien, si je m'attendais!... Oh! mais je t'en prie! Tu ne vas pas au moins aller dire ça à Chouilloux. Ça serait du joli!

Julie, dédaigneuse. — Oh! je n'ai rien à dire à Chouilloux!

Follavoine. — Écoute! Je verrai... Il y a peut-être moyen d'arranger les choses, de... de mettre un homme de paille, je ne sais pas! mais ne me fais pas rater ça, je t'en supplie! et, quand Chouilloux sera là, surtout sois aimable! sois polie!

Julie. — Non, mais, dis donc : je n'ai pas l'habitude d'être impolie! J'ai l'usage du monde!

　　Elle gagne vers lui.

Follavoine. — Je n'en doute pas, je...

Julie. — Mon père a reçu M. Thiers!

Follavoine. — Oui, oh!... tu n'étais pas née.

Julie. — C'est possible, mais mon père l'a reçu tout de même! alors, n'est-ce pas...?

Elle passe.

Follavoine. — Oui? bon! Alors, ça va bien! Là! *(La poussant doucement vers la chambre.)* Va purger Bébé! habille-toi, et débarrasse-moi de ton seau, hein? veux-tu?

Julie, se dirigeant, accompagnée de Follavoine, vers sa chambre. — Mais quoi? quoi, je l'ai, mon seau! Je t'en prie, je n'ai pas besoin que tu me dises toujours ce que j'ai à faire.

On sonne.

Follavoine. — Tiens! on sonne. Sûrement c'est Chouilloux. Je t'en supplie, dépêche-toi! Si on l'introduisait...!

Julie, sur le pas de la porte. — Eh! bien, quoi? Il me verrait!

Follavoine, la faisant sortir. — Justement! comme ça, j'aime autant pas! *(Refermant la porte et redescendant par l'extrême gauche.)* Oh! les femmes, les femmes! ce que ça vous complique la vie!... *(Au passage, il reprend son vase de nuit.)* Eh! bien, qu'est-ce qu'on attend pour introduire Chouilloux? *(Allant à la porte du fond et par la porte entr'ouverte, risquant un œil, puis ouvrant complètement.)* Personne?... *(Parlant à la cantonade.)* Ah ça!... Rose!... Rose!...

Il descend sans refermer la porte et va à son bureau.

SCÈNE III

Les mêmes, Rose, puis Julie

Rose, sur le pas de la porte. — Monsieur?

Follavoine, debout à son bureau, son vase de nuit dans la main gauche. — Qu'est-ce que c'était! Qui est-ce qui a sonné?

Rose. — C'est une dame qui venait pour que monsieur lui arrache une dent.

Follavoine. — Moi! est-ce que c'est mon affaire? Il fallait l'envoyer chez le dentiste.

Rose. — C'est ce que j'ai fait. Elle est montée au-dessus.

Follavoine, passant son vase de la main gauche dans la main droite. — C'est insupportable! C'est tout le temps la même chose!

Rose, qui dès cet instant a les yeux fixés sur le vase de nuit. — Oh!... Est-ce que monsieur sait?

Follavoine. — Quoi?

Rose. — Qu'il a son vase de nuit à la main?

Follavoine. — Oui, je sais! je sais! merci.

Rose. — Ah?... Je croyais que c'était une distraction!... pardon!

Follavoine. — D'ailleurs, ce n'est pas un vase de nuit! c'est un article d'équipement militaire.

Il pose le vase à sa droite, sur le tas de dossiers qui est à gauche de la table.

Rose. — Ah?... Eh! bien, c'est curieux comme ça ressemble à un vase de nuit!

Follavoine, la congédiant. — Oui! ça va bien, ma

fille!... Allez! Allez! (*Rose sort par le fond. — Follavoine s'assied à sa table et calcule.*) Voyons, étant donné que sur le pied de paix l'armée française compte à peu près trois cent mille hommes, à un vase de nuit par homme, si le vase de nuit revient...

Julie, toujours dans la même tenue, passant brusquement la moitié du corps dans l'entrebâillement de la porte pan coupé. — Bastien! viens un peu!

Follavoine, tout à son problème. Sèchement, sans lever la tête. — Chut!... j'ai pas le temps!

Julie, descendant en scène avec son seau dans la main droite. — Je te dis de venir! Bébé ne veut pas se purger.

Follavoine, de même, relevant la tête. — Eh! bien, force-le! Tu as assez d'autorité...! (*Apercevant le seau au bras de sa femme.*) Ah!...

Julie. — Quoi?

Follavoine, se dressant et sur un ton indigné. — Tu me rapportes encore ton seau!

Julie. — Je n'ai pas eu le temps d'aller le vider. Je t'en prie, viens! je...

Follavoine, éclatant. — Ah! non! non! je l'ai assez vu celui-là!... remporte-moi ça! remporte-moi ça!

Julie. — Oui! bon!... Je t'en prie; il y a Bébé qui...

Follavoine. — Allez! Allez! remporte-moi ça!

Julie. — Mais je te répète...

Follavoine. — Je m'en fiche, remporte-moi ça!

Julie. — Mais je...

Follavoine. — Remporte-moi ça! remporte-moi ça!

Julie, se rebiffant et descendant déposer son seau au milieu de la scène. — Ah! Et puis tu m'ennuies à la fin, avec mon seau!

Follavoine, ahuri. — Quoi?

Julie, devant le canapé. — « Remporte-moi ça! Remporte-moi ça! » Je ne suis pas ta domestique!

Follavoine, n'en croyant pas ses oreilles. — Qu'est-ce que tu dis!

Julie. — C'est vrai ça! C'est toujours moi qui fais tout ici! Il te gêne, mon seau? Eh bien, tu n'as qu'à le remporter.

Follavoine. — Moi!

Julie. — Je l'ai bien apporté, tu peux bien le rapporter à ton tour.

Follavoine, descendant vers Julie. — Mais, sacristi! ce sont tes eaux sales, ce ne sont pas les miennes!

Julie, passant devant lui. — Oui?... Eh! bien, je te les donne! Tu n'as donc plus de scrupules à avoir!

Elle s'esquive en remontant par le milieu de la scène, vers sa chambre.

Follavoine, courant après sa femme et s'efforçant de la rattraper par le pan de son peignoir. — Julie!... Julie! tu n'es pas folle!

Julie. — Je te les donne, je te dis! Je te les donne!

Elle disparaît dans sa chambre.

Follavoine, sur le pas de la porte parlant par l'entrebâillement. — Julie! Veux-tu remporter ça!... Julie!

SCÈNE IV

Follavoine, Rose, Chouilloux

Rose, arrivant du fond et introduisant Chouilloux. — Monsieur Chouilloux!

Follavoine. — Veux-tu remp...!

Chouilloux descend légèrement en scène. Il est en redingote, rosette de la Légion d'honneur à la boutonnière. — Bonjour, cher monsieur Follavoine!

Follavoine, sans se retourner. — Ah! foutez-moi la p...! *(Se retournant à ce moment, tandis que Rose sort, et reconnaissant Chouilloux.)* Oh! pardon!... monsieur Chouilloux! Déjà!

Chouilloux. — Est-ce que j'arrive trop tôt?

Follavoine. — Du tout! du tout! Seulement je conversais avec madame Follavoine; alors, je n'avais pas entendu sonner.

Chouilloux. — J'ai sonné, cependant; et on m'a ouvert. *(Badin.)* Je n'ai pas encore le don de traverser les murailles!

Follavoine, flagorneur. — Ah! Charmant! Charmant!

Chouilloux, modeste. — Oh! mon Dieu...!

Follavoine, lui prenant son chapeau des mains. — Si vous voulez vous débarrasser!

Chouilloux. — Trop aimable! *(Descendant et*

s'arrêtant stupéfait à la vue du seau de toilette.)
Tiens!

*Follavoine, qui a déposé le chapeau de Chouilloux
sur le rebord de la bibliothèque de gauche, descendant vivement pour se placer entre le seau et
Chouilloux.* — Oh! pardon! Excusez! Je vous en
prie! C'est ma femme qui est venue ici tout à
l'heure; elle tenait ça à la main, et, alors, par distraction... *(En parlant, il est remonté jusqu'à la
porte du fond. L'ouvrant et appelant d'une voix
rude.)* Rose!... Rose!

Voix de Rose. — Monsieur!

Follavoine. — Eh! bien, venez! *(A Chouilloux,
tout en redescendant vers lui de telle sorte que le
seau soit entre eux deux.)* Je suis confus, vraiment! Surtout un jour où j'ai l'honneur...!

Chouilloux, s'inclinant à plusieurs reprises. —
Oh! je vous en prie! je vous en prie!

Follavoine, avec force courbettes. — Je dis ce que
je pense, monsieur Chouilloux! je dis ce que je
pense!

Chouilloux, de même. — Trop aimable!... oui!
vraiment...!

Rose, paraissant au fond. — Monsieur m'a appe-
lée?

Follavoine. — Oui. Tenez! Enlevez donc le seau
de madame.

Rose, stupéfaite. — Ah!... Qu'est-ce qu'il fait là?

Follavoine. — C'est madame qui l'a laissé... par
mégarde.

Rose. — Ah! ben...! Madame a dû, bien sûr, le
chercher!

Elle le ramasse.

Follavoine. — Oui, c'est bien, allez! *(Remontant à la suite de Rose et la poussant vers la chambre de Julie.)* Et tenez! allez donc dire à madame que monsieur Chouilloux est là!

Rose. — Oui, monsieur.

Elle sort pan coupé gauche.

Chouilloux, *vivement, remontant vers Follavoine.* — Oh! Je vous en prie! Ne dérangez pas madame.

Follavoine. — Laissez! Laissez! Si je ne la presse pas un peu...! Les femmes ne sont jamais prêtes!

Chouilloux. — Ah! bien! Je ne peux pas dire ça de la mienne!... Tous les matins, c'est la première sortie! le footing lui est recommandé; moi ce n'est plus de mon âge; alors elle a son cousin... qui marche avec elle.

Follavoine, *étourdiment aimable.* — Oui! oui! en effet! C'est... c'est ce qu'on m'a dit!...

Chouilloux. — Ça fait tout à fait mon affaire.

Follavoine. — Oui, ça... ça ne sort pas de la famille.

Chouilloux. — Ça ne sort pas de la famille... et puis ça ne me fatigue pas!... *(Ils rient. — En pivotant pour descendre en scène, Chouilloux aperçoit le vase de nuit sur la table.)* Ah! je vois qu'on s'occupe de notre affaire!

Follavoine, *qui est descendu également.* — Ah! oui!... oui!

Chouilloux, *sur le ton d'un homme sûr de son fait. Indiquant le vase de nuit.* — C'est le pot de chambre.

Follavoine. — C'est le... oui!... oui... Ah! vous avez reconnu?

Chouilloux, modeste. — Oui, oh!... (*En ce disant il a gagné un peu la droite devant la table. Se retournant et considérant le vase.*) Eh! bien, mais ça ne paraît pas mal!... bien conditionné!...

Follavoine. — Oh! pour être conditionné, ça!

Chouilloux. — Et alors, c'est de la porcelaine incassable?

   Il cogne le vase avec son index replié.

Follavoine, remontant au-dessus de sa table. — Incassable, parfaitement.

Chouilloux, en contemplation devant le vase. — Ainsi voyez!... (*Brusquement, s'asseyant sur le fauteuil qui est à droite de la table.*) Non, je vous demande ça, parce que c'est le point qui avait retenu notre attention, à monsieur le sous-secrétaire d'État et à moi.

Follavoine. — Aha! oui, oui?

Chouilloux. — Parce que, pour la porcelaine ordinaire, après mûre réflexion, nous n'en voulons pas.

Follavoine. — Oh! que je vous comprends!

Chouilloux. — La moindre des choses, c'est cassé!

Follavoine. — Ah!... tout de suite!

Chouilloux. — Ce serait gaspiller l'argent de l'État.

Follavoine. — Absolument! (*Indiquant son vase.*) Tandis que ça : bravo! c'est solide! on n'en voit pas la fin! (*Descendant en scène.*) Non, mais, tenez, prenez en main, vous qui êtes connaisseur !

Chouilloux. — Oh!... pas plus que ça !

Follavoine. — Si! Si! Voyez comme c'est léger !

Chouilloux, prenant le vase et le soupesant. — Oh! c'est curieux! Ça ne pèse pas son poids !

Follavoine, prenant le poignet de Chouilloux et l'agitant de façon à imprimer au vase un mouvement de poêle à frire. — Et comme c'est agréable à la main?... hein?... C'est-à-dire que ça devient un plaisir. *(Changeant de ton.)* Bien entendu, nous faisons ça en blanc et en couleur; si vous le désirez, pour l'armée, rayé comme les guérites, par exemple... aux couleurs nationales...?

Chouilloux. — Oh! non! Ce serait prétentieux.

Follavoine. — Je suis de cet avis; et vraiment une augmentation de dépense inutile.

Chouilloux. — Eh bien, mais c'est à voir, ça ! c'est à voir ! *(Il repose le vase sur la table et revient à Follavoine.)* On nous a présenté également des vases en tôle émaillée, ce n'est pas mal non plus.

Follavoine. — Oh! monsieur Chouilloux! non!... ce n'est pas sérieux!... Vous n'allez pas prendre de la tôle émaillée !

Chouilloux. — Pourquoi pas?

Follavoine. — Mais parce que!... Il ne s'agit plus là de mon intérêt personnel; je le laisse de côté! Mais la tôle émaillée, monsieur Chouilloux! mais ça sent tout de suite mauvais; et puis ça n'a pas la propreté de la porcelaine! *(Indiquant son vase.)* Ça, à la bonne heure !

Chouilloux. — Évidemment, il y a du pour et du contre.

Follavoine. — Sans parler de la question d'hygiène!... Vous n'êtes pas sans savoir qu'il est reconnu que la plupart des appendicites sont dues à l'emploi des ustensiles émaillés.

Chouilloux, moitié riant, moitié sérieux. — Oui, oh! bien, là! étant donné l'usage qu'on en veut faire, je ne crois pas que...

Follavoine. — On ne sait jamais, monsieur Chouilloux! la jeunesse est si légère! On veut étrenner le récipient tout neuf; on fait un punch monstre; la chaleur fait craquer l'émail; quelques parcelles tombent; on boit, on en avale... Enfin, vous savez ce que c'est?

Chouilloux. — Moi? non!... Non, je vous jure qu'il ne m'est jamais arrivé de boire du punch dans...

Follavoine. — Non! mais vous avez été soldat.

Chouilloux. — Pas davantage! J'ai passé mon conseil de révision; on m'a fait mettre tout nu et on m'a dit : « Vous ne devez pas avoir une bonne vue! » Ça a décidé de ma vocation militaire : j'ai fait toute ma carrière au ministère de la Guerre.

Follavoine. — Ah?... Ah? Eh bien, croyez-moi, monsieur! pas de tôle émaillée! prenez, si vous voulez, du caoutchouc durci! du celluloïd! soit! Quoique au fond rien ne vaut la porcelaine! le seul défaut, c'est la fragilité; eh! bien, du moment qu'on a paré à cet inconvénient! Tenez, d'ailleurs, vous allez voir. *(Voulant aller à la table dont Chouilloux lui obstrue le chemin.)* Pardon!

Chouilloux, ne comprenant pas où il veut en venir et s'effaçant dans le sens du mouvement de Follavoine. — Pardon!

Follavoine, indiquant son vase sur la table. — Non, je vais...

Chouilloux, s'effaçant pour le laisser passer. — Ah! pardon!

Follavoine, prenant le vase sur la table. — Vous allez voir la solidité. *(Il élève le vase en l'air comme pour le lancer par terre, puis se ravise.)* Non! ici, avec le tapis, ça ne prouverait rien!... mais là, dans le couloir, c'est du plancher... Vous allez voir! *(Il est allé, tout en parlant, ouvrir la porte du fond toute grande et redescend avec son vase devant le trou du souffleur, à côté de Chouilloux. — Indiquant à Chouilloux le point où il faut regarder.)* Là-bas, monsieur Chouilloux! *(Chouilloux fait mine d'y aller. Follavoine le retenant.)* Non, restez ici, mais regardez là-bas! *(Au moment de lancer son vase.)* Suivez-moi bien! *(Le balançant pour lui donner de l'élan.)* Une!... deux!... trois!... *(Lançant le vase et pendant sa trajectoire.)* Hop! Voilà.

   Au moment même où il dit « voilà! » le vase tombe et se brise; les deux personnages restent un instant bouche bée, comme stupéfiés.

Chouilloux, décrivant un demi-cercle autour de Follavoine toujours figé et se trouvant ainsi, face à lui, légèrement au-dessus et à droite, et, partant, face au public. — C'est cassé!

Follavoine. — Hein?

Chouilloux. — C'est cassé!

Follavoine. — Ah! oui, c'est... c'est cassé.

Chouilloux, qui est remonté jusqu'à la porte. — Il n'y a pas!... ça n'est pas un effet d'optique.

Follavoine, qui est remonté également. — Non! non! C'est bien cassé! C'est curieux! Je ne comprends pas! Car, enfin, je vous jure, c'est la première fois que ça lui arrive.

Chouilloux, descendant. — Il s'est peut-être trouvé une paille.

Follavoine, descendant également. — Peut-être oui !... D'ailleurs, au fond, je ne suis pas fâché de cette expérience ; elle prouve justement que... que... Enfin, comme on dit : « l'exception confirme la règle ». Parce que, jamais ! jamais ça ne se casse !

Chouilloux. — Jamais ?

Follavoine. — Jamais ! Ou alors, je ne sais pas : une fois sur mille !

Chouilloux. — Ah ! Une fois sur mille.

Follavoine. — Oui, et... et encore ! D'ailleurs vous allez voir ! *(Remontant vers la bibliothèque.)* J'ai là un autre exemplaire ; nous allons pouvoir le lancer et le relancer... *(Redescendant avec un second vase qu'il a pris dans la bibliothèque.)* Ne tenez pas compte de celui-là : c'est une mauvaise cuisson.

Chouilloux. — Oui, c'est un mal cuit.

Follavoine. — Voilà. *(Allant se placer devant le trou du souffleur, à côté de Chouilloux qui y est déjà.)* Regardez bien : une... deux... *(Se ravisant.)* Non, tenez ! lancez-le vous-même !

    Il lui met le vase dans la main.

Chouilloux. — Moi !

Follavoine. — Oui ! Comme ça vous vous rendrez mieux compte.

Chouilloux. — Ah ?...

    Follavoine s'efface un peu à droite ; Chouilloux prend la place de Follavoine, tout cela sans changer de numéro.

On purge bébé!   369

Follavoine. — Allez!

Chouilloux. — Oui! *(Balançant le vase.)* Une...
deux...

  Il s'arrête, très ému.

Follavoine. — Eh! bien! Allez! Qu'est-ce qui
vous arrête?

Chouilloux. — C'est que c'est la première fois
qu'il m'arrive de jouer au bowling avec...

Follavoine. — Allez! Allez! N'ayez pas peur!
(Pour le tranquilliser.) Je vous dis : un sur mille!

Chouilloux. — Une! deux! et trois!

  Il lance le vase.

Follavoine, pendant la trajectoire. — Hop! *(Au
moment où le vase arrive à terre.)* Voilà!

  *Le vase éclate en morceaux. Même jeu que pré-
cédemment; ils restent tous deux comme médu-
sés.*

*Chouilloux, après un temps, remontant jusqu'à la
porte pour bien constater le dégât.* — C'est cassé!

Follavoine, qui est remonté également. — C'est
cassé, oui! C'est cassé!...

Chouilloux. — Deux sur mille!...

Follavoine. — Deux sur mille, oui! Écoutez! Je
n'y comprends rien; il y a là quelque chose que je
ne m'explique pas! Évidemment ça doit tenir à la
façon de lancer le vase; je sais que, quand c'est
mon contremaître qui l'envoie, jamais, au grand
jamais...!

Chouilloux. — Ah! jamais?

Follavoine. — Jamais!

Chouilloux, allant s'asseoir sur le canapé, tandis que Follavoine referme la porte du fond. — C'est tout à fait intéressant.

Follavoine. — Oui, oh! mais non!... ça n'est pas encore ça!... Évidemment vous avez pu vous rendre compte de la différence qui existe entre la porcelaine cassable et...

Chouilloux, achevant la phrase pour lui. — ... la porcelaine incassable.

Follavoine. — Oui!... Mais tout de même ces expériences ne sont pas assez concluantes pour fixer votre religion.

Chouilloux. — Mais si, mais si, je me rends très bien compte... Quoi! c'est ces mêmes vases-là! Seulement, au lieu de se casser, ils ne se cassent pas!

Follavoine. — Voilà!

Chouilloux. — Tout à fait intéressant!

SCÈNE V

Les mêmes, Julie

Julie, surgissant brusquement hors de sa chambre; elle est dans la même tenue que précédemment, mais sans seau. — Bastien, je t'en prie, viens! ce petit me rendra folle! Je ne peux pas en venir à bout!

A la voix de Julie, Chouilloux s'est levé.

Follavoine, bondissant vers sa femme et vivement, à voix couverte. — Ah! ça, tu perds la tête! Tu viens ici comme ça! Regarde-toi, je t'en prie! (*Indiquant Chouilloux.*) Monsieur Chouilloux!

Julie, sans même se retourner vers Chouil-loux. — Je m'en fiche de monsieur Chouil-loux!...

Chouilloux. — Hein?

Follavoine, affolé. — Mais non! mais non! Je t'en prie! *(Présentant à tort et à travers.)* Monsieur Chouilloux! Ma femme!

Chouilloux, s'inclinant. — Madame!

Julie, très rapidement. — Oui! bonjour, monsieur! Vous m'excuserez, n'est-ce pas, de me montrer ainsi...!

Chouilloux, très talon rouge. — Mais je vous en prie, madame! une jolie femme est bien de toutes les façons!

Julie, n'écoutant pas ce qu'il dit. — Trop aimable! merci! *(A son mari.)* Je t'en prie, il n'y a pas moyen de venir à bout de ce petit! Quand on lui parle de purgation...

Follavoine. — Oui! Eh! bien, tant pis! je regrette! Je suis là à causer sérieusement avec monsieur Chouilloux! j'ai autre chose à faire que de m'occuper des purgations de ton fils.

Julie, indignée, à Chouilloux. — Oh!... voilà un père, monsieur! Voilà un père!

Elle passe au 1.

Chouilloux, ne sachant que répondre. — Oui, madame! oui!

Follavoine, sur un ton impératif. — Je te prie d'aller t'habiller! Je suis honteux pour toi de voir dans quel état tu oses te montrer! Il faut vraiment n'avoir aucun souci de sa dignité...

Julie. — Ah! bien, si tu crois que je vais

m'occuper de ma toilette dans des moments pareils!

Chouilloux, voulant paraître s'intéresser. — Vous avez un enfant souffrant, madame?

Julie, sur un ton douloureux. — Oui, monsieur, oui!

Follavoine, haussant les épaules. — Mais il n'a rien, monsieur Chouilloux! il n'a rien!

Julie, comme un argument sans réplique. — Enfin il n'a pas été ce matin.

Chouilloux. — Ah? Ah?

Follavoine. — Eh! bien, oui! il a un peu de paresse d'intestin.

Julie. — Il appelle ça rien, lui! il appelle ça rien! On voit bien qu'il ne s'agit pas de lui!

Follavoine. — Enfin, quoi? c'est l'affaire d'une purgation!

Julie. — Oui, oh! je sais bien! Mais purge-le, si tu peux, toi. C'est pour ça que je te dis de venir. Seulement, il n'y a pas de danger! Toutes les corvées c'est pour moi!

Follavoine. — Vraiment, ne dirait-on pas qu'il s'agit de quelque chose de grave!

Chouilloux, hochant la tête, et gravement. — Ce n'est pas grave, en effet; mais, tout de même, il ne faut pas jouer avec ces choses-là!

Julie. — Ah! Tu vois ce que dit monsieur... qui a du savoir.

Follavoine, flagorneur. — Ah! vraiment, monsieur Chouilloux...?

Chouilloux, id. — Évidemment!... Évidemment!... *(A Julie.)* Est-ce que l'enfant est sujet — pardonnez-moi le mot — à la constipation?

Julie. — Il a plutôt une tendance, oui.

Chouilloux. — Oui? Eh! bien... il faut surveiller ça! parce qu'un beau jour, ça dégénère en entérite, et c'est le diable pour s'en défaire.

Julie, à Follavoine. — Là! Là! Tu vois?

Chouilloux. — Je peux vous en parler savamment : j'en ai eu une, qui m'a duré cinq ans!

Julie, instinctivement tournant la tête vers sa chambre où est son fils. — Ah! *(Dans le mouvement de retour de la tête du côté de Chouilloux.)* Pauv' Bébé!

Chouilloux, s'inclinant. — Merci!

Julie. — Comment?

Chouilloux. — Ah! pardon, je croyais que c'était à moi que...

Julie. — Non!... Non!

Chouilloux. — Oui, madame, cinq ans! J'avais attrapé ça à la guerre.

Julie. — En 70!

Chouilloux. — Non, en 98.

Julie, le regardant, un peu désorientée. — En 98? Mais... il n'y a pas eu de guerre, en 98.

Chouilloux. — « A la guerre, à la guerre »! au ministère de la Guerre!... où je suis fonctionnaire.

Julie. — Ah! bon!

Follavoine. — Oui, parce que monsieur Chouilloux est...

Julie. — Oui, oui, je sais.

Chouilloux. — Souvent, j'avais soif... je buvais de l'eau, qu'on prenait là, n'importe où... J'étais le monsieur qui disait : « Ah! là, là!... les microbes!... l'eau du robinet, voilà!... » Oui, eh bien! à ce régime, je me suis collé la bonne entérite! et, résultat : j'ai dû aller trois ans de suite à Plombières!

Julie, sautant là-dessus. — Ah! Alors, pour Bébé, vous croyez que Plombières...?

Chouilloux. — Ah! Non!... non, lui, il aurait plutôt l'entérite à forme constipée : Châtel-Guyon conviendrait mieux. Moi, j'avais en quelque sorte l'entérite... Mais si on s'asseyait?

Follavoine, tandis que Chouilloux et Julie s'asseyent sur le canapé. — C'est ça, monsieur Chouilloux! tout ça est si intéressant!

> *Il est allé chercher près de son bureau la chaise volante qu'il apporte près du canapé et s'y assied.*

Chouilloux. — ... J'avais plutôt, dis-je, l'entérite — pardonnez-moi cette confidence! — l'entérite relâchée...

Julie. — Ah?... Ah?

Follavoine, flagorneur. — Ah! comme c'est intéressant, monsieur Chouilloux.

Chouilloux. — Alors, Plombières était désigné. Ah! quel régime!

Julie, tout à ce qui l'intéresse. — Et... qu'est-ce qu'on vous fait faire, à Châtel-Guyon?

Chouilloux, légèrement interloqué. — Hein! à...? Je ne sais pas madame; je n'y ai pas été. *(Reve-*

nant à ce qui l'intéresse.) Mais à Plombières...! Tous les matins, une douche ascendante : un litre, un litre et demi.

Julie. — Oui, ça, ça m'est égal! Mais vous ne savez pas si à Châtel-Guyon...?

Chouilloux. — Mais non, madame, je vous dis, je n'y ai pas été!... *(Revenant à ses moutons.)* Une fois la douche terminée, je prenais un bain... un bain d'une heure; après quoi un massage...

Julie, pressée d'en revenir à ce qui l'intéresse. — Oui!... oui...

Chouilloux. — Après quoi, le repas; rien que des plats blancs : purées, pâtes, macaroni, nouilles; gâteaux de riz, de semoule...

Julie. — Oui, mais... à Châtel-Guyon...?

Follavoine, se levant, agacé. — Oh! mais puisque monsieur Chouilloux te dit qu'il n'y a pas été!

Chouilloux. — Oui, je suis désolé, mais...

Follavoine. — Il ne peut te parler que de son régime de Plombières.

Julie, le plus ingénument du monde. — Mais je m'en moque, moi, de son régime de Plombières.

Chouilloux, décontenancé. — Ah?... pardon!

Julie. — En quoi veux-tu que ça m'intéresse le régime de Plombières de monsieur Chouilloux, puisque pour Bébé c'est Châtel-Guyon! *(Se levant.)* Monsieur Chouilloux, qui est un homme intelligent, me comprend très bien.

Chouilloux, pendant que Julie passe au 2. — Mais oui! mais oui!

Julie. — Il pourrait aussi me raconter comment

on pêche la morue à Terre-Neuve; ça serait très intéressant; ça n'aurait rien à voir avec la santé de Toto.

Chouilloux, conciliant. — Évidemment! évidemment!

Julie. — Je ne suis pas là pour écouter des histoires; j'ai à purger Bébé!

Follavoine, qui en a par-dessus la tête. — Eh! ben, bon! bien! ça va bien! va purger Bébé!

Julie, très aimable, à Chouilloux. — Vous m'excusez, n'est-ce pas, monsieur?

Chouilloux, se levant. — Je vous en prie, madame.

Julie, sèche, à Follavoine. — Alors, tu ne veux pas venir? non?

Follavoine. — Ah! non! non!

Julie. — Oh! ce père! ce père!

Follavoine. — Oui! C'est entendu! bon! Et habille-toi!

Julie. — Oui! Oh!... Oh! ce père!

   Elle sort.

SCÈNE VI

Les mêmes, moins Julie

Follavoine, au fond, tourné vers la porte par laquelle est sortie sa femme. — Se montrer dans une tenue pareille! On n'a pas idée...!

Chouilloux, remontant au 2. — Ça a l'air d'une femme bien charmante que madame Follavoine.

Follavoine. — Hein!... Délicieuse, délicieuse, monsieur Chouilloux! Elle est quelquefois un peu...! mais, sans ça, délicieuse. Vous n'avez pas bien pu la voir; je regrette qu'elle se soit présentée ainsi, pas habillée...

Chouilloux. — Oh! mais je me rends compte très bien de ce qu'avec des...

   Il achève sa pensée par une mimique qui évoque une idée de fanfreluches et de chichis.

Follavoine. — Oui, oh! mais non!... Ainsi, pas coiffée... avec ses bigoudis...! Justement, ses cheveux, c'est ce qu'elle a de mieux!... des cheveux superbes!... frisant naturellement!

Chouilloux. — Ah?... ah?

Follavoine. — Alors, quand vous la voyez comme ça...! Mais la coquetterie et elle!... et alors, quand, par-dessus le marché, elle croit devoir s'inquiéter pour son fils...!

Chouilloux, descendant et allant s'asseoir sur le fauteuil devant la table. — Il n'a rien, somme toute, cet enfant!

Follavoine, descendant à la suite de Chouilloux jusque devant la table contre laquelle il s'adosse. — Mais rien!... Seulement allez donc lui dire ça! Tenez: vous lui avez parlé de Châtel-Guyon? Ça y est: maintenant, il ne va plus y en avoir que pour Châtel-Guyon!

Chouilloux. — Oh! je suis désolé si à cause de moi...!

Follavoine. — Mais du tout, du tout! Seulement, alors, quand après ça, vous êtes venu lui parler de votre régime à Plombières; en dedans de moi-même, je ne pouvais m'empêcher de me tordre.

Il rit.

Chouilloux, faisant chorus. — Ça ne l'intéressait pas du tout.

Follavoine, riant. — Mais pas pour un sou !

Chouilloux. — Oh ! cette pauvre madame Follavoine ! Et moi qui... ! Oh !

> *Il rit. Tandis que tous deux s'esclaffent, la porte pan coupé gauche s'ouvre brusquement ; Julie paraît, traînant Toto de la main droite ; elle a un verre à bordeaux dans la main gauche et serre contre sa poitrine une bouteille d'Hunyadi-Janos.*

SCÈNE VII

> *Les mêmes, Julie, Toto, tenue de travail : petit tablier à manches par-dessus son costume.*

Julie. — Oui ! eh bien ! tu vas un peu voir ton père ! *(Elle lâche Toto, le temps de refermer la porte ; après quoi, le reprenant par la main, elle l'entraîne vers son père tout en parlant.)* Il est furieux après toi, papa ! *(Arrivée à Follavoine.)* Veux-tu dire à ton fils... *(S'apercevant que Follavoine rit avec Chouilloux, lui envoyant un coup de pied bas dans le tibia, et entre chair et cuir pour que Toto, qu'elle écarte, n'entende pas.)* Ah ! je t'en prie, hein ?

Follavoine, se cabrant sous la douleur. — Allons ! Voyons !

Julie. — Je dis à Toto que tu es furieux après lui ; s'il te voit te tordre avec monsieur Chouilloux... !

Follavoine. — Quoi? Quoi? Qu'est-ce qu'il y a encore?

Julie, lui remettant Toto. — Il y a que je te prie de faire obéir ton fils!... Fais-moi le plaisir de le purger!

   Elle gagne la gauche.

Follavoine. — Moi?

Julie. — Oui, toi! *(Déposant la bouteille, puis le verre, sur le petit guéridon près du canapé.)* Voilà la bouteille! voilà le verre! Moi, j'y renonce!

   Elle s'assied sur le canapé.

Follavoine. — Mais ce n'est pas mon affaire! est-ce que ça me regarde?

Julie. — Je te demande pardon! tu es son père! C'est à toi à faire montre d'autorité.

Follavoine, lève les yeux au ciel, puis, à Chouilloux, avec un sourire de résignation. — Je vous demande pardon, monsieur Chouilloux...!

Chouilloux. — Je vous en prie!

Follavoine, sévèrement à Toto. — Qu'est-ce que c'est, monsieur? Je suis très mécontent!

Toto, frappant du pied et passant dans ce mouvement, entre son père et Chouilloux. — Ça m'est égal! J'veux pas me purger!

Follavoine. — Comment?

Julie, nerveuse. — Voilà! voilà ce que j'entends depuis une demi-heure!

Chouilloux, lui mettant sa main amicalement sur l'épaule. — Comment, mon petit ami!... C'est un grand garçon comme vous...

   Toto dégage son épaule avec un geste d'humeur.

Follavoine, qui a vu son geste. — Qu'est-ce que c'est?... D'abord, dis bonjour à monsieur!

Toto, têtu, frappant du pied. — Ça m'est égal! j'veux pas me purger!

Follavoine, le secouant. — Oui? Eh bien! on ne te demande pas ce que tu veux!... Dis donc, espèce de petit garnement, est-ce que tu t'imagines...

Julie, voyant malmener son enfant, sautant sur Follavoine et l'écartant brusquement. — Ah! tu n'as pas fini, toi!

Follavoine. — Ah! Zut!

   Il remonte avec humeur, pour redescendre à sa table, mais sans s'y asseoir.

Julie, à Chouilloux. — On ne peut pourtant pas ne pas le purger!... il a une langue d'un blanc!... (*A Toto.*) Fais voir ta langue au monsieur!

Chouilloux, complaisant. — Attendez! pardon! (*Il met un genou à terre, pour être à la hauteur de Toto, tire de la poche de son gilet un lorgnon qu'il ajuste sur son nez par-dessus ses lunettes, puis à Toto.*) Voyons?

Julie. — Là! fais voir ta langue!

   Toto tire une langue toute noire d'encre.

Chouilloux. — Mon Dieu! Elle me paraît plutôt... noire.

Julie, avec une certaine fierté. — Ah! c'est parce qu'il a travaillé!... (*Changeant de ton.*) Mais il est facile de se rendre compte qu'il a l'haleine trouble. (*A Toto, en lui dirigeant la tête vers la figure de Chouilloux.*) Tiens, fais « hhah » dans le nez de monsieur!

Chouilloux, se garant instinctivement avec la main. — Non, merci! non!

Julie. — Quoi? vous n'êtes pas dégoûté de l'haleine d'un enfant?

Chouilloux. — Du tout! Du tout! mais...

Julie. — Eh ben, alors?... *(A Toto, en lui poussant comme précédemment la tête vers la figure de Chouilloux.)* Va! fais : « hhah » dans le nez du monsieur!

Chouilloux. — Mais non! mais non! je vous assure, je n'ai pas besoin; je me rends très bien compte...! *(Se rasseyant et à Toto.)* Qu'est-ce que c'est, mon petit ami? C'est comme cela qu'on est raisonnable?... Comment vous appelez-vous?

Geste boudeur de Toto qui ne répond pas.

Follavoine, se penchant par-dessus la table pour parler à Toto. — Eh! bien, réponds, voyons! Comment t'appelles-tu?

Toto, buté. — J'veux pas me purger!

Follavoine, rongeant son frein. — Oh! *(Aimable, à Chouilloux.)* Il s'appelle Toto.

Chouilloux. — Ah?

Follavoine. — C'est un diminutif d'Hervé.

Chouilloux. — Tiens! Ah?... C'est curieux!... Et... vous avez quel âge? Six ans!

Julie, avec importance. — Sept ans, monsieur!

Chouilloux. — Ainsi, voyez! Sept ans! et vous vous appelez Toto! Mais, quand on s'appelle Toto et qu'on a sept ans, est-ce qu'on fait une histoire pour se purger!

Toto. — Ça m'est égal, j'veux pas me purger!

Chouilloux. — C'est très mal! Qu'est-ce que vous direz donc plus tard quand vous irez à la guerre?

Julie, attirant vivement Toto contre elle comme pour le protéger, tout en frappant deux ou trois fois de la main gauche le bois de la table, par superstition. — Ah! Taisez-vous!

Toto, dans les jupes de sa mère. — Ça m'est égal! j'irai pas à la guerre.

Chouilloux. — « Vous n'irez pas! Vous n'irez pas! » S'il y en a une, cependant, il faudra bien...!

Toto. — Ça m'est égal! j'irai en Belgique.

Chouilloux. — Hein?

Julie, le couvrant de baisers. — Ah! chéri, va!... Est-il intelligent!

Chouilloux, à Follavoine. — Mes compliments!... C'est vous qui l'élevez dans ces idées?

Follavoine, vivement. — Mais non! mais non! *(A Toto.)* C'est très mal de dire des choses comme ça!... Tu entends... Hervé!

Julie, emmenant Toto vers le canapé. — Mais laisse-le donc tranquille, cet enfant! Tu ne vas pas l'ennuyer, avec des choses qui ne sont pas de son âge! *(S'asseyant sur le canapé avec Toto entre ses genoux.)* Il est bien sage, bien raisonnable; il va faire plaisir à sa maman et prendre gentiment sa purgation.

   Tout en parlant, elle a rempli le verre d'Hunyadi-Janos et, sur le dernier mot, le présente à Toto.

Toto, s'écartant des genoux de sa mère. — J'veux pas m'purger!

Julie. — Mais puisqu'on te dit qu'il faut!

Follavoine, venant s'asseoir sur la chaise à côté du canapé. — Regarde, Toto! Si tu avais obéi tout de suite, ce serait fait; tu serais débarrassé.

Toto. — Ça m'est égal, je veux pas!

Follavoine. — Veux-tu être raisonnable, voyons!

Toto, se dégageant et passant au 3. — Non j'veux pas!

Chouilloux, qui s'est levé pendant ce qui précède. Intervenant. — Mon petit ami, moi, quand j'avais votre âge... que j'étais tout petit, quand mes parents me disaient de faire une chose, eh! bien...

Toto, dans le nez de Chouilloux. — Ta gueule!...

Follavoine et Julie. — Oh!

Chouilloux, interloqué. — Comment?...

Follavoine, sautant sur Toto et le faisant passer derrière lui. — Rien! Rien!

Chouilloux, se le tenant pour dit. — Ah! pardon!

> *Il va s'asseoir par la suite sur le fauteuil, à droite de la table.*

Follavoine, furieux, secouant Toto. — Ah! Et puis en voilà assez! Tu vas me faire le plaisir d'obéir, hein! Ce n'est pas un avorton de ton espèce...

Julie, s'interposant et lui arrachant l'enfant des mains. — Ah! çà! tu es fou! Tu ne vas pas bousculer ce petit, maintenant?

Follavoine. — Mais tu n'as pas entendu? il a dit « Ta gueule! »

Julie. — Eh! bien, il a dit : « Ta gueule! » Quoi? c'est français!

Follavoine, indigné. — Oh!

Julie, à Toto en l'embrassant. — Mon pauvre chéri, va!

Elle l'emmène au canapé sur lequel elle s'assied.

Follavoine, remontant à son bureau. — Ah! non, zut! alors! zut!

Il s'assied avec humeur.

Julie, à Toto qu'elle tient enserré dans son bras droit. Le caressant de sa joue contre sa joue. — Va, ton père est un méchant! heureusement, ta maman est là!

Follavoine, furieux. — C'est ça! voilà! Mets-lui bien ces idées-là dans la tête!

Julie, prenant de la main droite le verre plein qui est sur la petite table et se le passant dans la main gauche. — Mais, absolument!... Maltraite ce petit qui n'est déjà pas bien!

Follavoine, tournant son fauteuil presque dos à la table, comme un homme qui affecte de se détacher de ce qui se passe. — Dorénavant, tu sais, tu t'adresseras à qui tu voudras!

Julie, bourrue. — Oui, oh! *(A Toto, se faisant aussitôt très douce tout en présentant le verre à ses lèvres.)* Prends ta purgation, mon chéri!

Toto, serrant les lèvres tout en éloignant la tête. — Non, je veux pas!

Julie, les narines dilatées, les lèvres serrées, a un regard de rage vers son mari, puis faisant effort sur elle-même, revenant à Toto d'un ton suppliant. — Si!... pour me faire plaisir.

Toto, entêté. — Non, j'veux pas!

Julie, même regard à Follavoine; même retour à

Toto. — Je t'en prie, mon chéri, prends ta purgation.

Toto. — Non...

Julie, serrant les dents. — Oh! *(Jetant un regard haineux à Follavoine.)* Ah! quand tu te mêles d'une chose, toi!

Follavoine, ahuri. — Moi!

Julie. — Naturellement, toi! *(A Toto.)* Écoute, Toto! Si tu prends bien ta purgation, eh! bien, maman te donnera une pastille de menthe!

Toto. — Non! j'veux la pastille, d'abord!

Julie. — Non, après!

Toto. — Non, avant.

Julie. — Oh!... Eh bien, soit, là! On te donnera la pastille avant; seulement, après, tu prendras ta purgation?

Toto. — Oui.

Julie. — Tu me promets?

Toto. — Oui.

Julie. — Tu me donnes ta parole d'honneur?

Toto, un long « oui » traîné. — Oui!

Julie. — C'est bien! j'ai confiance en toi. *(A Follavoine qui est assis à sa table, le dos presque tourné et les yeux au plafond dans une attitude résignée.)* Papa!... *(Voyant que Follavoine, distrait, ne répond pas. Sèchement.)* Bastien!...

Chouilloux, machinalement. — Bastien!

Follavoine, comme sortant d'un rêve. — Hein?

Julie, sèchement. — La boîte de pastilles!

Chouilloux, passant la demande. — La boîte de pastilles!

Follavoine, avec un soupir de victime. — Voilà! *(Il a ouvert son tiroir et extrait la boîte demandée. Se levant et à Chouilloux au moment d'aller porter la boîte à Julie.)* Je vous demande pardon de vous faire assister à cette scène de famille.

Chouilloux. — Mais comment donc! c'est très intéressant!... pour un homme qui n'a pas d'enfant.

Follavoine, présentant la boîte ouverte à Julie. — Voilà la boîte de pastilles!

Julie, prenant une pastille. — Merci. *(A Toto.)* Ouvre ton becquot, mon chéri! *(Lui mettant une pastille dans la bouche.)* Là!

Follavoine, allant resserrer sa boîte dans le tiroir, à Chouilloux. — Ça n'est pas pour ça que je vous ai invité à déjeuner!

Chouilloux, avec insouciance. — Oh! ben!...

Julie, à Toto. — C'était bon?

Toto. — Oui!

Julie, lui tendant le verre. — Là! Eh! bien, maintenant, bois, mon chéri! bois ta purgation!

Toto, se sauvant. — Non, j'veux pas me purger!

Julie, ahurie. — Quoi?

Follavoine, les nerfs à fleur de peau. — Voilà, parbleu! Voilà!

Julie. — Mais, ce n'est pas sérieux, Toto? Je t'ai donné un bonbon!

Toto, remontant vers le fond. — Ça m'est égal, j'veux pas me purger!

Follavoine, ayant peine à se contenir. — Oh! C't enfant! C't enfant!

Julie, furieuse, à Follavoine, tout en allant chercher Toto. — Quoi « c't enfant »! Quand tu répéteras : « C't enfant! C't enfant! » au lieu de m'aider! tu vois que j'y perds mon latin!

Elle prend Toto en le soulevant par les aisselles et le porte au canapé sur lequel elle l'assied.

Follavoine, hors de ses gonds. — Mais quoi? Qu'est-ce que tu veux que je fasse?

Julie, remontant par le milieu de la scène. — Oh! rien! rien! naturellement! (*Avec amertume.*) Ah! Dieu de Dieu!

Tout en parlant, elle se dirige vers sa chambre.

Follavoine. — Eh! bien, quoi? quoi? Où vas-tu?

Julie. — Eh! bien, qu'est-ce que tu veux? Je vais essayer d'un autre moyen!... (*Arrivée sur le pas de sa porte, se retournant et indiquant Chouilloux du geste.*) Oh!... et c'est ce jour-là qu'il choisit pour m'inviter des gens à déjeuner!

Elle sort en faisant claquer la porte.

Follavoine, se dressant d'un bond et entre chair et cuir. — Oh!

Chouilloux, qui s'est levé également. A Follavoine. — Comment?

Follavoine, faisant l'innocent. — Quoi?

Chouilloux. — Qu'est-ce qu'a dit madame Follavoine?

Follavoine. — Rien! rien!... Elle a dit : « Je ne sais vraiment pas à... quelle heure on pourra déjeuner. »

*Chouilloux, avec indifférence et en se ras-
seyant.* — Ah?... Oh! ben, qu'est-ce que vous
voulez!...

*Follavoine, allant à Toto et le faisant lever du
canapé en le tirant par la main.* — C'est honteux,
Toto, de manquer ainsi à sa parole!... N'est-ce
pas, monsieur Chouilloux?

Chouilloux, prudent. — Oh! moi, je ne dis plus
rien! je ne dis plus rien!

*Follavoine, s'accroupissant devant Toto pour être
à sa hauteur.* — Voyons, Toto! Tu as sept ans!
tu es un petit homme! tu n'as plus le droit d'agir
comme un enfant! Eh! bien, si tu avales gentiment ta purgation, moi, je te ferai une surprise.

   Il se redresse.

Toto, curieux. — Quoi?

Follavoine. — Eh! ben, je te dirai où sont les îles
Hébrides.

Toto. — Oh! ça m'est égal, j'veux pas le savoir.

Follavoine, du tac au tac. — C'est un tort!...
(Entre chair et cuir.) Surtout après tout le mal
qu'on s'est donné pour les trouver! *(A Toto.)*
C'est au nord de l'Écosse.

Toto, indifférent. — Ah?

Follavoine. — Et puis, il y en a d'autres aussi,
dans la Ménalé... dans la Malana... Manélé... Ah!
zut! Enfin, quoi! tu as celles du nord de l'Écosse,
ça doit te suffire!

   *Il lâche Toto et, pivotant sur les talons, gagne la
   droite.*

*Toto, le rattrapant par le pan de sa redin-
gote.* — Et le lac Michigan?

Follavoine, fronçant les sourcils. — Quoi?

Toto. — Où qu'c'est qu'il est le lac Michigan?

Follavoine, répétant machinalement. — « Où qu'c'est qu'il est le lac Michigan? »

Toto. — Oui?

Follavoine. — Oh! j'avais bien entendu!... *(A part.)* Ce qu'il est embêtant avec ses questions, ce petit! *(A Chouilloux.)* Dites-moi!... Je vous demande ça comme ça : le lac Michigan... Vous ne vous rappelleriez pas par hasard où c'est?

Chouilloux. — Le lac Michigan?...

Follavoine. — Oui!

Chouilloux. — Eh bien, mais en Amérique!... aux États-Unis!

Follavoine. — Oh! que je suis bête! Mais oui!

Chouilloux. — ... dans l'État de Michigan!

Follavoine. — De Michigan! Voilà : c'est le nom de l'État qui ne me revenait pas!

Chouilloux. — Le lac Michigan! En 77, j'ai pris un bain dedans!

Follavoine. — Non! Vous? *(A Toto, se baissant vers lui et lui indiquant Chouilloux.)* Eh! bien, tu vois, Toto! Tu cherchais le lac Michigan, eh! ben, ce monsieur-là... qui n'a l'air de rien, eh! bien, il a pris un bain dedans! *(Sans transition.)* J'espère qu'après ça, tu vas être raisonnable et prendre sagement ta purgation!

Toto, se sauvant et grimpant sur le canapé. — Non! j'veux pas!

Follavoine, les yeux au ciel. — Oh!

Chouilloux. — Ah! C'est un enfant qui a de la volonté!

Follavoine, avec conviction. — Ah! oui, il en a!

Julie, arrivant avec un second verre pareil au premier et descendant par l'extrême gauche jusqu'au guéridon. — Là! j'apporte un autre verre!... *(Tout en remplissant le verre d'Hunyadi-Janos.)...* Et pour que Bébé avale sagement son Hunyadi-Janos... *(Posant la bouteille, prenant Toto au passage et allant avec lui droit à son mari.)* Eh! bien, papa en prendra un grand verre avec lui!

Follavoine, avec un sursaut. — Quoi?

Julie, à Follavoine, en lui tendant le verre sous le nez. — N'est-ce pas?

Follavoine,   allant   se   réfugier   à   son bureau. — Moi! Mais jamais de la vie! J'en veux pas, je te remercie bien!

Julie, sèchement, à mi-voix. — Ah! je t'en prie, n'est-ce pas? Tu ne vas pas dire non!

Follavoine. — Mais absolument! je n'ai aucune envie de me purger! Bois-le, ton verre, toi, si ça te fait plaisir!

Julie. — Oh!... tu ne peux même pas faire ça pour ton fils?

Follavoine, tout en repoussant le verre que Julie présente obstinément à ses lèvres. — « Pour mon fils! Pour mon fils! » Il est aussi bien le tien!

Julie. — Voilà! Toutes les corvées, alors? *(Tout en posant le verre sur le coin du bureau.)* Oui, toutes les corvées! Tu trouves que je n'ai pas fait assez pour lui depuis qu'il est né?... et surtout avant?... tu trouves que ce n'est pas suffisant de l'avoir porté pendant neuf mois dans mes flancs!...

Elle passe devant Toto, et descend un peu à gauche.

Follavoine, agacé. — Ah! là! « dans tes flancs! » Qu'est-ce que tu vas chercher: « Dans tes flancs »?

Il s'assied à son bureau.

Toto. — Maman!

Julie. — Quoi?

Toto. — Pourquoi c'est toi qui m'as porté dans tes flancs? pourquoi c'est pas papa?

Julie, soulevant Toto et le portant sur le canapé sur lequel elle s'assied également. — Ah! pourquoi... parce que, ton père!... S'il avait fallu compter sur lui!... mais comme il savait que ce devait être moi... alors!

Follavoine, à Chouilloux. — Je vous demande un peu si c'est des choses à dire à un enfant!

Toto. — T'avais qu'à prendre un autre monsieur.

Follavoine, furieux. — Voilà: « T'avais qu'à prendre un autre monsieur! » C'est charmant!

Julie. — Oh! tu sais, un homme ou un autre!...

Toto. — Ah! ben, j'serai pas comme ça!

Julie, l'embrassant. — Chéri, va! Au moins tu as du cœur, toi!

Follavoine, à Chouilloux. — C'est insensé, monsieur Chouilloux! C'est insensé!

Chouilloux. — Mais non, c'est charmant! *(Se levant, en considérant Toto de loin.)* Les enfants ont de ces réflexions!

Julie, à Toto. — Tu vois la différence entre un père et une mère! Ton père ne veut même pas se purger pour toi!

Toto. — Ça m'est égal! J'veux pas qu'il se purge!

Follavoine, descendant jusqu'au canapé. — Éhé!... Tu entends! Il est plus raisonnable que toi.

Chouilloux, descendant également vers Toto. — Éhé!... Il ne veut pas qu'on fasse boire son papa!

Toto, indiquant Chouilloux avec son doigt. — Je veux qu'on fasse boire le monsieur!

Follavoine. — Hein?

Chouilloux, reculant instinctivement. — Quoi?

Julie, heureuse de saisir cette occasion de faire plaisir à son fils. — Tu veux qu'on fasse boire le monsieur? Eh bien! on va faire boire le monsieur!

> *Elle prend le verre plein qui est resté sur le guéridon et, accompagnée de Toto collé à elle, se dirige vers Chouilloux.*

Follavoine, s'interposant. — Ah! çà! tu n'y penses pas!

Julie, l'écartant et passant avec Toto. — Chut! Laisse donc!

Chouilloux, devant le trou du souffleur, ronchonnant entre chair et cuir. — Vraiment, ce petit est d'un mal élevé! Oh!

Julie, son verre à la main. — Tenez, cher monsieur Chouilloux!...

> *Elle lui porte le verre aux lèvres juste au moment où il dit : « ... D'un mal élevé! Oh! » de sorte qu'en aspirant le « oh! » il boit malgré lui une gorgée.*

Chouilloux. — Ah! pouah!

*Julie, accompagnée de Toto, avançant sur Chouil-
loux le verre tendu.* — Soyez gentil, buvez un
peu pour faire plaisir à Toto !

Elle lui porte à nouveau le verre aux lèvres.

Chouilloux, crachant. — Ah ! pfutt ! *(Reculant
vers la droite à mesure que Julie avance sur lui.)*
Mais non, madame ! mais non, je vous remercie !

Follavoine. — Ah ! çà ! tu perds la tête !

Julie, à Chouilloux. — Oh ! la moindre des
choses, voyons ! La moitié du verre, ça suffira !

*Même jeu avec le verre, contre lequel Chouilloux
s'efforce de se défendre.*

Chouilloux. — Mais, non, madame ! je vous en
prie !... Je suis désolé !...

Follavoine. — Tu n'y penses pas ! Monsieur
Chouilloux n'est pas ici pour se purger !

Julie. — Quoi ! Il n'y a pas de quoi faire une
affaire pour un peu d'Hunyadi-Janos !

*Chouilloux, acculé contre le fauteuil de
droite.* — Je ne vous dis pas, mais...

Julie. — Je comprends ça d'un enfant, mais
d'une grande personne !... *(Engageante.)* Allons,
monsieur Chouilloux !

Elle lui met le verre sous le nez.

Follavoine. — Julie, voyons !

Chouilloux. — Mais non, madame ! je regrette
beaucoup, mais une purge ! Je vous ai dit que,
précisément, l'état de mes intestins me défen-
dait !...

Follavoine. — Mais c'est évident !

Julie. — Eh ! bien, oui, mais ce n'est pas un

demi-verre d'Hunyadi-Janos qui peut leur faire du mal, à vos intestins!

Follavoine. — Julie! Julie.

Julie. — Et vraiment, entre la santé de Toto et vos intestins, je trouve que!...

Follavoine. — Je t'en prie, Julie!

Chouilloux. — D'ailleurs, madame, je vous assure!... je ne sais même pas jusqu'à quel point une purge est bonne pour monsieur votre fils...

Julie, faisant vivement passer Toto au 2, et entre chair et cuir à Chouilloux. — Ah! non, je vous en prie, hein!... Si maintenant vous allez dire des choses pareilles devant cet enfant! Ah! bien, c'est complet!

Follavoine, faisant passer Toto au 1. — Julie!... Julie!...

Chouilloux. — Je vous demande pardon, madame! Si je vous dis ça!...

Julie, sous le nez de Chouilloux. — Vous voyez tout le mal que j'ai avec Bébé! toute la diplomatie que je suis obligée d'employer!...

Follavoine. — Julie! Julie!

Julie, sans lâcher prise. — Si vous allez, par-dessus le marché, lui persuader maintenant qu'il ne doit pas prendre sa purge!

Chouilloux. — Mais non! Mais non!... Seulement je croyais...

Julie, lui mangeant positivement le nez. — Ah! « Vous croyiez! Vous croyiez! »

Follavoine. — Julie! Julie!

Julie. — Qu'est-ce que vous en savez? Où avez-

vous appris? Dans votre régime de Plombières?
Mais puisque c'est le contraire, le régime de
Plombières! puisque c'est le contraire!

Chouilloux. — Écoutez, madame, je retire!

Follavoine. — Je t'en prie, Julie! En voilà assez!

*Julie, gagnant, suivie de Toto, l'extrême
gauche.* — C'est vrai, ça! Est-ce que je me mêle,
moi, si sa femme le fait cocu avec son cousin
Truchet?

> *Elle dépose le verre qu'elle a en main sur le gué-
> ridon.*

Chouilloux, bondissant. — Cocu!

Follavoine, entre chair et cuir. — Oh! n... de D...!

> *Sans plus se soucier de Chouilloux, Julie a sou-
> levé Toto et l'a fait asseoir au 2 sur le canapé;
> après quoi elle s'assied au 1, près de lui.*

Chouilloux. — Qu'est-ce que vous avez dit?...
Cocu!... Ma femme!... Truchet!...

Follavoine. — C'est faux, monsieur Chouilloux!
C'est faux!

Chouilloux, écartant Follavoine. — Laissez-moi!
Laissez-moi! Ah!... Ah! j'étouffe!

> *Il aperçoit le verre laissé primitivement par Julie
> sur la table, se précipite dessus et en avale glou-
> tonnement le contenu.*

Follavoine. — Ah!

*Toto, ravi en voyant ce jeu de scène, désignant
Chouilloux à sa mère.* — Maman! Maman!

> *En gambadant, il remonte jusqu'au-dessus de la
> table et grimpe à genoux sur le fauteuil de son
> père.*

Julie, de sa place, à Chouilloux, pendant que celui-ci avale la purge. — Eh! bien... Vous ne pouviez pas faire ça tout de suite?... au lieu de faire toutes ces histoires!

Follavoine, affolé. — Monsieur Chouilloux, je vous en prie! *(La physionomie de Chouilloux brusquement se contracte; ses yeux deviennent hagards; c'est la purgation qui lui tourne sur le cœur; il jette des regards éperdus à droite et à gauche! Puis, soudain, se rappelant d'où Follavoine extrayait ses vases, il se précipite comme un fou vers la bibliothèque fond droit. Follavoine, comprenant sa pensée et courant après lui.)* Non! pas par là! il n'y en a plus! il n'y en a plus! *(Le poussant vers la porte du premier plan gauche.)* Par là, tenez! par là!

Chouilloux se précipite dans la chambre.

SCÈNE VIII

Julie, Follavoine, Toto

Follavoine, se retourne vers sa femme après avoir refermé le battant de la porte. — Ah! je te félicite! C'est du joli! Voilà ce que tu fais, toi?

Il remonte nerveusement.

Julie, se levant et gagnant la droite. — Eh bien, il n'avait qu'à ne pas se mêler de ce qui ne le regardait pas!

Follavoine, gagnant le milieu de la scène. — Aller dire à ce malheureux qu'il est cocu!

Il remonte.

Julie, s'asseyant sur le fauteuil à droite de la table. — Quoi? Il ne l'est peut-être pas?

Follavoine, se retournant et redescendant. — Ce n'est pas une raison pour le lui dire!

Il remonte vers le fond gauche.

Toto. — Maman!

Julie. — Quoi! mon chéri? Tu veux te purger?

Toto. — Non!... Qu'est-ce que c'est qu'un cocu?

Julie, avec un rictus sarcastique. — Ah?... *(Indiquant la porte par où est sorti Chouilloux.)* C'est ce monsieur, tiens! qui vient de sortir.

Follavoine, qui n'a pas cessé d'arpenter la scène, virevoltant brusquement. — Mais non! Mais non!... En voilà des choses à dire à un enfant.

Julie. — S'il avait bu tout de suite, comme on le lui demandait!

Follavoine. — Tu es superbe, toi : une purgation!

Il remonte.

Julie. — Eh! ben!... Quand on est invité chez les gens, on prend ce qu'ils vous offrent! Il n'a aucune éducation, ton Chouilloux! Cet homme qui vient ici pour la première fois et qui nous parle de ses intestins relâchés!... Mais où a-t-il été élevé?

Follavoine, redescendant au milieu de la scène. — Mais, enfin, tu lui demandes de se purger!...

Julie, se levant et allant à son mari. — Moi, je lui ai demandé de se purger? Mais je m'en moque, qu'il se purge! Je lui ai demandé de boire un verre d'Hunyadi-Janos! Je ne lui ai pas demandé de se purger!

Elle passe au-dessus de la table, prend son fils

au passage et redescend avec lui par l'extrême droite.

Follavoine. — Mais ça le purge tout de même!

Julie, s'asseyant sur le fauteuil à droite de la table avec Toto entre ses genoux. — Ah! bien, ça, ça le regarde. En somme quoi? il l'a avalée tout de même, sa purge? alors! qu'est-ce qu'il nous ennuie?

On sonne.

Follavoine. — Oui, ah! ça me met en bonne posture... pour la concession des vases militaires!

Julie. — Voilà!... voilà tout ce que tu vois, toi!...

Follavoine, *au-dessus du canapé.* — Comment vais-je rabibocher ça, maintenant?

SCÈNE IX

Les mêmes, Rose, Madame Chouilloux, Truchet

Rose, *annonçant.* — Madame Chouilloux! Monsieur Truchet!

Follavoine. — Ah! non! non! Reçois-les! Moi, après ça, je ne veux pas les voir.

Il se dirige vers la porte premier plan gauche.

Julie, *se levant.* — Hein? Mais non! Mais non! Bastien!... Je ne les connais pas!

Follavoine. — Ça m'est égal, arrange-toi!

Il sort.

Madame Chouilloux, entrant en coup de vent suivie de Truchet. — Madame Follavoine, sans doute?

Julie, interloquée. — Hein? Non!... Oui!

Elle est contre le coin gauche de la table. Toto se dissimule derrière la hanche de sa mère dont il tient un pan du peignoir devant lui.

Madame Chouilloux. — Ah! madame, enchantée! (Faisant allusion à la tenue de Julie.) Je craignais que nous fussions en retard; je vois que non.

Julie, toute troublée. — Non!... non!... Excusez-moi, je... je n'ai pas encore eu le temps de m'habiller...

Madame Chouilloux. — Mais comment donc! Je vous en prie! si vous allez faire des cérémonies...! (Présentant.) Monsieur Truchet, mon cousin, que vous avez eu l'extrême amabilité...

Truchet. — Madame, je suis confus de mon indiscrétion!... pour la première fois que j'ai l'honneur...!

Julie. — Mais je vous en prie...!

Madame Chouilloux, apercevant la tête de Toto qui se risque hors du peignoir de sa mère. — Et c'est à vous, madame, cette charmante petite fille?

Julie, dégageant Toto. — Oui!... oui! seulement c'est un petit garçon.

Madame Chouilloux, interloquée. — Ah? ah? (Comme excuse.) A cet âge-là, n'est-ce pas?... il n'y a rien pour distinguer.

Julie. — En effet oui!... oui!

Truchet. — Et monsieur Follavoine n'est pas là?

Julie, indiquant la porte de gauche premier plan. — Si! si, par là!... par là!

Toto, mettant ingénument les pieds dans le plat. — Avec le cocu!

Julie, tirant vivement Toto derrière elle. — Oh!

Madame Chouilloux, se demandant si elle a bien entendu. — Comment?

Julie, vivement. — Rien! Rien! C'est... c'est un employé de mon mari.

Madame Chouilloux, se pâmant. — Qui s'appelle Lecocu! Ah! Quel nom fâcheux!

Julie, avec un petit rire forcé. — N'est-ce pas?... n'est-ce pas?...

Truchet. — Et difficile à porter! difficile!

Julie. — Oui!... oui!

Madame Chouilloux, de même. — A-t-on idée: « Lecocu »! *(Sans transition.)* Oh! Mais ça me fait penser: mon mari doit être arrivé!

Julie. — Oui!... Oui, parfaitement! il est là.

Madame Chouilloux. — Aha!... avec eux!

Julie. — Eux! Qui, « eux »?

Truchet. — Eh! bien, monsieur Follavoine et monsieur Lecocu.

Julie. — Ah!... Oui!... oui, oui!... Asseyez-vous donc, je vous en prie! asseyez-vous donc!

> *Madame Chouilloux va pour s'asseoir (1) sur le canapé tandis que Truchet remonte un peu pour chercher la chaise volante. A ce moment la porte de gauche s'ouvre et Chouilloux surgit, suivi de Follavoine. Ils parlent tous deux à la fois.*

SCÈNE X

Les mêmes, Chouilloux, Follavoine

Follavoine. — Monsieur Chouilloux! Je vous jure...!

Chouilloux. — Non, laissez-moi! laissez-moi!

Madame Chouilloux, s'avançant vers son mari. — Ah! Adhéaume!

Chouilloux. — Vous, misérable!

Truchet et madame Chouilloux, ahuris. — Quoi?

Follavoine, au-dessus du canapé. — Dieu!

Chouilloux, montrant sa femme. — La voilà, tenez! la femme adultère!

Madame Chouilloux. — Moi!

Chouilloux, allant à Truchet et l'indiquant. — Le voilà, tenez! l'ami félon!

Truchet. — Mon ami!

Chouilloux, arrivé au milieu de la scène, écartant sa redingote et avançant la poitrine. — Le voilà, tenez, le cocu! le voilà!

Follavoine, qui derrière les personnages est allé rejoindre Chouilloux au milieu de la scène. — Mon Dieu! mon Dieu!

Madame Chouilloux. — Mais c'est fou, mon ami, c'est fou!

Truchet. — Mais qui est-ce qui vous a dit...?

Chouilloux. — Qui m'a dit? Tenez! (*Indiquant Follavoine à sa droite.*) Demandez à monsieur! (*Indiquant Julie à sa gauche.*) Demandez à madame!

Follavoine. — C'est faux, monsieur Chouilloux! c'est faux!

Madame Chouilloux, allant à Chouilloux. — Mon ami...!

Chouilloux, l'écartant du geste. — Arrière,

madame! Je ne veux plus vous voir. *(Passant à Truchet.)* Quant à vous, monsieur, vous recevrez mes témoins!

Il remonte prendre son chapeau.

Madame Chouilloux, s'élançant à sa suite. — Mon ami, je t'en prie, écoute-moi!...

Truchet, remontant également. — Chouilloux, mon ami...

Chouilloux. — Non!

Il sort suivi de sa femme.

Truchet, redescendant et allant directement à Follavoine. — C'est vous qui avez dit ça?

Follavoine. — Mais, non! il y a un malentendu!

Truchet. — C'est bien, vous m'en rendrez raison.

Il lui applique une gifle.

Follavoine, qui en voit trente-six mille chandelles. — N... de D...!

Truchet. — J'attends vos témoins!

Il sort furieux.

Follavoine, se tamponnant la joue. — Oh! nom de nom! oh!

Julie, après un temps, les mains sur les hanches, toisant son mari d'un air dédaigneux. — Eh! bien, tu es content! Voilà ce que tu nous amènes avec toutes tes histoires!

Follavoine, ahuri. — Moi!... Moi!... Tu oses dire que c'est moi!...

Julie, haussant les épaules. — Naturellement, toi! Si tu n'avais pas invité tous ces gens-là à déjeuner!

Follavoine. — Moi! Moi!

Julie. — Ah! laisse-moi donc tranquille! tu n'en fais jamais d'autres!

Elle sort furieuse par la porte pan coupé.

Follavoine. — C'est ma faute! c'est ma faute! J'ai un duel à cause d'elle, et c'est ma faute! *(S'effondrant sur le canapé.)* Oh! non, non, cette femme me rendra fou!

Étouffant d'indignation, il aperçoit près de lui sur le guéridon l'autre verre d'Hunyadi-Janos. Il se précipite dessus et l'avale d'un trait.

Toto, le regardant absorber sa purge. — *A part, ravi.* — Oh!

Follavoine. — Ah! pouah!

Il se précipite comme un fou dans sa chambre, gauche premier plan.

SCÈNE XI

Toto, puis Julie, puis Follavoine

Toto, une fois son père sorti, secouant joyeusement la main de façon à faire claquer son index contre le pouce et le médius réunis. — Chic! Chic! *(Il va au guéridon, prend le verre vidé par son père, le renverse en l'agitant comme une sonnette, pour mieux constater qu'il est réellement vide; puis faisant à nouveau claquer ses doigts.)* Chic! Chic! *(Courant par l'extrême gauche, avec son verre à la main, entrouvre la porte du pan coupé et appelant.)* Maman!... Maman!

Voix de Julie. — Quoi? Qu'est-ce qu'il y a?

Toto. — Maman! viens!

Il descend au milieu de la scène.

Julie, paraissant et allant rejoindre Toto. — Qu'est-ce que tu veux, mon chéri?

Toto, avec un aplomb déconcertant. — Voilà!... J'ai bu!

Il tend son verre.

Julie. — Quoi?

Toto, renversant le verre pour faire voir qu'il est vide. — La purgation!

Julie, s'agenouillant près de lui. — Tu as bu! Ah! Chéri, que c'est gentil! Eh bien tu vois : ce n'était pas bien terrible!

Toto, avec un sourire malicieux. — Oh! non!

Follavoine, faisant irruption avec son paletot mis et son chapeau sur la tête. — Non! Non! J'aime mieux m'en aller! j'aime mieux quitter la maison!

Il va jusqu'à sa table, sur laquelle il prend des papiers qu'il range nerveusement dans un dossier avant de sortir.

Julie, sans même s'apercevoir de l'état de son mari. — Bastien! Bébé a pris sa purgation.

Follavoine. — Je m'en fous!

Il sort furieux.

Julie, indignée. — Il s'en fout!... Il s'en fout! *(A Toto.)* Tiens, le voilà, ton père! Il s'en fout! Ah!

heureusement, tu as ta mère! va! aime-la bien, mon chéri! aime-la bien!

Elle couvre Toto de baisers.

RIDEAU

MAIS N'TE PROMÈNE DONC PAS TOUTE NUE !

PERSONNAGES

Au fond, au milieu de la scène, porte à deux vantaux, ouvrant sur l'intérieur (battant droit fixé par
une ferrure extérieure). Cette porte donne sur le
vestibule, au fond duquel, juste en face, on aperçoit la porte d'entrée ouvrant elle-même sur le
palier (battant droit fixe). A droite de la porte du
salon sur vestibule, également face au public,
porte à un vantail ouvrant sur la coulisse, et
menant à la chambre de Clarisse. A gauche de la
scène, premier plan, un pan de mur contre lequel
un meuble d'appui quelconque. Au deuxième plan,
formant pan coupé, porte à caisson, à deux vantaux, conduisant dans le cabinet de travail de Ventroux. A droite de la scène, premier plan, la cheminée avec sa garniture et sa glace; deuxième plan,
grande fenêtre avec imposte. Entre rideaux et
fenêtre, grand store de guipure descendant
jusqu'en bas, et glissant sur tringle de l'avant-
scène au lointain. Cordon de tirage, pour la
manœuvre dudit store, côté gauche de la fenêtre.
En scène, face au public, un grand canapé à dossier élevé, le côté droit du fauteuil touchant
presque la cheminée côté lointain; devant le
canapé, à droite, sur un petit guéridon bas, une
tasse à café, une petite cafetière, un sucrier, le tout

sur un petit plateau. A l'avant-scène, près de la cheminée, dos au public, un fauteuil bergère à dossier bas. A gauche de la scène, une grande table de salon, placée perpendiculairement au spectateur; une chaise de salon de chaque côté. Chaise à droite et à gauche de la porte du fond. Bouton de sonnette électrique au coin de la cheminée, côté de la fenêtre. Sur la table, un bloc-notes. Lustre, écran de foyer, chenets, etc. Le reste du mobilier ad libitum.

SCÈNE PREMIÈRE

Victor, puis Ventroux

Au lever du rideau, Victor, sur un escabeau, arrange le cordon de tirage du store de la fenêtre. (Le battant gauche de la porte sur vestibule est ouvert.) A la cantonade, dans la chambre de Clarisse, on entend des bribes de conversation où domine la voix de Ventroux et de son fils, la voix de Clarisse étant plus lointaine, comme venant d'une pièce plus éloignée. Au bout d'un moment, on distingue ceci :

Voix de Ventroux. — Comment? Qu'est-ce que tu dis, Clarisse?

Voix de Clarisse, trop lointaine pour qu'on comprenne ce qu'elle dit. — ????

Voix de Ventroux. — Oh! bien, je ne sais pas; aussitôt la fin de la session, nous partirons pour Cabourg.

Voix du fils de Ventroux. — Oh! c'est ça, papa! Oh! oui, pour Cabourg!

Voix de Ventroux. — Oh! ben, quoi! Attends que la Chambre soit en vacances!

Voix de Clarisse, au même diapason que les autres. — Attendez, mes enfants, que je prenne ma chemise de nuit!

Voix indignée de Ventroux. — Oh! Clarisse! Clarisse! Voyons, tu perds la tête!

Voix de Clarisse. — Pourquoi?

Voix de Ventroux. — Mais je t'en prie! Voyons, regarde-toi! il y a ton fils!

Voix de Clarisse. — Eh! ben, oui! ben oui! le temps de prendre ma chemise de nuit, et...

Voix de Ventroux. — Mais non! Mais non! Je t'en prie, voyons! tu es folle! On te voit. Va-t'en!

Voix de Clarisse. — Ah! Et puis, tu m'ennuies! Si tu dois faire des scènes...

Voix de Ventroux. — Ah! non, tiens! J'aime mieux m'en aller! plutôt que de voir des choses...! Et puis, toi, Auguste, qu'est-ce que tu as besoin de traîner dans la chambre de ta mère?

Victor, qui, depuis un moment, s'est arrêté dans son travail pour prêter l'oreille. Avec un hochement de tête. — Ils se bouffent!

Voix de Ventroux. — Allez, fiche-moi le camp!

Voix du fils de Ventroux. — Oui, papa.

Ventroux, paraissant en scène et faisant claquer la porte sur lui. — Non! Ce manque de pudeur!... *(A Victor.)* Et puis, qu'est-ce que vous faites là, vous?

Victor, toujours sur son escabeau. — J'arrange les cordons de tirage.

Ventroux. — Vous ne pouvez pas vous en aller quand vous entendez que je... que je cause avec madame?

Victor. — Je voulais finir, monsieur.

Ventroux. — Oui! pour mieux écouter aux portes?

Victor. — Aux portes!... Je suis à la fenêtre.

Ventroux. — C'est bon! allez-vous-en!

Victor, abandonnant son store, qu'il laisse tiré grand ouvert, et descendant de son escabeau. — Oui, monsieur.

Il fait basculer les marches inférieures de l'escabeau, de façon à le replier.

Ventroux. — Et emportez votre escabeau!

Victor. — Oui, monsieur.

Il sort en emportant l'escabeau.

Ventroux, lui refermant avec humeur le battant de la porte sur le dos. — Il faut toujours qu'on l'ait dans les jambes, celui-là!

Il descend et, maussade, va s'asseoir à droite de la table.

SCÈNE II

Ventroux, Clarisse

Clarisse, surgissant en coup de vent de sa chambre. Elle est en chemise de nuit, mais elle a son chapeau et ses bottines. Descendant vers son mari. — Ah ça! veux-tu me dire ce qui t'a pris? après qui tu en as?

Ventroux, le coude droit sur la table, le menton sur la paume de la main, sans se retourner. — Apparemment après qui le demande! *(Se retournant vers sa femme et apercevant sa tenue.)* Ah! non! non! tu ne vas pas aussi te promener dans l'appartement en chemise de nuit!... avec ton chapeau sur la tête!

Clarisse. — Oui, eh bien! d'abord, je te prie de m'expliquer... J'enlèverai mon chapeau tout à l'heure.

Ventroux. — Eh! ton chapeau! je m'en fiche pas mal, de ton chapeau! C'est pas après lui que j'en ai!

Clarisse. — Enfin, qu'est-ce que j'ai encore fait?

Ventroux. — Oh! rien! rien! tu n'as jamais rien fait!

Clarisse, remontant vers le canapé. — Je ne vois pas!...

Ventroux, se levant. — Tant pis, alors! car c'est encore plus grave, si tu n'as même plus conscience de la portée de tes actes.

Clarisse, s'asseyant sur le canapé. — Quand tu voudras m'expliquer!...

Ventroux. — Alors, tu trouves que c'est une tenue pour une mère d'aller changer de chemise devant son fils?

Clarisse. — C'est pour ça que tu fais cette sortie?

Ventroux. — Évidemment, c'est pour ça!

Clarisse. — Eh! bien, vrai! J'ai cru que j'avais commis un crime, moi.

Ventroux. — Alors, tu trouves ça naturel?

Clarisse avec insouciance. — Pffeu! Quelle

importance ça a-t-il? Auguste est un enfant... Si tu crois seulement qu'il regarde, le pauvre petit! Mais, une mère, ça ne compte pas.

Ventroux, tranchant. — Il n'y a pas à savoir si ça compte; ça ne se fait pas.

Il remonte au-dessus du canapé.

Clarisse. — Un gamin de douze ans!

Ventroux, derrière elle. — Non, pardon, treize!

Clarisse. — Non, douze!

Ventroux. — Treize, je te dis! il les a depuis trois jours.

Clarisse. — Eh! bien, oui, trois jours! ça ne compte pas.

Ventroux, redescendant au milieu de la scène. — Oui, oh! rien ne compte avec toi.

Clarisse. — Si tu crois qu'il sait seulement ce que c'est qu'une femme!

Ventroux. — En tout cas, ce n'est pas à toi à le lui apprendre! Mais, enfin, qu'est-ce que c'est que cette manie que tu as de te promener toujours toute nue?

Clarisse. — Où ça, toute nue? J'avais ma chemise de jour.

Ventroux. — C'est encore plus indécent! On te voit au travers comme dans du papier calque.

Clarisse, se levant et allant à lui. — Ah! Voilà! Voilà, dis-le donc! Voilà où tu veux en venir: tu voudrais que j'aie des chemises en calicot!

Ventroux, abasourdi. — Quoi? Quoi des chemises en calicot? Qui est-ce qui te parle d'avoir des chemises en calicot?

Clarisse. — Je suis désolée, mon cher! mais toutes les femmes de ma condition ont des chemises en linon, je ne vois pas pourquoi j'aurais les miennes en madapolam.

En parlant, elle passe au 1.

Ventroux, descendant à droite. — Ah! bon! les voilà en madapolam, à présent.

Clarisse. — Ah! ben, merci! Qu'est-ce que diraient les gens!

Ventroux, se retournant à ce mot. — Les gens! Quels gens? Tu vas donc montrer tes chemises aux gens?

Clarisse, faisant brusquement volte-face et marchant sur son mari. — Moi!... Moi, je vais montrer mes chemises aux gens! Voilà où tu en arrives!

Ventroux, appuyant sur chaque « non ». — Mais non! Mais non! Ne fais donc pas toujours dévier la conversation pour prendre l'offensive! Je ne t'accuse de rien du tout! Je ne te demande pas d'avoir des chemises en calicot, ni en madapolam! Je te demande simplement, quand ton fils est dans ta chambre, d'avoir la pudeur de ne pas te déshabiller devant lui!

Clarisse, avec un calme déconcertant. — Ah! bien, tu as de l'aplomb! C'est juste ce que j'ai fait.

Ventroux, abasourdi par tant de toupet, la regarde, se prend le crâne comme pour l'empêcher d'éclater, puis remonte en agitant ses mains au-dessus de sa tête. — Ah! bien, non, tu sais, tu parles d'aplomb!...

Clarisse, remontant vers lui. — Absolument! Et c'est encore une preuve de ton éternelle injustice ! *(Descendant au 2.)* Essayez donc de faire plaisir aux gens ! *(S'asseyant sur le fauteuil, dos au public, près de la cheminée.)* Comme je sais tes idées étroites et que vous étiez tous les deux dans ma chambre, j'ai été exprès me déshabiller dans mon cabinet de toilette.

Ventroux, assis sur le canapé. — Oui, seulement, une fois que tu as été en chemise de jour, tu es arrivée dans ta chambre. Au choix, j'aurais préféré le contraire.

Clarisse. — Mais c'était pour prendre ma chemise de nuit !

Ventroux. — Oui, oh ! tu as toujours de bonnes raisons ! Mais, d'abord, quel besoin as-tu de te mettre en chemise de nuit à quatre heures de l'après-midi ?

Clarisse. — Tiens ! tu es bon, toi ! on voit que ce n'est pas toi qui es allé crever de chaleur au mariage de la petite Duchômier. *(Se levant.)* Et tiens, encore ça, pour qui y ai-je été ? Hein ? C'est pour toi, c'est pas pour moi, bien sûr ! *(Elle gagne le milieu de la scène tout en parlant.)* Pour t'épargner une corvée !... comme toujours !... Car enfin, ce n'est pas moi qui suis le collègue du père à la Chambre ! Je ne suis pas député, moi ! c'est toi. Tu as une façon de me remercier !

Ventroux, haussant les épaules. — Il ne s'agit pas de te remercier !...

Clarisse, lui coupant la parole. — Oh ! je sais, tout t'est dû ! Un remerciement de ta part, je suis encore à l'attendre ! *(Remontant vers lui.)* N'empêche que quand je suis rentrée, en transpiration, j'ai éprouvé le besoin de me mettre à l'aise. Je crois que c'est permis ?

Ventroux. — Eh bien ! oui, ça... ! ça, j'admets !

Clarisse, remontant au-dessus du canapé. —
C'est encore heureux! Parbleu, tu es au frais, ici!
Tu ne te doutes pas que dehors nous avons au
moins... trente-cinq ou trente-six degrés... de latitude!

Ventroux, ironique. — De latitude?

*Clarisse, à qui l'intention de son mari
échappe.* — Trente-six degrés, parfaitement!

Ventroux. — Quoi, « de latitude »? Qu'ça veut
dire, ça : « de latitude »?

*Clarisse, au-dessus du canapé, sur un ton d'ironie
légèrement méprisante.* — Tu ne sais pas ce que
c'est que... « latitude »? *(Descendant.)* Eh bien!...
c'est triste, à ton âge! *(Arrivée à droite de la table,
se retournant vers son mari et l'écrasant de sa
supériorité.)* « Latitude », c'est le thermomètre.

Ventroux, sur un ton moqueur. — Ah?... Je te
demande pardon! J'ignorais.

Clarisse. — C'est pas la peine d'avoir été au col-
lège. *(S'asseyant sur la chaise, à droite de la table.)*
Quand on pense que, par trente-six degrés... de
latitude, tu nous imposes d'être encore à Paris!
Tout ça parce que tu es député, et que tu ne peux
pas quitter la Chambre avant la fin de la session!... Je te demande un peu! comme si la
Chambre ne pouvait pas se passer de toi!

*Ventroux, se levant d'un trait, et à pleine
voix.* — Je ne sais pas si la Chambre peut ou
non se passer de moi; ce que je sais, c'est que,
quand on a assumé une fonction, on la remplit!
Ah! ben! ce serait du joli, si, sous prétexte
qu'individuellement la Chambre n'a pas positivement besoin de chacun de nous, chaque député
se mettait à fiche le camp! Il n'y aurait plus qu'à
fermer la Chambre!

Il remonte.

Clarisse. — Eh ben! La belle affaire! Ça n'en irait pas plus mal! C'est toujours quand la Chambre est en vacances que le pays est le plus tranquille; alors!...

Ventroux, *qui est redescendu à gauche de la table. En appuyant sur les mots.* — Mais, ma chère amie, nous ne sommes pas à la Chambre pour que le pays soit tranquille! C'est pas pour ça que nous sommes élus! Et puis, et puis enfin, nous sortons de la question! Je te demande pourquoi tu te promènes en chemise, tu me réponds en faisant le procès du parlementarisme; ça n'a aucun rapport.

Il s'assied face à sa femme.

Clarisse. — Je te demande pardon, ça en a! Parce que, à cause de ton Parlement, nous sommes encore à Paris par trente-six degrés... de latitude...

Ventroux, *narquois.* — Tu y tiens.

Clarisse. — Parfaitement! Parce que, par trente-six degrés... de latitude, je suis en transpiration; parce qu'étant en transpiration, j'ai éprouvé le besoin de changer de chemise; et que, parce que j'ai changé de chemise, tu as éprouvé, toi, le besoin de m'attraper!

Ventroux. — Je ne t'ai pas attrapée parce que tu as changé de chemise; je t'ai attrapée parce que tu te promenais devant ton fils en chemise transparente.

Clarisse, *presque crié.* — Est-ce que c'est de ma faute si on voit au travers?

Ventroux. — Non! mais c'est de ta faute si tu entres avec dans ta chambre.

Clarisse. — Ah! non, ça, c'est le comble! Je n'ai plus le droit d'entrer dans ma chambre maintenant?

Ventroux. — Mais je n'ai jamais parlé de ça! Ne me fais donc pas dire ce que je ne dis pas!

Clarisse, sans l'écouter. — Où veux-tu que j'aille me déshabiller? A la cuisine? A l'office? Devant les domestiques? Ah! C'est pour le coup que tu crierais comme un putois.

Ventroux. — Cette mauvaise foi dans la discussion!...

Clarisse, se levant et remontant vers le canapé. — Il n'y a pas de mauvaise foi! Je suis chez moi dans ma chambre! C'est vous qui n'aviez pas besoin d'y être! Je ne vous ai pas demandé d'y venir, n'est-ce pas? *(S'asseyant sur le canapé.)* Eh! bien, si ma tenue vous gênait, vous n'aviez qu'à vous en aller.

Ventroux, se levant. — Voilà! Voilà sa logique!

Clarisse. — C'est vrai, ça!... Me faire une scène parce que je suis entrée en chemise de jour! *(Brusquement et presque crié.)* Mais comment voulais-tu que je fasse, puisque ma chemise de nuit était dans ma chambre?

Ventroux, allant à elle. — Eh! bien, j'étais là! Tu n'avais qu'à me la demander! Je te l'aurais apportée!

Clarisse, avec une logique déconcertante. — Alors, c'était la même chose: tu m'aurais vue toute nue.

Ventroux. — Mais moi, moi! je suis ton mari!

Clarisse. — Eh! bien, lui! c'est mon fils!

Ventroux, se prend les cheveux à se les arracher, et,

d'une voix larmoyante. — Ah! non! C'est à décourager! *(A Clarisse.)* Alors, tu trouves que c'est pareil?

Clarisse. — Mais... c'est plus près!

Ventroux. — Oh!

Clarisse. — En somme, toi, quoi? tu es un étranger pour moi! Tu es mon mari, mais c'est une convention! Quand je t'ai épousé, — je ne sais pas pourquoi...

Ventroux, s'incline, puis. — Merci.

Clarisse, sans s'interrompre. — ... je ne te connaissais pas; et, crac, du jour au lendemain, parce qu'il y avait un gros monsieur en ceinture tricolore devant qui on avait dit « oui », c'était admis! tu me voyais toute nue. Eh! ben, ça, c'est indécent.

Ventroux. — Ah! tu trouves!

Clarisse. — Tandis que mon fils, quoi? C'est ma chair! C'est mon sang! Eh ben!... que la chair de ma chair voie ma chair, il n'y a rien d'inconvenant! *(Se levant.)* A part les préjugés!

Ventroux. — Mais c'est tout, les préjugés! C'est tout!

Clarisse, passant devant lui, avec hauteur. — Pour les esprits mesquins, oui! Mais, Dieu merci! je suis au-dessus de ça!

Ventroux, s'effondrant sur le fauteuil, près de la cheminée. — Voilà! Voilà! elle est au-dessus de ça! elle arrange tout comme ça!

Clarisse, revenant à la charge, tout en allant s'asseoir sur le canapé. — Non, mais enfin... est-ce que, depuis la plus tendre enfance du petit, il n'a pas vingt-cinq mille fois assisté à ma toilette? Et tu n'as jamais rien dit!

Ventroux. — Il y a tout de même un jour où il faut que ces choses-là cessent.

Clarisse, exaspérante de calme. — Oui. Oh!... J'te dis pas!

Ventroux. — Eh ben! alors!

Clarisse, les yeux au plafond. — Bon!... Quand?

Ventroux. — Quoi, « quand »?

Clarisse, même jeu. — Quel jour?... A quelle heure?

Ventroux. — Quoi? quoi? « Quel jour? A quelle heure? »

Clarisse. — Cesse-t-on? Il doit y avoir un jour, une heure spéciale. Pourquoi particulièrement aujourd'hui? Pourquoi pas hier? Pourquoi pas demain? Alors, je te demande: « Quel jour?... Quelle heure? »

Ventroux, répétant sur le même ton. — « Quel jour, quelle heure! » Elle vous a de ces questions!... Est-ce que je sais, moi? Comment veux-tu que je précise?

Clarisse. — Tu ne peux pas préciser! Ça, c'est merveilleux! Et alors, tu veux que, moi, une femme! qui, par définition, dois être moins intelligente que toi — du moins, c'est toi qui le dis — tu veux que, moi, je sois à même de le faire, quand, toi, tu t'en déclares incapable!

Ventroux, hors de lui. — Mon Dieu, que c'est bête, ce que tu dis là!

Clarisse, gagnant la gauche. — Mais non! tu m'attaques, je me défends.

Ventroux, se levant, et allant à elle. — Enfin, qu'est-ce que tu veux me prouver? Qu'une mère a raison de se montrer en chemise à son fils?

Clarisse, adossée contre le devant de la table de gauche. — Mais ce n'est pas là-dessus que j'en suis! Ça t'est désagréable, eh! bien, c'est bon!... tu n'as qu'à me le dire sans t'emporter; je ferai attention.

Ventroux, peu convaincu. — Oui, oh! tu feras attention! *(S'asseyant à droite de la table.)* Tu sais très bien que non! tu ne peux pas ne pas traîner en chemise; c'est plus fort que toi.

Clarisse. — Oh! que c'est exagéré!

Ventroux. — Tous les jours je t'en fais l'observation.

Clarisse. — Je t'assure, non! Si tu me vois quelquefois comme ça le matin, c'est que ma toilette n'est pas faite, mais une fois que je suis habillée, je te certifie...

Ventroux. — ... Que tu n'es plus en chemise; oh! ça, évidemment! Seulement, tu ne l'es jamais, habillée!

Clarisse, s'emportant. — Enfin, quoi? Qu'est-ce que tu veux? Que je ne fasse pas ma toilette?

Ventroux. — Mais si! Mais si! Fais-la, ta toilette! mais reste chez toi pour la faire!... et ferme la porte! Elle est toujours ouverte dans ces moments-là! Comme c'est convenable pour les domestiques!

Clarisse. — Quoi? Ils n'entrent pas.

Ventroux. — Ils n'ont pas besoin d'entrer pour te voir, ils n'ont qu'à regarder.

Clarisse. — Si tu crois qu'un domestique ça regarde!

Ventroux. — Oui, oh! n'est-ce pas? c'est pas des hommes comme les autres?... Non, mais, c'est drôle, ça! tu laisses ta porte ouverte quand tu fais ta toilette!... et tu t'enfermes pour mettre ta voilette!

Clarisse, avec les petits gestes étriqués et tatillons des femmes maniaques. — Ah! oui, parce que, là, je n'aime pas être dérangée quand je mets ma voilette; j'aime pas qu'on tourne autour de moi, j'en viens pas à bout.

Ventroux, se levant et remontant au-dessus du canapé. — C'est vraiment dommage qu'il n'en soit pas de même pour tes ablutions!... Mais pas seulement ça! Tu fais mieux encore : tu allumes dans ton cabinet de toilette... et tu ne fermes même pas tes rideaux!

Clarisse, avec un geste indigné. — Oh! quand?

Ventroux. — Mais... hier!

Clarisse, subitement calmée. — Ah! bien, oui, hier.

Ventroux. — Parce que tu ne vois plus au dehors, tu es comme l'autruche : tu t'imagines qu'on ne te voit pas du dehors.

Clarisse, allant s'adosser contre le devant de la table. — *Avec insouciance.* — Oh! qui veux-tu qui regarde?

Ventroux. — Qui? *(Indiquant la fenêtre du geste.)* Mais Clemenceau, ma chère amie!... Clemenceau, qui demeure en face!... et qui est tout le temps à sa fenêtre!

Clarisse. — Bah! il en a vu bien d'autres, Clemenceau!

Ventroux. — C'est possible!... C'est possible,

qu'il en ait vu d'autres, mais j'aime autant qu'il ne voie pas celle-là. Ah! ben, je serais propre!

Il s'assied sur le canapé.

Clarisse. — En quoi?

Ventroux. — En quoi? Mais tu n'y songes pas! Tu ne connais pas Clemenceau! c'est notre premier comique, à nous!... Il a un esprit gavroche! Il est terrible! Qu'il fasse un mot sur moi, qu'il me colle un sobriquet, il peut me couler!

Clarisse. — T'as pas ça à craindre, il est de ton parti.

Ventroux. — Mais, justement! c'est toujours dans son parti qu'on trouve ses ennemis! Clemenceau serait de la droite, parbleu! je m'en ficherais!... et lui aussi!... mais, du même bord, on est rivaux! Clemenceau se dit qu'il peut redevenir ministre!... que je peux le devenir aussi!...

Clarisse, *le toisant.* — Toi?

Ventroux, *se levant.* — Quoi? Tu le sais bien! Tu sais bien que, dans une des dernières combinaisons, à la suite de mon discours sur la question agricole, on est venu tout de suite m'offrir... le portefeuille... de la Marine.

Clarisse, *s'asseyant à droite de la table.* — Oui, oh!...

Ventroux. — Ministre de la Marine! tout de même, hein? tu me vois?

Clarisse. — Pas du tout.

Ventroux, *vexé.* — Naturellement.

Clarisse. — Ministre de la Marine! tu ne sais même pas nager!

Ventroux. — Qu'ça prouve, ça? Est-ce qu'on a

besoin de savoir nager pour administrer les affaires de l'État?

Clarisse. — Pauvres affaires!

Ventroux, tout en parlant, gagnant par le fond la gauche de la scène, de façon à descendre à gauche de la table. — Oui, c'est entendu! Oh! d'ailleurs, je me demande pourquoi je discute? On n'est jamais prophète dans son pays. Heureusement que ceux qui ne me connaissent pas me jugent d'autre façon que toi! *(S'asseyant sur la chaise, à gauche de la table et face à sa femme.)* Eh! bien, je t'en supplie! n'entrave pas ma carrière en compromettant une si belle situation par des imprudences dont l'effet peut être irréparable.

Clarisse, haussant les épaules. — Irréparable!...

Ventroux. — Songe que tu es la femme d'un ministre de demain! Eh bien! quand tu seras ministresse, est-ce que tu te baladeras dans les couloirs du ministère en chemise?

Clarisse. — Mais non! bien entendu!

Ventroux. — Et quand je dis ministre! On ne sait pas! C'est le beau du régime : tout le monde peut aspirer quelque jour à devenir... président de la République. Eh bien! que je le devienne! *(Élevant la main comme pour parer à une objection.)* Mettons! On reçoit des rois!... des reines! Est-ce que tu les recevras en chemise?

Clarisse. — Oh! non! non!

Ventroux. — Est-ce que tu te montreras à eux comme ça?

Clarisse. — Mais non, voyons!... Je mettrai ma robe de chambre.

Ventroux, se levant en se prenant la tête à deux

mains. — Sa robe de chambre! elle mettra sa robe de chambre!...

Clarisse. — Enfin, je mettrai ce que tu voudras!

Ventroux, devant la table. — Non, c'est effrayant, ma pauvre enfant! tu n'as aucune idée de ce que c'est que la correction.

Clarisse, se dressant avec un geste indigné. — Moi?

Ventroux, avec indulgence, en lui prenant amicalement les épaules entre les mains. — Oh! Je ne t'en veux pas! Ce n'est pas du vice, chez toi; au contraire, c'est de l'ingénuité. N'empêche que, par deux chemins opposés, on arrive quelquefois au même résultat.

Il passe au 2.

Clarisse. — Oh! cite-moi un cas!... cite-moi un cas où j'ai été incorrecte!

Ventroux. — Oh! pas bien loin à chercher! pas plus tard qu'hier, tiens, quand Deschanel est venu me voir.

Clarisse. — Eh ben?

Ventroux. — Il n'y avait pas cinq minutes que je te l'avais présenté, que tu ne trouves rien de mieux à lui dire que : « Ah! que c'est curieux, l'étoffe de votre pantalon! Qu'est-ce que c'est que ce tissu-là? » Et tu te mets à lui peloter les cuisses!

Il joint le geste à la parole.

Clarisse, se dérobant. — Oh! les cuisses, les cuisses! Je ne m'occupais que de l'étoffe.

Ventroux. — Oui, mais les cuisses étaient dessous! Tu trouves que c'est une tenue?

Clarisse. — Eh ben! comment voulais-tu que je fasse? Je ne pouvais pourtant pas lui demander d'ôter son pantalon, à ce monsieur que je voyais pour la première fois!

Ventroux, écartant de grands bras. — Voilà! Voilà! Mais tu pouvais te passer de tâter l'étoffe! Il me semble que Deschanel a un passé politique suffisant pour te permettre de trouver autre chose à lui dire que de lui parler de son pantalon!... surtout avec gestes à l'appui.

Clarisse, gagnant l'extrême gauche. — Oh! tu vois du mal dans tout.

Ventroux, haussant les épaules, tout en remontant. — Ah! oui, je vois du mal dans tout!

Clarisse, se retournant brusquement et allant s'asseoir, à gauche de la table, face à Ventroux. — Non, mais je te conseille de critiquer, toi qui es si sévère pour les autres! Tu parles de ma tenue! Eh! bien, et la tienne... l'autre jour... au déjeuner sur l'herbe?... avec mademoiselle Dieumamour?

Ventroux. — Quoi? Quoi? mademoiselle Dieumamour?

Clarisse. — Quand tu lui as sucé la nuque? Tu trouves cela convenable?

Ventroux. — Quand je lui ai... *(Se prenant le front à deux mains.)* Ah! non, non! Quand les femmes se mêlent d'écrire l'histoire!...

Il s'assied à droite de la table.

Clarisse. — Quoi? Tu ne lui as pas sucé la nuque?

Ventroux, avec force. — Si, je lui ai sucé la nuque! Évidemment, je lui ai sucé la nuque! Je lui ai sucé la nuque, et je m'en vante! C'est tout à mon honneur!

Clarisse. — Ah?... tu trouves!

Ventroux. — Tu ne penses pas que ce soit par un désir inspiré par ses quarante printemps, et les trous de petite vérole qu'elle a sur le nez, que...?

Clarisse. — Est-ce qu'on sait jamais, avec les hommes! c'est si vicieux!

Ventroux. — Oui, oh ben! je t'assure!... Seulement, elle avait été piquée par une mauvaise mouche; la piqûre avait un sale aspect! c'était déjà tout enflé! je ne pouvais pas la laisser crever du charbon par respect des convenances!

Clarisse, haussant les épaules. — Du charbon! Qu'est-ce que tu en sais, si la mouche était charbonneuse?

Ventroux, sur un ton coupant. — Je n'en sais rien!... Mais, dans le doute, je n'avais pas à hésiter. Une piqûre de mouche peut être mortelle si on ne cautérise pas ou si on ne suce pas immédiatement la plaie. Il n'y avait rien pour cautériser; je me suis dévoué! J'ai fait ce que commandait la charité chrétienne!... *(Geste large, puis.)* J'ai sucé!

Clarisse. — Oui, ah! c'est commode! Avec ce système-là, il n'y a plus qu'à sucer la nuque à toutes les femmes qui vous plaisent, sous prétexte qu'elles ont peut-être été piquées par une mouche charbonneuse.

Ventroux. — Là! là! Qu'est-ce que tu vas chercher? Alors tu crois que c'est pour mon agrément que j'ai fait ça?

Clarisse, sans conviction. — Non! non!

Ventroux. — J'en ai gardé pendant deux heures un goût de vieille chandelle et de cosmétique rance dans la bouche ! Si tu trouves que ce n'est pas méritoire !

Clarisse. — Oh ! si ! si ! Tout ce que les autres font, c'est mal ! mais, toi ! c'est toujours admirable !

Elle se lève.

Ventroux. — Je ne dis pas ça !

Clarisse, au-dessus de la table, en se penchant vers son mari toujours assis. — Tout de même, moi, si j'avais été sucer la nuque à monsieur Deschanel !... Ah ! ben, merci ! qu'est-ce que j'aurais pris pour mon rhume !

Elle descend au 2.

Ventroux. — Oh ! ben, tiens, naturellement !

Clarisse. — Voilà ! voilà ! Qu'est-ce que je disais ? *(Se campant devant son mari.)* Et tu appelles cela de la justice ?

Ventroux, lui prend la main, la regarde en dodelinant de la tête avec un rire indulgent, puis. — Oh ! tiens ! tu as un mode de discussion qui vous désarme !

Clarisse. — Quoi ! C'est pas vrai ?

Ventroux, l'attirant à lui, et à pleine voix, en appuyant sur les mots. — Oui, là ! oui !... tu as raison !... tu as toujours raison ! c'est la dernière fois que je suce la nuque à mademoiselle Dieumamour !

Clarisse, vivement. — Oh ! je ne te demande pas ça ! Si elle est repiquée, cette malheureuse, ton devoir d'homme !...

Ventroux. — Là, eh! bien, tu vois bien que tu es de mon avis!

Clarisse, tout contre lui, et sur un ton pleurnichard. — Mais c'est qu'aussi tu m'irrites! tu me dis des choses blessantes; alors, c'est plus fort que moi, je me bute.

Ventroux. — Moi, je te dis des choses blessantes!

Clarisse. — Oui! que je me promène toute nue et que j'ai sucé la nuque à monsieur Deschanel.

Ventroux. — Je ne t'ai jamais dit ça!

Clarisse. — Non, enfin, que j'ai pincé les cuisses à monsieur Deschanel.

Ventroux. — Enfin, sapristi! quand tu fais des choses que je désapprouve, j'ai bien le droit de te faire des observations.

Clarisse, s'appuyant sur son genou. — Je ne dis pas le contraire, mais tu peux me les faire gentiment! Tu sais bien que, quand tu me parles avec douceur, tu fais de moi tout ce que tu veux.

Ventroux. — Eh! bien, soit! gentiment, là! Je te supplie de ne plus te promener toujours en chemise comme tu le fais.

Clarisse. — Eh! bien, oui! dis-moi ça comme ça!

Ventroux. — A la bonne heure! Voilà comme j'aime à t'entendre parler!

Clarisse, la tête sur son épaule. — Tu vois comme je suis raisonnable quand tu veux.

A ce moment, Victor, arrivant du fond, entre carrément dans le salon.

Mais n'te promène donc pas toute nue ! 433

SCÈNE III

Les mêmes, Victor

Victor, en voyant Clarisse en chemise sur les genoux de Ventroux, se détournant vivement. — Oh!

Clarisse, se retournant au cri; puis, à la vue de Victor. — Oh!

Elle ne fait qu'un bond vers la fenêtre, bousculant au passage, à le renverser, Victor, qui, le dos tourné, lui obstrue la route par sa présence.

Ventroux, toujours assis, mais se redressant sur la paume des mains. — Hein? Quoi? Qui est là?

Victor, sans se retourner. — Moi, monsieur!

Clarisse, dans la fenêtre, ramenant contre elle le bas du rideau sans défaire l'embrasse. — Ne regardez pas! Ne regardez pas!

Victor, sur le ton blasé d'un homme qui en a vu d'autres. — Oh!...

Ventroux, traversant la scène et avec rage. — Ah! « Ne regardez pas! Ne regardez pas! » Il est bien temps!

Clarisse, pour le calmer. — Mais je suis derrière le rideau!

Ventroux, devant le canapé. — Qu'ça fait, ça? Il t'a vue en chemise, maintenant, ce garçon.

Victor (1), sur le même ton blasé. — Oh!... je ne suis pas nouveau dans la maison!...

Ventroux, descendant à l'extrême droite. — Ça y est! voilà! c'est clair! Ce n'est pas la première fois qu'il te voit en chemise! C'est charmant!

Clarisse (3). — Je t'assure, mon ami!...

Ventroux, remontant près du canapé. — Oh! laisse-moi tranquille! Quand tu sais qu'une chose m'est désagréable!...

Victor, dans un bon sentiment. — Que monsieur ne se fasse pas de mauvais sang! J'ai ma payse, alors!...

Ventroux, bondissant (2) sur lui (1). — Qu'est-ce que vous dites? Ah ça! dites donc, vous, « vous avez votre payse »! Est-ce que vous supposez que madame?...

Victor, protestant. — Oh! monsieur!...

Ventroux. — Enfin, quoi? Qu'est-ce qu'il y a? Qu'est-ce que vous voulez?

Victor. — C'est pour dire à monsieur qu'il était venu ce matin un monsieur qui a laissé sa carte.

Ventroux, lui arrachant la carte d'un geste sec. — Qui ça? *(Passant au 1 tout en maugréant.)* Cette façon de fourrer son nez partout?... *(Ayant lu.)* Ah! non! c'est pas possible? Ah! bien, celle-là! Il est venu, lui?...

Victor. — Lui, parfaitement!

Ventroux, pour le rappeler à l'ordre, sur un ton bourru. — Quoi? Quoi, « lui »? Qui, « lui »?

Victor, sans se déconcerter. — Ç'ui-là! enfin ce monsieur; et il a dit qu'il repasserait à quatre heures et demie.

Ventroux, hochant la tête avec un sourire intérieur qui éclaire sa physionomie. — Ah! bien, celle-là!... *(Se retournant et apercevant Victor tout près de lui qui hoche également la tête avec un sourire approbateur.)* Voulez-vous me fiche le camp, vous?

Victor, détalant. — Oui, monsieur.

   Il sort.

SCÈNE IV

Clarisse, Ventroux

Clarisse, sortant de derrière son rideau en poussant un soupir de soulagement. — Ah!... ouf!

Ventroux, tout en descendant vers le fauteuil de droite. — Oui, ah! je t'engage à dire « ouf »!... Ah! je ne suis pas fâché de ce qui t'arrive!

Clarisse, qui a longé le canapé pour redescendre milieu scène. — Oui? Ah! ben, tant mieux! Je craignais que ça t'ait mécontenté?

Ventroux, ahuri par cette interprétation. — Hein?... *(Avec colère.)* Mais oui, ça m'a mécontenté! Sûrement, que ça m'a mécontenté!

Clarisse, gagnant vers son mari. — Mais, alors, pourquoi dis-tu que tu n'es pas fâché?

Ventroux, même jeu. — Je ne suis pas fâché de ce qui t'arrive, parce que, peut-être, ce te sera une leçon pour l'avenir.

   Il s'assied avec humeur sur le fauteuil près de la cheminée.

Clarisse, devant la cheminée. — Ah! J'avais pas compris ça. J'avais cru à un mot gentil de ta part.

Ventroux. — C'est ça! à un mot d'encouragement?

Clarisse. — Oh! ben, qu'est-ce que tu veux, c'est

un petit malheur! *(Se penchant vers son mari.)* Qui c'est le monsieur dont on t'a remis la carte?

Ventroux, ronchonnant. — Un petit malheur, voilà! C'est tout l'effet que ça lui fait!

Clarisse. — Mais quand je m'arracherais les cheveux!... *(Sans transition.)* Qui c'est le monsieur dont...

Ventroux, rageur. — Qui? Quoi? Quel monsieur?

Clarisse. — Dont on t'a remis la carte.

Ventroux, se levant, et avec humeur. — Eh! Qu'est-ce que ça te fait?

Il gagne le milieu de la scène.

Clarisse, vexée. — Ah! je te demande pardon!...

Elle s'assied à la place laissée vacante par Ventroux.

Ventroux, revenant à sa femme. — Eh ben! tiens, puisque tu veux le savoir, c'est un monsieur devant lequel il est très heureux que tu ne te sois pas montrée en chemise, en compagnie de ton domestique!... parce qu'alors mon compte aurait été bon auprès de mes électeurs...

En ce disant, il s'est assis sur le canapé.

Clarisse. — Pourquoi?

Ventroux. — Parce que si je prêtais le flanc à ses commérages, à celui-là!... Ah! Ah!... *(Changeant de ton.)* C'est l'homme qui a mené la campagne la plus acharnée contre moi au moment de mon élection.

Clarisse. — Non?... Ce n'est pas monsieur Hochepaix?

Ventroux. — Le maire de Moussillon-les-Indrets lui-même!

Clarisse. — Comment! cet homme qui a tout fait pour faire passer ton concurrent, le marquis de Berneville!

Ventroux. — Le socialiste unifié! parfaitement!

Clarisse, se levant et gagnant la gauche. — Ah! ben! il a du culot! *(S'adossant au-devant de la table.)* Cet homme qui a dit de toi... ping pong!

Ventroux, la regarde, étonné, puis, lentement, se lève et va vers elle. Une fois arrivé près de Clarisse, sur un ton narquois. — Comment dis-tu ça?

Clarisse, le plus naturellement du monde. — Ping pong!

Ventroux, répétant en riant. — « Ping pong »! *(Corrigeant.)* « Pis que pendre »!... pas « ping pong »!

Clarisse, même jeu. — On ne dit pas ping pong?

Ventroux, du tac au tac. — On ne dit pas ping pong.

Clarisse. — J'ai toujours entendu dire ping pong!

Ventroux, sur le même ton qu'elle. — Tu as toujours mal entendu.

Clarisse. — Ah! bien, c'est donc ça que je ne comprenais pas l'expression...

Ventroux, ironique. — C'est donc ça, évidemment!

Clarisse. — D'ailleurs, ça m'est égal! ping pong ou pis que pendre, j'espère que tu vas le mettre à la porte, ce monsieur, avec tous les honneurs qui lui sont dus!

Ventroux. — Au contraire, je serai le plus aimable possible! et même, si tu le vois, je te prie également *(Appuyant sur le mot.)* d'affecter la plus grande amabilité.

Clarisse, étonnée. — Ah!

Ventroux. — Hochepaix chez moi! C'est ma revanche. Ensuite, ça a beau être le dernier des chameaux...

Clarisse. — Oh! oui, des chameaux!

Ventroux. — ... il faut penser que c'est un gros industriel; que, dans sa fabrique de tissus, il emploie de cinq à six cents ouvriers, autant de voix dont il dispose, il est bon de se le ménager. Il faut être pratique dans la vie. *(Tirant sa montre.)* En attendant, il est près de quatre heures et demie; il ne va pas tarder; va, va t'habiller!

Il la fait passer au 2.

Clarisse, remontant. — C'est ça! c'est ça! *(Se ravisant et redescendant au-dessus du canapé.)* Ah!

Elle va presser le bouton électrique.

Ventroux, qui a gagné la gauche. — Qu'est-ce que tu fais?

Clarisse. — Je sonne Victor.

Ventroux, narquois. — Tu trouves qu'il ne t'a pas assez vue?

Clarisse, battant l'air de la main d'un geste gentil, comme pour envoyer une tape à son mari, puis. — Méchant!... c'est pour qu'il emporte ton plateau; *(Contournant le canapé pour aller, tout en parlant, devant le petit guéridon sur lequel est le café.*) je lui ai déjà dit vingt fois d'enlever les tasses quand on a fini de prendre le café! C'est laid de voir des tasses qui traînent; et puis, ça attire les mouches! et les guêpes!... tiens! regarde-moi ça! (*Ramenant dans sa main le bas du devant de sa chemise de façon à en faire une sorte de chasse-mouches qu'elle agite au-dessus du guéridon.*) Allez! allez!... Allez, les mouches!... allez les guêpes!... allez, mesdames!... (*A Ventroux.*) Je ne peux pas voir le désordre; j'aime la tenue dans ma maison; j'aime la tenue!

Ventroux, montrant la tenue de sa femme. — Elle aime la tenue!

Clarisse, qui est remontée au-dessus du canapé. — Et, maintenant, comme je ne veux pas que Victor me voie en chemise...

Ventroux, moqueur. — Non, vraiment?

Clarisse, du même geste gentil que précédemment, elle lui envoie de loin une tape de la main, puis. — Ne sois pas taquin! (*Tout en appuyant, par-dessus le canapé, sur le bouton électrique.*) Quand il viendra, tu lui diras d'enlever tout ça, hein?

Ventroux. — Oui, eh ben! c'est pas la peine de te fatiguer; la sonnette ne marche pas. Il sera arrivé quelque chose dans la pile.

Clarisse. — Ah! ben, sans doute qu'elle est à sec! elle a soif; il n'y a qu'à remettre de l'eau!

Ventroux. — Peut-être! j'en sais rien!

  Il remonte.

Clarisse. — Je vais lui donner à boire.

Ventroux, l'accompagnant. — C'est ça! va! va!

Clarisse. — Oui.

Elle sort par le fond à droite.

Ventroux, *au moment de refermer la porte, la rouvrant pour une derrière recommandation.* — Et passe ta robe de chambre!

Voix de Clarisse, *dans sa chambre.* — Mais oui, tu sais bien que quand tu me demandes gentiment, je me fais une joie...

La voix se perd dans le lointain.

SCÈNE V

Ventroux, puis Victor, puis Hochepaix

Ventroux, *après avoir refermé la porte sur lui, reste un instant sur place, lève les yeux au ciel avec un geste de la main et un hochement de tête significatifs; puis, après s'être pris le front une seconde, va jusqu'à la fenêtre dont le store est toujours tiré. A ce moment son regard s'arrête sur un point que le public n'aperçoit pas. Il fait : « Ah! » puis, tout en saluant de la main.* — Bonjour! bonjour! *(Au public, avec un ricanement amer.)* Clemenceau! *(Avec rage, il referme le store.)* Il n'a donc rien à faire, c't'homme-là! *(A ce moment on entend un timbre résonner extérieurement.)* Ah!... L'autre, maintenant!

En ce disant, il a traversé la scène; il remonte côté gauche de la table, contre laquelle il se campe dans une attitude de dignité.

Victor (2), *annonçant.* — Monsieur Hochepaix!

Hochepaix (3) *entre et s'arrête sur le pas de la porte, un peu hésitant.*

Ventroux, *sans même tourner la tête et d'un ton détaché.* — Entrez!

Hochepaix, s'avançant. — Pardon!

Ventroux, sur le même ton, à Victor. — Laissez-nous! (*Tandis que Victor, après avoir jeté sur son maître un regard d'étonnement, quitte la pièce. Sur un ton froid et dédaigneux, à Hochepaix.*) Seyez-vous, je vous prie!

Hochepaix, à droite de la table. — Mon cher député!...

Ventroux, l'arrêtant du geste. — Oh!... « cher »!

Hochepaix, qui déjà esquissait le geste de s'asseoir, se redressant à l'observation de Ventroux. — Pourquoi donc pas?

Ventroux, sur un ton pincé. — Après la campagne que vous avez menée contre moi!...

Hochepaix. — Oh! oh! « la campagne »!

Ventroux. — Vous m'avez traité partout de vendu! de pourri! de mouchard! de résidu de la décadence!

Hochepaix, vivement en étendant les mains comme pour enserrer celles de Ventroux. — Ça n'enlève rien à l'estime, croyez-le bien!

Ventroux, caustique. — Ah! très touché!

En voyant Hochepaix qui esquisse le mouvement de s'asseoir, il fait mine de s'asseoir aussi mais se redresse aussitôt, en voyant qu'Hochepaix s'est arrêté dans son mouvement.

Hochepaix. — Qu'est-ce que vous voulez! je l'avoue, vous n'étiez pas mon candidat!

Il fait mine de s'asseoir.

Ventroux. — Je m'en suis aperçu.

Il fait mine de s'asseoir mais se redresse en voyant qu'Hochepaix ne s'est pas assis.

Hochepaix. — Ben! oui, mon homme à moi, c'était le marquis de Berneville.

Ventroux, avec un rire pincé. — Mais c'est votre droit!

Hochepaix. — Vous comprenez : c'est un vieil ami à moi; il est socialiste unifié, comme moi! Ajoutez à cela que c'est lui qui a tenu ma fille sur les fonts baptismaux...

Ventroux. — Vous m'en direz tant.

Hochepaix. — Enfin, un tas de raisons! *(Faisant mine de s'asseoir et se redressant aussitôt; même jeu de la part de Ventroux.)* Sans compter celle-ci, qu'il est plusieurs fois millionnaire et que l'intérêt de mes administrés!... Vous devez comprendre, n'est-ce pas?...

Ventroux. — Mais, je vous en prie, ne vous défendez pas!

Hochepaix. — D'autant qu'en somme c'est vous qui avez été élu.

Ventroux. — Ce qui pour moi est l'important.

Hochepaix. — Évidemment! *(Même jeu de faire mine de s'asseoir et de se relever aussitôt chez les deux hommes.)* D'ailleurs tout ça, c'est du passé! Il n'y a plus ici un candidat et un électeur, mais le maire de Moussillon-les-Indrets qui vient trouver amicalement son député pour lui soumettre un desideratum de ses administrés et le prier de s'y intéresser auprès du ministre compétent. Je n'ai pas douté un instant de votre bon accueil.

Ventroux. — Et vous avez raison! *(Face à lui, dos au public.)* La meilleure preuve, c'est que je disais tout à l'heure à madame Ventroux...

Hochepaix. — Oh! pardon! Je ne vous ai pas

demandé de ses nouvelles. Est-ce que je n'aurai pas le plaisir de lui être présenté?

Ventroux, s'écartant, de façon à être au 2. — Oh! vous tombez mal! ma femme est en train de s'habiller; et, vous savez, quand les femmes sont à leur toilette, ça dure longtemps!

Hochepaix, gagnant la gauche. — Oh! c'est dommage!

Voix de Clarisse, à la cantonade. — Ah! vous trouvez que vous avez enlevé les tasses!... vous trouvez que vous avez enlevé les tasses!

Ventroux, remontant à la voix de Clarisse et parlant aussitôt sur elle. — Ah! bien, non, tenez! je la calomniais! j'entends sa voix. *(Redescendant.)* Déjà prête! c'est un miracle!

Hochepaix. — Oh! bien, je serai enchanté...

SCÈNE VI

Les mêmes, Clarisse, Victor

Clarisse, toujours dans la même tenue que précédemment, surgissant du vestibule, suivie de Victor; elle va droit au petit guéridon. — Oui, eh bien! venez voir comme vous avez enlevé les tasses!

Ventroux, se retournant tout en parlant. — Ma chère amie, je... *(Apercevant la tenue de sa femme.)* Ah!

Clarisse, sursautant au cri de Ventroux et, instinctivement, pirouettant sur elle-même pour se sauver; elle donne ainsi contre le canapé sur lequel elle tombe à genoux. — Ah!... Oh! Tu m'as fait peur!

Ventroux, se précipitant vers elle et entre chair et cuir. — Nom d'un petit bonhomme! veux-tu fiche le camp! veux-tu fiche le camp!

Clarisse, étonnée et en se remettant debout. — Qu'est-ce qu'il y a?

Ventroux. — Tu n'es pas folle? Tu viens ici en chemise quand j'ai du monde?

Clarisse, à Hochepaix, par-dessus l'épaule de Ventroux. — Oh? pardon, monsieur! je n'avais pas entendu sonner!

Hochepaix, galant. — Mais, madame, je ne me plains pas!

Ventroux, reculant un peu, pour donner libre cours à ses gestes d'indignation. — Tu n'as pas honte! te montrer comme ça, avec un domestique à tes trousses!

Clarisse, à mi-voix à Ventroux, et sur le ton le plus naturel. — Mais non, c'est parce que Victor n'avait pas enlevé les tasses. *(A Victor.)* Tenez, mon garçon, regardez comme vous avez enlevé les tasses.

Ventroux, hors de ses gonds. — Mais, je m'en fous des tasses. *(A Victor.)* Voulez-vous me foute le camp, vous!

   Il le pousse dehors.

Victor. — Oui, monsieur!

Clarisse, descendant vers Hochepaix pendant que Ventroux exécute son jeu de scène avec Victor. — Oui, parce que je ne sais pas si vous êtes comme moi, monsieur? mais quand je vois des tasses...

Ventroux, sautant sur sa femme et la faisant passer au 3. — Oui, oui, c'est bon! Allez! hop! hop! va-t'en!

Clarisse, roulée pour ainsi dire dans les bras de Ventroux qui la pousse vers la porte du fond. Se dégageant. — Ah! mais je t'en prie, ne me parle pas comme ça! Je ne suis pas un chien!

Ventroux, remontant en s'arrachant les cheveux, dos au public. — Oh!

Clarisse. — C'est vrai ça! *(Changeant brusquement de physionomie et très aimable, à Hochepaix, en descendant vers lui tandis que Ventroux referme la porte du fond.)* Monsieur Hochepaix sans doute?

Hochepaix, à gauche de la table. — Oui, madame, oui!

Ventroux, se retournant abasourdi par l'inconscience de sa femme. — Quoi?

Clarisse, très maîtresse de maison. — Enchanté, monsieur! Asseyez-vous donc, je vous en prie!

En ce disant, elle s'assied à droite de la table, tandis qu'Hochepaix s'assied à gauche et face à Clarisse.

Ventroux, courant à sa femme. — Ah! non, non! tu n'as pas la prétention de recevoir dans cette tenue!

Clarisse, sans se déconcerter, se levant. — Oh! En effet! C'est un peu incorrect!

Ventroux, au public, en haussant les épaules. — Incorrect!

Clarisse. — Mais vraiment il fait si chaud! *(Appliquant ses deux mains à plat sur le dos des deux mains de Hochepaix que celui-ci a sur la table.*) Tenez, tâtez mes mains, si j'ai la fièvre!

Ventroux, écartant de grands bras. — C'est ça! c'est ça! tu vas recommencer comme avec Deschanel!

Clarisse, toujours ses mains sur celles de Hochepaix, son buste ainsi penché par-dessus la table. — Mais quoi? c'est ses mains! c'est pas ses cuisses!

Hochepaix. — Comment?

Clarisse. — Pour lui montrer combien les miennes sont brûlantes.

Hochepaix, ahuri, se méprenant. — Vos c...?

Clarisse, comprenant aussitôt la confusion de Hochepaix et corrigeant vivement. — Mes mains! mes mains!

Hochepaix. — Ah!

Ventroux, saisissant sa femme par le bras et l'envoyant au 3. — Oui! Eh bien! il s'en fiche, monsieur Hochepaix! il s'en fiche de tes mains.

Hochepaix, vivement, très galant. — Mais pas du tout!

Clarisse, en se frottant son bras meurtri par la brutalité de son mari. — Là, tu vois!

Ventroux, éclatant et en marchant sur sa femme de façon à la faire remonter. — Oui! Eh! bien, en voilà assez! je te prie de t'en aller!

Clarisse, tout en remontant. — C'est bien! c'est bien! mais alors c'était pas la peine de me demander d'être aimable.

Ventroux, redescendant. — Eh! qui est-ce qui te demande d'être aimable?

Clarisse. — Comment qui ? Mais toi ! toi ! C'est toi qui m'as bien recommandé : « Et si tu vois monsieur Hochepaix... »

Ventroux, flairant la gaffe, ne faisant qu'un bond vers sa femme, et vivement à voix basse. — Oui, bon ! bon ! Ça va bien !

Clarisse, sans merci. — Il n'y a pas de : « Bon, bon ! ça va bien ! » *(Poursuivant.)* « ... Je te prie au contraire d'affecter la plus grande amabilité !... »

Ventroux, allant protester vers Hochepaix. — Moi ! Moi ! mais jamais de la vie ! jamais de la vie !

Clarisse, de même. — C'est trop fort ! tu as même ajouté : « Ça a beau être le dernier des chameaux... »

Ventroux, avec le mouvement du corps d'un monsieur qui recevrait un coup de pied quelque part. — Oh !

Hochepaix, avec une inclination de tête qu'accompagne un sourire de malice. — Ah ?

Clarisse, poursuivant sans pitié. — « ... n'empêche que c'est un gros industriel qui occupe de cinq à six cents ouvriers, il est bon de se le ménager ! »

Ventroux, parlant en même temps que Clarisse et de façon à couvrir sa voix. — Mais non ! mais non ! Mais jamais de la vie ! jamais de la vie je n'ai parlé de ça ! Monsieur Hochepaix ! vous ne croyez pas, j'espère ?...

Hochepaix, indulgent. — Ah ! bah ! quand vous auriez dit !...

Ventroux. — Mais non ! mais non !

Clarisse, par-dessus l'épaule de son mari. — Monsieur Hochepaix! J'espère que vous me faites l'honneur de me croire?

Ventroux, au comble de l'exaspération, virevoltant vers sa femme. — Ah! et puis, toi, tu m'embêtes! *(Lui désignant la porte.)* Allez, fous-moi le camp! Fous-moi le camp!

Clarisse, tout en remontant. — Ah! mais dites donc! je te prie de me parler autrement!

Ventroux, n'admettant plus de réplique. — Allez! allez! débarrasse le plancher!

Clarisse, obéissant tout en voulant avoir raison. — Oui, mais quant à dire que tu n'as pas dit...

Ventroux, de même. — Allez! hop! hop! file!

Clarisse. — Il n'y a pas de « hop! hop! » Si tu ne sais plus ce que tu dis!

Ventroux, la poussant dehors. — Mais vas-tu filer à la fin!

Clarisse, effrayée, se sauvant. — Oh!

Ventroux, referme violemment la porte et redescend, exaspéré. — Oh!

A peine est-il redescendu que la porte se rouvre.

Clarisse, redescendant dans le dos de Ventroux. — Je ne vous ai pas dit au revoir, monsieur Hochepaix! très heureuse!...

Hochepaix, s'inclinant. — Madame!

Ventroux, pirouettant sur lui-même à la voix de sa femme, et s'élançant sur elle comme s'il allait lui donner un coup de pied quelque part. — Mais, nom de d'là, veux-tu!...

Clarisse, détalant, effrayée. — Oh!... mais je dis au revoir, voyons!

Ventroux, lui ferme brutalement la porte dans le dos, après quoi il reste un instant comme abruti par les émotions, se prend le front comme pour l'empêcher d'éclater, puis descendant vers Hochepaix qui est devant la table. — Je suis indigné, monsieur! je suis indigné!

Hochepaix, avec désinvolture. — Oh! ben!...

Ventroux (2). — Monsieur Hochepaix, ne croyez pas un mot de tout ça! C'est une plaisanterie! « Le dernier des chameaux! » Vous ne supposez pas que j'aie jamais dit!...

Hochepaix. — Bah! laissez donc! je vous ai bien traité de vendu, de pourri, de résidu de la décadence!

Ventroux. — Oui, je sais bien! je serais en droit! mais tout de même!... C'est comme ma femme, je vous prie de l'excuser; vraiment elle s'est présentée d'une façon!...

Hochepaix, très talon rouge. — Mais... tout à son avantage!

Ventroux. — Vous êtes trop galant! N'empêche, croyez bien, qu'elle n'a pas l'habitude de traîner dans cette tenue; mais, véritablement, aujourd'hui, il fait si chaud, n'est-ce pas? elle est presque excusable! Vous avez senti ses mains, vous avez pu voir!...

Hochepaix. — Oui, oui!

Ventroux. — D'ailleurs, moi-même!... tâtez les miennes! *(Lui manipulant la main entre les deux siennes.)* elles sont tout en moiteur!

Hochepaix, dégageant sa main pour la soustraire

*au contact de celles de Ventroux et l'essuyant
contre l'étoffe de son vêtement.* — Ah! oui!... oui!

Ventroux. — C'est très désagréable!...

*Hochepaix, achevant de s'essuyer et avec convic-
tion.* — Très désagréable, en effet!

Ventroux. — Alors, naturellement, ma femme...
comme elle avait trop chaud, elle a... elle a
éprouvé le besoin de se mettre en... en... comment dirais-je?... Mon Dieu, il y a deux mots:
en... en chemise.

Hochepaix. — Ah! comme je la comprends!

Ventroux. — N'est-ce pas? *(Remontant.)* N'est-
ce pas?

Hochepaix. — Si je pouvais en faire autant!

Ventroux, se retournant et sans réfléchir. —
Faites donc! je vous en prie!

Hochepaix. — Hein? Ah! Non!... non! vraiment,
tout de même!...

Ventroux, redescendant. — Oui! Oui! évidemment!... Et alors, n'est-ce pas? comme elle
n'avait pas entendu sonner, naturellement... elle
est entrée.

Hochepaix. — Mais voyons!

Ventroux. — Elle se croyait seule.

*Hochepaix, sournoisement, et comme la chose la
plus naturelle du monde.* — Mais c'est évident!...
avec le domestique.

*Ventroux, répétant après lui sans réfléchir à ce
qu'il dit.* — Avec le dom... *(Interloqué.)* Ah! oui,
le... le domestique... *(Voulant se donner l'air
dégagé.)* Ah! mais le domestique, ça, vous pensez
bien que... que... il y a une raison.

Hochepaix. — Je pense bien, voyons!

Ventroux. — Ce serait un domestique ordinaire, évidemment!...

Hochepaix. — Évidemment, ce serait un domestique ordinaire!...

Ventroux. — Mais là!... Ils ont été élevés ensemble.

Hochepaix. — Vous m'en direz tant.

Ventroux, avec aplomb. — C'est... c'est son frère de lait! *(Répétant.)* Son frère de lait.

Hochepaix, approuvant. — Son frère de lait.

Ventroux. — Alors, n'est-ce pas, un frère de lait!...

Hochepaix, remontant à gauche de la table. — Ça ne compte pas, parbleu!

Ventroux. — C'est ce que je dis : ça ne compte pas!... Ça ne... *(Pressé de faire diversion.)* Et alors, voyons, de quoi s'agit-il? parce qu'enfin tout ça, c'est des balivernes! Qu'est-ce que vous venez me demander pour vos administrés?

Tout en parlant il s'assied à droite de la table.

Hochepaix, s'asseyant en face de lui. — Eh bien, voilà! c'est à propos de l'express de Paris, n'est-ce pas? qui s'arrête à Morinville et qui brûle Moussillon-les-Indrets... qui est un centre au moins aussi important.

Ventroux, approuvant. — Mais comment!

Hochepaix. — Alors, voilà : mes bonshommes se sont mis en tête d'obtenir que l'express s'arrête à notre station.

Ventroux, hochant la tête. — Ah! diable! c'est difficile!

Hochepaix, sans se déconcerter. — Ne dites pas ça! On a eu deux fois l'occasion de constater que c'était possible.

Ventroux. — L'express s'est déjà arrêté?

Hochepaix. — Deux fois!... Une fois à la suite d'un déraillement; une autre, après un sabotage.

Ventroux. — Ah?

Hochepaix. — Eh bien! ça n'a pas dérangé grand-chose dans le service.

Ventroux. — Évidemment... c'est un argument.

Hochepaix. — Seulement, n'est-ce pas? ce sont des éventualités qui n'arrivent pas assez régulièrement, pour que nos voyageurs puissent se baser là-dessus.

Ventroux. — Oui!... Vous préféreriez un arrêt réglementaire. Écoutez! Je veux bien m'en occuper! Vous me rédigerez un petit exposé de tout ça! En attendant, pour ne pas oublier, je vais toujours prendre note... *(Tout en parlant, il a pris le bloc-notes; écrivant.)* Nous disons : Monsieur Ho-che-paix!

Hochepaix, qui s'est levé, et suit des yeux ce qu'il écrit. — C'est ça! C'est ça! *(Brusquement et vivement.)* Ah! non! non!... paix : *(Épelant.)* p-a-i-x!

Ventroux, confus. — Oh! je vous demande pardon! *(Corrigeant.)* p-a-i-x! p-a-i-x! Croyez bien que c'est sans intention!

Hochepaix, avec bonhomie. — Il n'y a pas de mal! Je suis habitué! C'est la première orthographe qui vient tout de suite à l'idée.

Ventroux, facétieux. — Comme la plus naturelle!

Hochepaix, riant. — Oui! Oui!

A ce moment on entend un bruit de voix mêlé de chocs d'objets derrière la porte du vestibule. On entend vaguement cet échange de dialogue à la cantonade entre Clarisse et Victor : « Là! Là! passez-moi la bouillotte! — Voilà! voilà, madame! — Ah! mais tenez-moi! ne me lâchez pas! pas de bêtise! — Je tiens, madame! je tiens!... » etc., etc.

Ventroux, qui a prêté l'oreille, parlant sur le dialogue extérieur. — Non, mais, qu'est-ce que c'est que ce potin? Vous croyez qu'on peut être tranquille un instant? *(Allant brusquement tirer la porte qui s'ouvre à deux battants.)* Enfin, qu'est-ce encore? *(Apercevant, perchée sur le sommet d'un escabeau, sa femme dont le haut du corps disparaît derrière le dessus de la porte, tandis que Victor, le corps arc-bouté, les jambes chevauchant les premières marches de l'escabeau, la tient à pleines mains par la croupe. Poussant un cri avec un sursaut en recul qui le porte à droite de la porte.)* Ah!

Clarisse (2), se baissant au cri de son mari de façon à passer la tête; elle tient une bouillotte à la main. Du ton le plus naturel, à Ventroux. — Ah! c'est toi!

Ventroux (4), d'une voix étranglée par l'indignation. — Ah çà! qu'est-ce que vous faites là?...

Clarisse, même jeu. — Eh! bien, tu vois : j'arrange la pile.

Ventroux, écumant. — Non, mais vous vous foutez de moi, tous les deux? Qu'est-ce que c'est que cette façon de tenir madame?

Victor (3). — Pour pas qu'elle tombe.

Ventroux. — Quoi?

Clarisse. — Oui, parce que, quand on ne me tient pas, moi, j'ai le vertige.

Ventroux, se précipitant sur Victor. — Mais n... de D...! vous ne voyez pas que vous avez vos deux mains sur son... sur ses... C'est indécent!

Victor, avec une moue d'insouciance. — Oh!

Ventroux, le secouant. — Voulez-vous lâcher ça, à la fin! voulez-vous lâchez ça!

   Il l'écarte.

Clarisse, qui manque de perdre l'équilibre. — Oh! mais fais donc attention, voyons! tu vas me faire tomber.

Ventroux, la faisant brutalement descendre. — Eh bien, descends! Qu'est-ce que tu as à fiche là-haut? Est-ce que c'est ton affaire?

   Il la fait avec brusquerie descendre en scène au 4.

Clarisse, qui, aussitôt en bas de l'escabeau, a passé sa bouillotte à Victor. — Mais c'est parce qu'il ne sait pas!

Ventroux. — Eh bien, qu'il apprenne! Non, non, cette tenue! (*Descendant vers Hochepaix qui est devant la table et en appelant à lui.*) C'est convenable, hein? C'est convenable?... là! avec le domestique!

Hochepaix. — Oh! ben!... puisque c'est son frère de lait.

Ventroux, tressaillant. — Oh!

Clarisse. — Qui?

Victor. — Moi?

Ventroux, bondissant rouge de colère sur Victor. — Oui, vous! Qu'est-ce que ça veut dire, « moi »! *(Le poussant dehors, ce qui l'envoie donner sur l'escabeau sur lequel il manque de tomber.)* Allez-vous-en donc! Qu'est-ce qui vous prie de vous mêler de ce qui ne vous regarde pas?

Victor. — Oui, monsieur.

Ventroux, faisant claquer la porte sur lui. — Je finirai par le fiche à la porte, cet animal-là! *(Descendant vers Hochepaix.)* Je vais vous dire, c'est son frère de lait!... c'est son frère de lait, mais... pas du même père!

Hochepaix. — Comment, « pas du même père »?

Ventroux, interloqué. — Hein? *(Revenant.)* Non, non! je vais vous expliquer! Quand je dis : « pas du même père », j'entends que... que... *(Exaspéré de ne trouver aucune explication, éclatant.)* Ah! et puis vous m'embêtez avec vos questions! Est-ce que ça vous regarde?

Hochepaix. — Mais... mais...

Ventroux. — Vous devez bien penser que si je tolère ça, c'est que j'ai de bonnes raisons.

Hochepaix. — Mais je vous ferai remarquer que je ne vous demande rien.

Ventroux. — Oui, oh! mais je sais ce que c'est! vous ne me demandez rien, et puis une fois là-bas... avec le marquis : « ta-ta-ta! ta-ta-ta! » vous allez clabauder!

Hochepaix. — Mais non, mais non! quelle idée!

Clarisse, à son mari qui tout en parlant est arrivé jusqu'à elle. Très calme. — Je t'assure, mon ami, tu devrais te soigner!

Ventroux, hors de lui, à sa femme. — Enfin, nom d'un tonnerre! vas-tu aller t'habiller, toi!

Clarisse. — Eh! bien, oui, quoi? donne-moi le temps.

Ventroux, remontant. — « Donne-moi le temps! donne-moi le temps! » Voilà une heure que...

Clarisse. — Ben quoi, maintenant que monsieur Hochepaix m'a vue! *(Remontant (3) au-dessus du canapé, pour s'adresser à Hochepaix (1) qui est remonté également pendant ce qui précède.)* Enfin, monsieur Hochepaix! je suis en chemise, c'est entendu! mais enfin, est-ce que je suis inconvenante? Est-ce que j'en montre plus qu'en robe de bal?

Hochepaix, conciliant. — Mais non, madame!

Ventroux (2), s'asseyant en désespoir de cause sur la chaise à gauche de la porte du fond. — Ah! vous trouvez, vous!

Hochepaix. — C'est-à-dire même que là, en chemise, avec votre chapeau sur la tête, vous avez presque l'air d'être en visite.

Clarisse. — Là, tu entends! C'est vrai ça! *(Virevoltant de façon à se faire voir sur toutes ses faces.)* Qu'est-ce qu'on voit, je vous le demande? Qu'est-ce qu'on voit?

Hochepaix. — Oh! rien! Là, évidemment, je vous vois... en ombre chinoise, parce que vous êtes devant la fenêtre!

Ventroux, bondissant sur sa femme et la tirant hors de la fenêtre. — Oh!

Clarisse, dans le mouvement. — Ah! parce qu'il y a la fenêtre! *(A Ventroux.)* Tu es brusque, toi! *(A Hochepaix.)* Mais sans ça...!

Hochepaix. — Oh! sans ça, rien!

Clarisse, s'asseyant sur le canapé sur la fin de la phrase. — Là, je ne suis pas fâchée! *(Poussant un cri strident et se relevant d'un bond.)* Ah!

Hochepaix. — Quoi?

Ventroux. — Quoi? Qu'est-ce qu'il y a encore?

Clarisse, d'une voix angoissée. — Ah! je ne sais pas! j'ai senti comme un coup de poignard!...

Ventroux. — Comme un coup de poignard?

Clarisse. — Qui est monté au cœur!

> *En ce disant, elle se retourne, et l'on aperçoit une guêpe écrasée sur le côté gauche de sa chemise, à hauteur de la croupe.*

Ventroux. — Ah! là! « au cœur! » C'est ça que tu appelles ton cœur! *(Retirant la guêpe écrasée et la lui présentant par les ailes.)* Tiens, le voilà ton coup de poignard! C'est une guêpe qui t'a piquée.

> *Il la dépose par terre et l'écrase avec le pied.*

Clarisse, suffoquée et hurlante. — Qui m'a piquée! Ah! mon Dieu! j'ai été piquée par une guêpe!

Hochepaix. — Pauvre madame!

Ventroux, rageusement ravi. — C'est bien fait! ça t'apprendra à te promener toute nue!

> *Il descend à l'extrême gauche.*

Clarisse, allant au guéridon. — Voilà! C'est ta faute! Qu'est-ce que je t'avais dit, qu'en laissant traîner les tasses...!

Ventroux, de même. — Eh bien! tant mieux! Ça te servira peut-être de leçon!

Clarisse, indignée. — « Tant mieux ! » il est content ! il est content ! *(Affolée.)* Mon Dieu, une guêpe ! pourvu qu'elle ne soit pas charbonneuse.

Ventroux, allant s'asseoir sur la chaise à droite de la table, tandis qu'Hochepaix, pour ne pas se mêler à la conversation, est remonté et affecte d'examiner les tableaux pour se donner une contenance. — Mais non ! mais non !

Clarisse, allant à son mari. — Oh ! Julien ! Julien, je t'en prie ! *(Faisant volte-face de façon à lui présenter la croupe et tout en faisant mine de relever sa chemise.)* Suce-moi, veux-tu ? Suce-moi !

Ventroux. — Moi ! *(La repoussant.)* Non, mais tu ne m'as pas regardé !

Clarisse. — Oh ! Julien ! Julien ! Sois bon ! *(Revenant à la charge.)* Suce-moi, voyons ! Suce-moi !

Ventroux, la repoussant à nouveau, tout en se levant pour descendre à gauche. — Mais fiche-moi la paix, toi !

Clarisse. — Mais suce-moi, enfin ! tu l'as bien fait à mademoiselle Dieumamour !

Ventroux, revenant vers Clarisse. — Mais d'abord, elle, c'était à la nuque, ça n'était pas au... Et puis c'était une mouche ! c'était pas une guêpe !

   Il remonte au fond.

Clarisse, la voix étranglée par l'émotion. — Mais une guêpe, c'est aussi dangereux ! Encore il y a deux jours, dans le journal, tu as vu qu'un monsieur était mort d'une piqûre de guêpe.

Ventroux. — Mais ça n'a aucun rapport ! C'est en buvant ! Il est mort étouffé.

Clarisse, près du fauteuil à côté de la chemi-

née. — Mais je vais peut-être étouffer. Ah!
j'étouffe! j'étouffe!

*Ventroux, peu troublé en s'asseyant sur le
canapé.* — Mais non! mais non! C'est une idée!

Clarisse. — Si! Si! *(Se laissant tomber sur le fauteuil, et se relevant aussitôt en poussant un cri de
douleur.)* Ah! *(Allant à son mari.)* Oh!... Je t'en
supplie, Julien! *(Se retournant comme précédemment de façon à lui présenter sa croupe.)* Suce-
moi, voyons! suce-moi!

Ventroux, la repoussant au 2. — Mais non! mais
non! tu m'embêtes!

Clarisse, affolée. — Oh! sans cœur, va! sans
cœur! *(Ne sachant à quel saint se vouer.)* Ah!
mon Dieu! mon Dieu! *(Apercevant Hochepaix
redescendu à l'extrême gauche et toujours plongé
dans l'examen des bibelots.)* Ah!... *(Descendant
vers lui.)* Monsieur Hochepaix!...

Hochepaix, se retournant vers elle. — Madame?...

*Clarisse, se retournant pour lui présenter sa
croupe.* — S'il vous plaît, monsieur Hochepaix!
s'il vous plaît!

Hochepaix. — Moi!

*Ventroux, bondissant sur elle et l'entraînant par le
poignet sans changer de numéro.* — Ah çà! tu
n'es pas folle? Tu vas demander à monsieur
Hochepaix, maintenant?

Clarisse. — Eh! bien, quoi? J'aime mieux ça que
de risquer la mort!

Hochepaix. — Certainement, madame, je suis
très honoré, mais vraiment!...

Clarisse, revenant à Hochepaix. — Monsieur
Hochepaix, au nom de la charité chrétienne!

Ventroux, la saisissant par le bras et la faisant pivoter sur elle-même. — Non, mais t'as pas fini?

Clarisse, qui par ce mouvement se trouve tournée pour se présenter à Hochepaix comme il convient dans l'occurrence. — S'il vous plaît?... S'il vous plaît?

Hochepaix. — Je vous assure, madame, vraiment! sans cérémonie!

Ventroux, éclatant, et l'entraînant au milieu de la scène toujours sans changer de numéro. — Ah! et puis fiche-nous la paix, avec tes « s'il vous plaît!... s'il vous plaît!... » Va faire ça toi-même!

Il la lâche et gagne la droite.

Clarisse, avec des larmes dans la voix. — Mais, est-ce que je peux!

Ventroux, revenant sur elle. — Eh bien! Va mettre une compresse! et ne nous rase pas! « S'il vous plaît! S'il vous plaît! »

Clarisse, lui crispant ses mains devant la figure. — Ah! Va-t'en, toi! Va-t'en! je ne veux plus te voir! et si je meurs, que ma mort retombe sur toi!

Ventroux, s'asseyant sur le fauteuil à droite de la scène. — Eh bien! c'est ça! c'est entendu!

Clarisse, au moment de sortir au fond. — Voilà des hommes, tenez! Voilà des hommes! (*Sortant précipitamment par le fond gauche, en appelant.*) Victor! Victor!

Elle referme la porte sur elle.

SCÈNE VII

Ventroux, Hochepaix

Ventroux, effondré sur son fauteuil. — Non, elle est à lier, ma parole! elle est à lier!

Hochepaix, debout devant la table de gauche, après une seconde d'hésitation. — Monsieur Ventroux!

Ventroux. — Quoi?

Hochepaix. — Vous m'excuserez, n'est-ce pas, de n'avoir pas cru devoir...

Ventroux, n'en croyant pas ses oreilles. — Quoi?

Hochepaix. — Mais vraiment, nous ne sommes pas encore assez liés!...

Ventroux. — Mais comment! Ah! ben!

Hochepaix. — N'est-ce pas? C'est ce que j'ai pensé.

Ventroux. — Il n'aurait plus manqué que ça!...

Voix de Clarisse, à la cantonade. — Oui; eh! bien, je vais un peu le dire à monsieur! je vais un peu le dire à monsieur!

Ventroux. — Allons bon, qu'est-ce qu'elle a fabriqué encore?

SCÈNE VIII

Les mêmes, Clarisse, Victor

Clarisse, surgissant et dos au public, à Victor qui la suit. — Vous êtes tous des lâches! *(Se tour-*

nant en même temps vers son mari et vers Hoche-paix.) Vous êtes tous des assassins!... Et Victor ne vaut pas mieux que vous!

Ventroux. — Quoi? Quoi? Qu'est-ce qu'il y a encore?

Clarisse, derrière le canapé. — Lui non plus n'a pas voulu sucer!

Ventroux, bondissant. — Victor!

Victor, penaud, dans l'embrasure de la porte. — J'ai pas osé, monsieur!

Ventroux. — Enfin, nom d'un chien! est-ce que tu vas aller comme ça t'offrir à sucer à tout le monde?

Clarisse. — Oh! ça m'élance! ça m'élance! Je dois avoir une fluxion.

Ventroux. — Eh! bien, si tu as une fluxion, va chez le dentiste!

Clarisse. — Mais c'est pas dans la bouche!

Ventroux. — Eh ben! va chez le médecin!

Clarisse. — Ah! oui! oui! il y a un docteur dans la maison, au-dessus!...

Ventroux, bourru, s'asseyant sur le fauteuil qu'il vient de quitter. — Eh! C'est pas un docteur! c'est un officier de santé! il n'a pas le droit au titre.

Clarisse. — Ça m'est égal, il a fait de la méde-cine. Vite, Victor, montez et ramenez-le!

Victor. — Bien, madame!

Clarisse, la main sur la partie endolorie. — Oh! je vais mettre une compresse! je vais mettre une compresse.

Elle rentre ainsi dans sa chambre.

Victor, sur le pas de la porte, après un instant d'hésitation, une fois qu'il a constaté la sortie de Clarisse. — Monsieur ne m'en veut pas, au moins, de ne pas avoir...

Ventroux, bondissant. — Hein ! Lui aussi ! *(Le poussant dehors.)* Voulez-vous !... Voulez-vous chercher l'officier de santé !

Victor, s'élançant vers la porte sur palier, sans refermer la porte du salon. — Oui, monsieur, oui !

Au moment où il va ouvrir la porte sur le palier, on sonne et Victor va donner dans de Jaival qui est dans l'embrasure attendant qu'on ouvre.

SCÈNE IX

Les mêmes, Romain de Jaival

De Jaival. — Ah ! ben, on n'est pas long à ouvrir !

Victor. — Monsieur ?

De Jaival. — Monsieur Ventroux, s'il vous plaît !

Ventroux, du salon. — C'est ici. Vous désirez, monsieur ?

De Jaival. — Ah ! pardon ! *(Descendant en scène.)* Je suis monsieur Romain de Jaival, du Figaro.

Ventroux. — Ah ! parfaitement, monsieur ! *(A Victor qui est au seuil du salon.)* Eh bien ! allez-vous-en !

Victor. — Oui, monsieur.

Il sort et referme la porte sur lui.

Ventroux (3). — Qu'y a-t-il pour votre service ?

De Jaival (2). — Voici : je vous suis envoyé par mon journal pour vous demander une interview.

Ventroux. — Aha !

De Jaival. — Sur la politique en général... Comme vos derniers discours vous ont mis très en vue !...

Ventroux, flatté. — Ah ! Monsieur...

De Jaival. — Je dis ce que tout le monde pense !... et en particulier sur le projet de loi dont vous êtes un des promoteurs : « Les accouchements ouvriers. » L'accouchement gratuit et l'État sage-femme.

Ventroux. — Oui, oh ! très intéressant ! et qui me tient très à cœur.

De Jaival. — Seulement, je voudrais faire quelque chose de pimpant, de pittoresque, de pas comme tout le monde ! Je m'attache à faire des chroniques brillantes ; si vous m'avez déjà lu !...

Ventroux. — Mais, certainement, certainement ! Monsieur de...

De Jaival. — Jaival !... Romain de Jaival !

Ventroux. — De Jaival, parfaitement ! Eh bien ! mais je suis à votre disposition. Seulement, j'ai une petite affaire à terminer avec monsieur. *(Présentant.)* Monsieur Hochepaix.

De Jaival, s'inclinant. — Hochepaix ?

Hochepaix, épelant vivement. — P-a-i-x !

Ventroux. — Maire de Moussillon-les-Indrets !

De Jaival. — Oh ! parfaitement, je connais !

Hochepaix, étonné et flatté. — Moi?

De Jaival. — J'y ai souvent pêché à la ligne.

Hochepaix. — Ah! à Moussillon-les... oui, oui! Non, je comprenais... Oui, oui!

Ventroux. — Alors, si vous voulez m'attendre un instant, nous passons, monsieur et moi, dans mon cabinet; dans cinq minutes, je suis à vous.

De Jaival. — Mais je vous en prie! Vous permettez seulement que je m'installe à cette table; je prendrai quelques notes pendant ce temps-là.

Ventroux, très aimable. — Vous êtes chez vous!

De Jaival, descendant pour contourner la table et aller s'asseoir sur la chaise à gauche de celle-ci. — Pardon!

Ventroux. — Venez, mon cher maire!... de Moussillon-les-Indrets!

Hochepaix. — Tout à vous, mon cher député.

Ils sortent pan coupé à gauche.

SCÈNE X

De Jaival, Clarisse, puis Ventroux, et Hochepaix

De Jaival s'est installé à la table, a tiré son calepin, et, jetant un coup d'œil circulaire, de façon à s'imprégner du cadre, inscrit quelques notes.

Voix de Clarisse, à la cantonade. — Il n'est pas encore là? (Sortant de sa chambre en descendant en scène sans voir de Jaival attablé.) Mais enfin qu'est-ce qu'il fait, cet homme?

De Jaival, ne pouvant réprimer un petit cri d'éton-

nement en voyant paraître une femme en chemise. — Oh!

Clarisse, se retournant au son de la voix. — Ah!
le voilà! *(Allant à de Jaival.)* Oh! vite vite! docteur!

De Jaival, étonné de cette dénomination. — Comment?

*Clarisse, le prenant par la main et l'entraînant vers
la fenêtre.* — Vite, vite, venez voir!

De Jaival, se laissant conduire. — Que je vienne
voir? Quoi donc, madame?

Clarisse. — Où j'ai été piquée.

De Jaival. — Où vous avez été piquée?

Clarisse, faisant manœuvrer le store. — Tenez,
nous allons tirer le store pour que vous voyiez
plus clair.

*De Jaival, sans comprendre où elle veut en
venir.* — Ah?... Oui, madame, oui.

Clarisse. — Vous verrez, docteur!...

De Jaival, l'arrêtant. — Mais pardon, madame!
pardon! je ne suis pas docteur!

Clarisse, derrière le canapé. — Oui, oui, je sais!
vous n'avez pas le titre! Ça n'a aucune importance. Tenez, regardez!

   Elle se retrousse.

*De Jaival, face au public, se retournant à l'invite et
sursautant d'ahurissement.* — Ah!

*Clarisse, toujours retroussée, le corps courbé en
avant, le bras droit appuyé sur le dossier du
canapé.* — Vous voyez?

De Jaival, d'une voix rieuse et étonnée. — Ah!
oui, madame!... Ça, je vois!... Je vois!

Clarisse. — Eh bien?

De Jaival, ravi, au public. — Tout à fait pitto-resque! pimpant! Quel chapeau de chronique!

Clarisse, tournant la tête de son côté, mais sans changer de position. — Comment?

De Jaival. — Vous permettez que je prenne quel-ques notes?

Clarisse. — Mais non, mais non, voyons!... Tenez, touchez!

De Jaival. — Que je...

Clarisse. — Touchez, quoi? Rendez-vous compte!

De Jaival, de plus en plus surpris. — Ah?... Oui, madame! Oui. *(Il est face au public, et de la main gauche renversée, il palpe Clarisse du côté droit. A part.)* Très pittoresque!

Clarisse. — Mais, pas là, monsieur! C'est l'autre côté!

De Jaival, transportant sa main de l'autre côté. — Oh! pardon!

Clarisse. — J'ai été piquée par une guêpe.

De Jaival. — Là? Oh!... quel aplomb!

Clarisse. — L'aiguillon doit être sûrement resté.

De Jaival. — Est-il possible!

Clarisse. — Voyez donc!

De Jaival, se faisant à la situation. — Ah! que je?... Oui, madame, oui!

Il se fixe son monocle dans l'œil et s'accroupit.

Clarisse. — Vous l'apercevez?

De Jaival. — Attendez! Oui, oui! Je le vois!

Clarisse. — Ah? Ah?

De Jaival. — Oui, oui! même il dépasse telle-ment, que je crois qu'avec les ongles...

Clarisse. — Oh! essayez, docteur, essayez!

De Jaival. — Oui, madame, oui!

> *A ce moment, sort du cabinet de travail Hoche-paix, suivi de Ventroux.*

Hochepaix, à la vue de la scène. — Ah!

Ventroux, scandalisé. — Oh!

> *Il se précipite sur Hochepaix et lui fait faire volte-face.*

Clarisse, sans se troubler, ni changer de posi-tion. — Dérangez pas! Dérangez pas!

De Jaival, arrachant l'aiguillon, et se rele-vant. — Tenez, madame! le voilà! le voilà! le mâtin!

Ventroux, bondissant sur de Jaival et l'envoyant pirouetter au 2. — Ah ça! Voulez-vous, vous!...

Clarisse et de Jaival, en même temps. — Qu'est-ce qu'il y a?

Ventroux. — Tu fais voir ton derrière à un rédacteur du Figaro!

Clarisse. — Du Figaro! du Figaro!

Ventroux, furieux. — Oui, monsieur Romain de Jaival, du Figaro!

Clarisse, passant au 3 pour marcher sur de Jaival à croire qu'elle va l'attraper. — De Jaival! Vous êtes monsieur de Jaival! (*Changeant de ton et bien lent.*) Oh! monsieur! que vous avez fait une chronique amusante, hier, dans votre journal! *(A son mari.)* N'est-ce pas?

Ventroux, *levant de grands bras.* — Voilà!... Voilà! Ça n'a pas plus d'importance que ça, pour elle! *(A ce moment, ses yeux se portent sur la fenêtre, dont le store est grand tiré. Poussant un cri strident.)* Ah!... Clemenceau!

Clarisse. — Où ça, Clemenceau?

Ventroux, *redescendant comme un homme ivre.* — Clemenceau!

Clarisse, *regardant dans la direction indiquée.* — Ah! tiens, oui!

Elle adresse des sourires et des « bonjours » de la tête au personnage invisible en question.

Ventroux. — Et il rit! il ricane! *(Tombant sur le canapé.)* Ah! je suis foutu! Ma carrière politique est dans l'eau!

Clarisse, *pendant que le rideau tombe, adressant des petits saluts à Clemenceau.* — Bonjour, monsieur Clemenceau! mais très bien, monsieur Clemenceau! et vous de même, monsieur Clemenceau? Ah! tant mieux! tant mieux, monsieur Clemenceau!

RIDEAU

TABLE DES MATIÈRES

LA DAME DE CHEZ MAXIM

Table 475

ON PURGE BÉBÉ !

MAIS N'TE PROMÈNE DONC PAS TOUTE NUE !